D1415231

LES EMPEREURS DU FAST-FOOD

Autrement**Frontières**

Collection dirigée par Henry Dougier

www.autrement.com

Illustration de couverture : © Bettmann / Corbis

Titre original : *Fast Food Nation, the dark side of the all-American meal*
publié par Perennial / HarpersCollins Publisher
© Eric Schlosser
© Éditions Autrement, 2003, pour la présente traduction.

Dépôt légal : 1er trimestre 2003. ISBN : 2-7467-0305-X.
Achevé d'imprimé en janvier 2003 par l'imprimerie Corlet
à Condé-sur-Noireau (Calvados) - N° 62262
Pour le compte des Éditions Autrement,
77 rue du Faubourg-Saint-Antoine, 75011 Paris.
Tél. : 01 44 73 80 00 - Fax : 01 44 73 00 12

ERIC SCHLOSSER

Les empereurs du fast-food
Le cauchemar d'un système tentaculaire

Traduit de l'anglais par Geneviève Brzustowski
Postface de Martin Hirsch

Éditions Autrement**Frontières**

« Une sauvage servilité
Avance en glissant sur la graisse. »
Robert Lowell

Le mont Cheyenne, situé sur les contreforts est de la chaîne du Colorado Front Range, dresse au-dessus de la Prairie ses pentes abruptes qui dominent la ville de Colorado Springs. Vue de loin, la montagne constellée d'affleurements rocheux et de bosquets de chênes et de pins paraît d'une beauté sereine. On dirait le décor d'un vieux western de Hollywood ou une de ces magnifiques cartes postales des Rocheuses. Pourtant, le mont Cheyenne est tout sauf à l'état vierge. L'une des plus importantes installations militaires du pays y abrite, profondément enterrées, les unités du Commandement aérospatial nord-américain et du Commandement spatial de l'armée de l'air ainsi que le Commandement spatial des États-Unis. Au cours des années 1950, les hautes autorités du Pentagone se sont inquiétées de la vulnérabilité des défenses aériennes de l'Amérique, exposées au sabotage et aux attaques. Le mont Cheyenne fut choisi comme site d'un centre d'opérations de combat souterrain et ultrasecret. La montagne fut creusée et quinze bâtiments, pour la plupart hauts de trois étages, furent érigés au cœur d'un labyrinthe de tunnels et de passages qui s'étend sur des kilomètres. Le complexe souterrain d'environ 2 hectares est conçu pour résister à un bombardement atomique. L'installation, désormais baptisée Base aérienne du mont Cheyenne, est protégée par des portes blindées de 1 mètre d'épaisseur qui pèsent 25 tonnes chacune ; elles se ferment automatiquement en moins de 20 secondes. La base, interdite au public, est surveillée par des patrouilles spécialement entraînées et lourdement armées. Le complexe baigne dans une atmosphère pressurisée qui empêche toute contamination par des retombées radioactives ou des armes biologiques. Les bâtiments sont construits sur de gigantesques ressorts d'acier qui leur permettent de supporter un tremblement de terre ou l'onde de choc d'une frappe thermonucléaire. Les coursives et les escaliers sont peints en gris ardoise, les plafonds sont bas et de nombreux accès sont verrouillés par des serrures à code. Un étroit tunnel de secours, auquel on accède par un sas métallique, serpente à travers la roche jusqu'aux flancs de la montagne. L'endroit ressemble au plateau d'un des premiers *James Bond*, avec ses hommes en combinaison qui vont et viennent d'une caverne brillamment éclairée à une autre au volant de fourgonnettes électriques.

Cinq cents personnes travaillent dans les profondeurs de la montagne, où elles entretiennent les installations et rassemblent les informations que leur transmet un réseau planétaire de radars, satellites espions, détecteurs au sol, avions et ballons de reconnaissance. Le Centre des opérations du mont Cheyenne suit à la trace tout objet de fabrication humaine qui pénètre l'espace aérien de l'Amérique du Nord ou tourne en orbite autour de la Terre. Il constitue le cœur du système de détection avancée de la nation. Il est capable de détecter la mise à feu d'un missile de croisière partout dans le monde avant même que ce missile ait quitté sa rampe de lancement.

Cette base militaire futuriste tapie à l'intérieur d'une montagne peut subsister de manière complètement autonome pendant au moins un mois. Ses générateurs produisent assez d'électricité pour subvenir aux besoins d'une ville de la taille de Tampa, en Floride. Ses réservoirs souterrains contiennent des millions de litres d'eau ; les employés les traversent parfois en barque. Le complexe possède son propre centre sportif souterrain, une clinique, un cabinet dentaire, un coiffeur, une chapelle et une cafétéria. Souvent, lorsque les hommes et les femmes en poste au mont Cheyenne en ont assez de la nourriture qu'on y propose, ils envoient quelqu'un au Burger King de Fort Carson, une base de l'armée voisine. Sinon, ils téléphonent chez Domino.

Chaque soir ou presque, un livreur de chez Domino entreprend l'ascension sinueuse de la route déserte du mont Cheyenne, dépasse les panneaux qui menacent de « danger de mort », franchit le poste de contrôle situé à l'entrée de la base et se dirige vers le portail nord, sévèrement gardé par des sentinelles et par une bordure de chaînes et de barbelés. Le livreur dépose les pizzas et ramasse son pourboire près de l'endroit où la route s'enfonce droit dans la montagne. Si l'Apocalypse se déclenche, si un ennemi étranger arrose un jour les États-Unis de ses têtes nucléaires, transformant le continent tout entier en champ de ruines, et le mont Cheyenne avec ses merveilles technologiques, ses combinaisons bleu pâle, ses bandes dessinées et ses bibles, en tombeau, les archéologues du futur trouveront peut-être des vestiges tout différents pour attester de la nature de notre civilisation – des emballages marqués Big King, des croûtes rassies de burgers au fromage, des os d'ailes de poulet en provenance du Barbeque Wing, et le carton rouge, blanc et bleu d'une boîte à pizza de chez Domino.

Ce que nous mangeons

Durant les trois dernières décennies, le fast-food s'est insinué dans le moindre recoin de la société américaine. Cette industrie qui débuta avec une poignée de modestes stands de vendeurs de hot-dogs et de hamburgers dans le sud de la Californie s'est propagée dans la nation tout entière et propose aujourd'hui une large palette d'aliments partout où l'on peut trouver des clients solvables. On sert ce genre de nourriture dans les restaurants et les drive-in, les stades, les aéroports, les zoos, les lycées, les écoles primaires et les universités, sur les bateaux de croisière, dans les trains et les avions, les supermarchés K-Mart et Wal-Mart, les stations-service et même dans les cafétérias des hôpitaux. En 1970, elle représentait une dépense totale d'environ 6 milliards de dollars ; en l'an 2000, les Américains lui ont consacré plus de 110 milliards. Ils dépensent aujourd'hui plus d'argent pour ce genre d'alimentation que pour l'éducation supérieure, les ordinateurs personnels, les logiciels et les voitures neuves. C'est également plus que tout l'argent consacré aux films, livres, magazines, journaux, cassettes vidéo et enregistrements musicaux réunis.

Ouvrez la porte vitrée, aspirez une bonne bouffée d'air climatisé, entrez, prenez la file, examinez les photographies en couleur suspendues derrière le comptoir, passez votre commande, tendez quelques dollars et regardez les étudiants en uniforme appuyer sur divers boutons ; quelques instants leur suffiront pour déposer sur votre plateau en plastique de la nourriture emballée dans du papier et du carton multicolores. Acheter à manger dans un fast-food est devenu aussi ordinaire et normal que se brosser les dents ou s'arrêter au feu rouge. C'est désormais une coutume sociale aussi américaine qu'une portion de tarte aux pommes rectangulaire, congelée et réchauffée.

Ce livre traite de la restauration rapide, ou fast-food, des valeurs qu'elle incarne et du monde qu'elle a façonné. Le fast-food a joué le rôle de force révolutionnaire dans la vie américaine ; il m'intéresse en tant que produit de base et en tant que métaphore. Ce que les gens mangent (ou non) a toujours été déterminé par l'interaction complexe de forces sociales, économiques et technologiques. La république romaine primitive était nourrie par ses citoyens-fermiers ; l'Empire romain, par ses esclaves. Le régime alimentaire d'une nation peut en révéler plus sur elle que son art ou sa littérature. Un quart environ de la population adulte des États-Unis se rend tous les jours dans un fast-food. L'industrie du fast-food a réussi, sur une période relativement courte, à transformer non seulement le régime alimentaire américain, mais également nos paysages, notre économie, notre main-d'œuvre et notre culture populaire. Qu'on en consomme deux fois par jour, qu'on essaie de l'éviter ou qu'on n'ait jamais mordu dans un hamburger, le fast-food et ses conséquences sont devenus incontournables.

L'extraordinaire croissance de l'industrie du fast-food a été provoquée par les changements fondamentaux qui ont affecté la société américaine. Revalorisé pour cause d'inflation, le salaire horaire du travailleur américain moyen a culminé en 1973 avant de décliner régulièrement au cours des vingt-cinq années suivantes. Pendant la même période, les femmes ont fait une percée sans précédent dans le monde du travail, souvent motivées moins par une vision féministe que par la nécessité de payer les factures. En 1975, environ un tiers des mères américaines de jeunes enfants travaillaient à l'extérieur ; aujourd'hui, presque les deux tiers. Les sociologues Cameron Lynne McDonald et Carmen Sirianni ont montré que l'arrivée d'un si grand nombre de femmes dans le monde du travail a largement stimulé la demande du type de services généralement assuré par les femmes au foyer : cuisine, ménage et garde des enfants. Il y a une génération, les trois quarts de l'argent utilisé pour acheter de la nourriture aux États-Unis passaient dans des repas préparés à la maison. Aujourd'hui, la moitié du budget alimentation est dépensée dans les restaurants – essentiellement les fast-foods.

La société McDonald's est devenue un puissant symbole de l'économie de services américaine, dont elle crée 90 % des nouveaux emplois. En 1968, McDonald's exploitait 1 000 restaurants environ. Elle possède à présent 28 000 établissements dans le monde entier et en inaugure presque 2 000 chaque année. On estime qu'aux États-Unis 1 travailleur sur 8 a été employé par McDonald's à un moment ou un autre de sa carrière. La compagnie engage environ 1 million de personnes chaque année, c'est-à-dire plus que n'importe quelle entreprise américaine, qu'elle soit publique ou privée. McDonald's est le plus gros acheteur de bœuf, de porc et de pommes de terre du pays – et le deuxième acheteur de poulet. Elle est le plus gros propriétaire d'immeubles commerciaux au monde. De fait, la plus grande partie de ses bénéfices vient des loyers qu'elle touche, et non de la vente de nourriture. McDonald's dépense plus en publicité et en marketing que n'importe quelle autre marque. Elle a d'ailleurs ravi à Coca-Cola la place de marque la plus connue au monde. McDonald's gère plus de terrains de jeux que tout autre organisme privé des États-Unis. C'est l'un des plus grands distributeurs de jouets du pays. Une enquête réalisée auprès des écoliers américains a montré que 96 % d'entre eux étaient capables d'identifier Ronald McDonald. Le seul personnage de fiction qui bénéficie d'un taux de reconnaissance supérieur est le Père Noël. Il est difficile d'exagérer l'impact de McDonald's sur notre mode de vie actuel. Les deux arches de son « M » majuscule sont plus connues que la croix des chrétiens.

Au début des années 1970, le militant paysan Jim Hightower mettait en garde contre la « McDonaldisation de l'Amérique ». Il considérait l'industrie naissante du fast-food, dont il craignait l'influence homogénéisatrice sur la vie américaine, comme une menace pour l'entreprise indépendante et une étape vers la domination du secteur alimentaire par les corporations géantes. Il affirmait dans son livre *Eat Your Heart Out* (1975) que « plus gros ne signifie pas mieux ». Une grande partie des craintes de Hightower se sont révélées fondées. Les décisions d'achat centralisées des grandes chaînes de restauration américaines et leur exigence de produits standardisés ont donné à une poignée de groupes un degré de pouvoir sans précédent sur le secteur agroalimentaire du pays. De plus, le succès fabuleux de l'industrie du fast-food a encouragé d'autres industries à adopter des méthodes similaires. La démarche de base du fast-food est devenue le principe de fonctionnement de l'économie de détail actuelle : elle a éliminé le petit commerce, oblitéré les différences régionales et fait proliférer les magasins identiques sur tout le territoire, comme autant de clones.

Les rues principales et les centres commerciaux de toutes les villes américaines arborent les mêmes Pizza Hut et Taco Bell, Gap et Banana Republic, Starbuck et Jiffy-Lube, Foot Locker, Snip N'Clip, Sunglass Hut et Hobbytown USA. Presque tous les aspects du mode de vie américain ont été franchisés ou déclinés en chaînes. De la maternité d'un hôpital Columbia/HCA à la salle d'embaumement de Service Corporation International – « le plus grand prestataire de services funéraires du monde », basé à Houston, Texas, en plein développement depuis 1968, avec ses 3 823 funérariums, 523 cimetières et 198 crématoriums, qui prend aujourd'hui soin de la dépouille mortelle de 1 Américain sur 9 –, on peut aller du berceau à la tombe sans jamais dépenser un centime pour un produit d'une entreprise indépendante.

La clé de la réussite d'une franchise, si l'on en croit les nombreux textes sur le sujet, tient en un mot : « uniformité ». Franchises et chaînes de magasins s'efforcent d'offrir exactement le même produit dans de multiples endroits. L'instinct des consommateurs les entraîne vers les produits familiers, de préférence à la nouveauté. Une marque procure un sentiment de réconfort lorsque ses produits sont toujours et partout les mêmes. « Nous avons découvert [...] que nous ne pouvons nous fier à certaines personnes qui sont des non-conformistes », déclarait Ray Kroc, l'un des fondateurs de McDonald's, furieux contre l'un de ses franchisés. « Nous en ferons vite des conformistes [...]. L'organisation ne peut faire confiance à l'individu ; c'est l'individu qui doit faire confiance à l'organisation. »

L'une des ironies de l'industrie américaine du fast-food vient justement du fait qu'une entreprise aussi vouée à la conformité a été créée par des iconoclastes et des autodidactes, des entrepreneurs prêts à défier les conventions. Rares sont les bâtisseurs d'empires du fast-food à avoir fréquenté l'université, et encore moins une école de commerce. Ils ont travaillé dur, pris des risques et suivi leur propre voie. L'industrie du fast-food incarne à beaucoup d'égards le meilleur et le pire du capitalisme américain des débuts du XXIe siècle – son flot continu de produits nouveaux et d'innovations, le fossé grandissant entre riches et pauvres. L'industrialisation des cuisines de restaurant a permis aux chaînes de fast-foods de s'appuyer sur une main-d'œuvre peu qualifiée et mal payée. Seule une minorité d'employés parvient à grimper les échelons de la hiérarchie, alors que la grande majorité travaille à temps partiel, ne reçoit aucun intéressement, ne bénéficie que d'un minimum de formation, n'exerce guère de contrôle sur ses conditions de travail, démissionne au bout de quelques mois et dérive de petit boulot en petit boulot. L'industrie de la restauration, qui est aujourd'hui le plus gros employeur privé des États-Unis, paie certains des salaires les plus bas. Pendant la période d'expansion économique des années 1990, alors que pratiquement une génération entière de salariés américains touchait sa première véritable augmentation, le montant réel des salaires versés par l'industrie de la restauration continuait de diminuer. Les 3,5 millions d'employés de la restauration rapide sont de loin le plus important groupe d'abonnés au salaire minimum des États-Unis. Les seuls Américains qui touchent invariablement un salaire horaire inférieur sont les migrants qui travaillent comme ouvriers agricoles.

Le menu hamburger-frites est devenu le type même du repas américain au cours des années 1950, grâce aux efforts publicitaires des chaînes de restauration rapide. L'Américain moyen consomme désormais 3 hamburgers et 4 portions de frites par semaine environ. Mais le tir croisé des publicités pleines de steaks épais et juteux et de longues frites dorées mentionne rarement l'origine de ces aliments ou les ingrédients qu'ils contiennent. La naissance de l'industrie du fast-food a coïncidé avec l'apologie de la technologie faite pendant l'ère Eisenhower à coups de slogans tels que « Une vie meilleure grâce à la chimie » et « L'atome notre ami ». Le genre de merveille technologique vantée par Walt Disney à la télévision et à Disneyland a fini par s'épanouir dans les cuisines des fast-foods. De fait, la culture d'entreprise de McDonald's semble inextricablement liée à celle de l'empire Disney, qui partage avec elle la même révérence pour l'équipement impeccable, l'électronique et l'automatisation. Les grandes chaînes de restauration rapide professent toujours une foi sans limites en la science – en conséquence, elles ne se sont pas contentées de changer ce que les Américains mangent, mais également la manière dont leur nourriture est fabriquée.

Les méthodes actuelles de préparation culinaire sont exposées dans des magazines spécialisés, *Food Technologist* ou *Food Engineering*, par exemple, plutôt que dans des livres de cuisine. Hormis les légumes des salades et les tomates, la plus grande partie des aliments des fast-foods sont livrés congelés, en conserve, déshydratés ou lyophilisés. La cuisine d'un fast-food n'est que la dernière étape d'un vaste et complexe système de production de masse. Les aliments à l'air familier ont en réalité subi une modification complète. Ce que nous mangeons a changé davantage au cours des quarante dernières années qu'au cours des quatre mille ans qui les ont précédées. À l'instar du mont Cheyenne, le fast-food actuel dissimule de remarquables avancées technologiques derrière une façade ordinaire. Ainsi, le goût et l'arôme du fast-food américain sont fabriqués dans un vaste complexe d'usines chimiques situées près de l'échangeur du New Jersey.

On découvre dans les fast-foods de Colorado Springs, avec leurs comptoirs, leurs sièges en plastique et les paysages changeants derrière leurs vitres, toutes les vertus et tous les effets destructeurs de notre nation du fast-food. J'ai choisi Colorado Springs comme centre de cet ouvrage parce que les changements qui ont récemment affecté cette ville sont emblématiques de ceux que le fast-food – et la mentalité du fast-food – a encouragés à travers les États-Unis. D'innombrables communautés suburbaines d'autres régions du pays auraient pu servir à illustrer les mêmes arguments. L'extraordinaire croissance de Colorado Springs est parallèle à celle de l'industrie du fast-food : la population de la ville a presque doublé au cours des dernières décennies. Nouveaux quartiers, centres commerciaux et restaurants de grandes chaînes poussent sur les contreforts du mont Cheyenne et dans les plaines qui ondulent à l'est. L'économie de la région des Rocheuses connaît le développement le plus rapide des États-Unis ; l'alliance de la haute technologie et des industries de services y préfigure peut-être la nature de la main-d'œuvre américaine dans les années à venir. Les nouveaux restaurants y ouvrent à un rythme plus effréné que partout ailleurs dans le pays.

Le fast-food est aujourd'hui tellement répandu qu'il a acquis un air d'inévitabilité, comme s'il était devenu un élément incontournable de la vie moderne. Pourtant, la prédominance des géants du fast-food n'était pas plus inéluctable que la percée des maisons coloniales à étage, des terrains de golf et des lacs artificiels à travers les déserts de l'Ouest américain. La philosophie politique qui prévaut dans tant de régions de l'Ouest – exigeant une baisse des impôts, moins d'intervention du gouvernement ou la déréglementation du marché – est en contradiction totale avec les véritables fondements économiques de la région. Aucune autre région des États-Unis n'a en effet autant dépendu, ni depuis aussi longtemps, des subventions gouvernementales, depuis la construction de ses chemins de fer au XIXe siècle jusqu'au financement de ses bases militaires et de ses barrages au XXe. Un historien a qualifié la frénésie autoroutière qui a saisi le gouvernement fédéral au cours des années 1950 d'exemple type de « socialisme inter-États » – expression qui décrit parfaitement la manière dont l'Ouest fut en réalité conquis. L'industrie du fast-food s'implantait le long de ce réseau d'autoroutes inter-États lorsqu'une forme inédite de restaurants a surgi au bord des nouvelles bretelles d'accès. En outre, le développement exceptionnel de cette industrie au cours des vingt-cinq dernières années ne s'est pas produit dans une période de vide politique. La valeur moyenne du salaire minimum, indexé sur l'inflation, diminuait de 40 % environ au moment même où les techniques sophistiquées du marketing de masse visaient pour la première fois les jeunes enfants, et où les organismes fédéraux créés pour protéger salariés et consommateurs se comportaient plus souvent qu'à leur tour en succursales des compagnies dont ils étaient censés contrôler les agissements. Depuis l'administration du président Richard Nixon, l'industrie du fast-food travaille main dans la main avec ses alliés du Congrès et de la Maison-Blanche afin de s'opposer aux lois sur la sécurité des salariés, le contrôle des aliments et le salaire minimum. Alors qu'elles prennent officiellement fait et cause pour la libéralisation du marché, les chaînes de restauration rapide ont tranquillement obtenu toute une gamme de subventions gouvernementales, dont elles ont grandement bénéficié. Loin d'être un phénomène inéluctable, l'industrie américaine du fast-food dans sa forme actuelle représente le résultat logique de certains choix politiques et économiques.

Dans les champs de pommes de terre et les usines de transformation de l'Idaho, dans les pâturages situés à l'est de Colorado Springs, dans les élevages et les abattoirs des Grandes Plaines, on peut observer les effets du fast-food sur la vie rurale, l'environnement, les ouvriers et la santé de la nation. Les chaînes de fast-foods chapeautent désormais un gigantesque complexe d'alimentation industrielle qui a pris le contrôle de l'agriculture américaine. Pendant les années 1980, de grandes multinationales – Cargill, ConAgra et IBP – ont eu tout loisir de dominer une Bourse des marchandises après l'autre. Fermiers et éleveurs de bétail perdent leur indépendance pour devenir les employés des géants de l'agro-industrie, quand ils ne sont pas chassés de leurs terres. Les fermes familiales sont remplacées par d'énormes exploitations industrielles où personne ne vit. Dans les communautés rurales, privées de leur classe moyenne, la stratification sociale se résume à la division entre petite élite riche et multitude d'ouvriers pauvres. Les petites villes qui semblent sorties tout droit d'une peinture de Norman Rockwell se transforment en ghettos ruraux. Les robustes fermiers indépendants que Thomas Jefferson tenait pour le soubassement de la démocratie sont une espèce en voie d'extinction. Les États-Unis comptent aujourd'hui plus de détenus dans leurs prisons que de fermiers à plein temps.

L'immense pouvoir d'achat des chaînes de fast-foods et leur volonté d'obtenir un produit uniforme ont encouragé l'apparition de changements fondamentaux dans la manière dont le bétail est élevé, abattu et transformé en hachis. Ces changements ont fait du conditionnement de la viande – profession jadis hautement qualifiée et bien payée – le métier le plus dangereux des États-Unis, laissé à une armée de pauvres immigrants de passage dont les blessures sont rarement déclarées et indemnisées. Non contentes de mettre en danger la santé des ouvriers, les pratiques de l'industrie de la viande ont favorisé l'introduction d'agents pathogènes mortels, comme l'*E. coli 0157 :H7*, dans la viande pour hamburger américaine, produit qui fait l'objet d'une publicité agressive destinée aux enfants. Les efforts répétés pour empêcher la vente de viande de bœuf hachée contaminée ont été contrecarrés par les groupes de pression de l'industrie de la viande et leurs alliés au Congrès. Le gouvernement fédéral peut légalement retirer de la vente un gril ou un animal en peluche défectueux – mais pas des tonnes de viande contaminée et potentiellement mortelle.

Je n'insinue pas que le fast-food est seul responsable de tous les problèmes sociaux qui hantent aujourd'hui les États-Unis. Dans certains cas (comme le développement commercial et tentaculaire de l'Ouest), l'industrie du fast-food a agi en catalyseur et en symptôme de courants économiques plus larges. Elle a joué un rôle plus central dans d'autres cas (la multiplication des franchises et la propagation de l'obésité, par exemple).

J'espère, en suivant la trace des différentes influences du fast-food, éclairer le fonctionnement non seulement d'une industrie importante, mais également d'une vision du monde spécifiquement américaine.

Les élitistes ont toujours méprisé le fast-food ; ils en critiquent la saveur et le considèrent comme une manifestation de vulgarité supplémentaire de la culture populaire américaine. Je m'intéresse moins à l'esthétique du fast-food qu'à son impact sur la vie des Américains ordinaires, en tant que travailleurs et consommateurs. Par-dessus tout, je m'inquiète de son influence sur les enfants de notre pays. Le fast-food est vendu aux enfants et préparé par des gens à peine plus âgés. C'est une industrie qui nourrit la jeunesse en se nourrissant d'elle. Pendant les deux années passées à préparer ce livre, j'ai ingurgité d'énormes quantités de fast-food. La plupart de ces aliments n'étaient pas mauvais. C'est d'ailleurs l'une des raisons principales de l'engouement pour le fast-food : il a été soigneusement conçu pour avoir bon goût. Il est également bon marché et pratique. Mais les menus promotionnels, les deux-pour-le-prix-d'un et les verres de soda gratuits donnent une idée fausse du prix réel de la nourriture, qui n'apparaît jamais sur la carte.

Le sociologue George Ritzer attaque l'industrie du fast-food parce qu'elle place un degré d'efficacité extrêmement étroit au-dessus de toutes les autres valeurs humaines, et il qualifie le triomphe de McDonald's d'« irrationalité de la rationalité ». D'autres considèrent l'industrie du fast-food comme la meilleure illustration de la grande vitalité économique de la nation et une institution chère aux Américains, dont l'attrait s'exerce à travers le monde sur des millions d'admirateurs de notre mode de vie. De fait, les valeurs, la culture et l'organisation industrielle de notre nation du fast-food s'exportent partout. Le fast-food a rejoint les films de Hollywood, les blue-jeans et la musique pop au rayon des exportations culturelles américaines les plus importantes. Contrairement à ces autres produits, cependant, le fast-food n'est ni regardé, ni lu, ni écouté, ni porté. Il pénètre dans le corps et devient partie intégrante du consommateur. Aucune autre industrie ne procure, au sens propre et figuré, un aperçu aussi profond de la nature de la consommation de masse.

Des centaines de millions de gens achètent quotidiennement du fast-food, sans même y penser, ignorant les ramifications, subtiles ou plus grossières, de leurs achats. Ils se demandent rarement d'où vient cette nourriture, comment elle a été fabriquée, quelles sont ses implications pour la communauté qui les entoure. Ils saisissent simplement leur plateau, trouvent une table, s'assoient, déplient le papier d'emballage et piochent à l'intérieur.

L'expérience est transitoire, vite oubliée. J'ai écrit ce livre parce que je pense que les gens devraient savoir ce qui se cache derrière la surface brillante et lisse de chaque transaction. Ils devraient savoir ce que dissimulent ces fameux pains au sésame. Comme le dit le proverbe : « Dis-moi ce que tu manges, je te dirai qui tu es. »

1. La méthode américaine

Carl N. Karcher est l'un des pionniers de l'industrie du fast-food. Sa carrière embrasse les modestes origines de cette industrie jusqu'à l'actuelle hégémonie du hamburger. Sa vie tient à la fois d'une histoire de Horatio Alger, de l'accomplissement du rêve américain et de l'avertissement sur les conséquences inattendues de ce dernier. C'est une parabole sur les débuts de cette industrie et les extrémités auxquelles elle peut mener. Au cœur de l'histoire, le sud de la Californie, dont les villes sont devenues des prototypes pour le reste de la nation, dont l'amour de l'automobile a changé la physionomie de l'Amérique et l'alimentation des Américains.

Carl est né en 1917 dans une ferme proche d'Upper Sandusky, dans l'Ohio. Son père, un métayer, s'installait régulièrement sur de nouvelles terres avec sa famille. Les Karcher étaient d'origine allemande, travailleurs et fervents catholiques. Carl avait six frères et une sœur. « Plus vous travaillez dur, leur disait leur père, plus la chance vous sourit. » Carl quitta très tôt l'école pour travailler à la ferme ; il y passait des journées de douze à quatorze heures, à mener l'attelage de chevaux au moment des moissons, à mettre le foin en balles, à traire et à nourrir les vaches. En 1937, l'un des oncles de Carl, Ben Karcher, lui proposa un travail à Anaheim, en Californie. Carl réfléchit longuement, demanda leur avis à ses parents et finit par décider de partir vers l'Ouest. Il avait vingt ans et mesurait plus de 1,90 mètre ; c'était un costaud, un vrai gars de la campagne. Il n'était jamais sorti du nord de l'Ohio. En quittant la maison, il prenait une décision capitale ; il lui fallut une semaine pour rejoindre la Californie. Lorsqu'il arriva à

Anaheim, Carl découvrit les palmiers et les vergers d'orangers, sentit le parfum des agrumes flotter dans l'air et se dit : « C'est le paradis. »

À cette époque, Anaheim était une petite ville entourée de ranches et de fermes. Elle se trouvait au beau milieu de la « ceinture d'agrumes » du sud de la Californie, une région qui produisait presque la totalité des oranges, mandarines et citrons de l'État. Le comté d'Orange et le comté voisin de Los Angeles étaient les premières régions agricoles des États-Unis ; fruits, noix, légumes et fleurs y poussaient sur des terres arrachées au désert et couvertes à peine une génération plus tôt d'armoise et de cactus. D'énormes ouvrages d'irrigation construits grâce au financement public pour bonifier les terres de propriétaires privés acheminaient l'eau puisée à plusieurs centaines de kilomètres. Les alentours d'Anaheim à eux seuls déployaient 28 000 hectares plantés d'oranges Valencia, ainsi que de vergers de citronniers et de noyers. La région était parsemée de petits ranches et d'élevages laitiers, les chemins de campagne bordés de tournesols. Anaheim avait été fondée à la fin du XIXᵉ siècle par des immigrants allemands qui espéraient y établir une viticulture locale et par un groupe d'expatriés polonais partisans du retour à la nature et désireux d'y créer une communauté artistique. Les viticulteurs prospérèrent pendant une trentaine d'années ; la communauté d'artistes s'effondra en quelques mois. Après la Première Guerre mondiale, le caractère fortement germanique d'Anaheim s'effaça sous l'influence de nouveaux arrivants des Grandes Plaines, en majorité protestants, conservateurs et de confession évangélique. Le révérend Leon L. Myers – pasteur de l'église chrétienne d'Anaheim et fondateur du groupe biblique masculin de la ville – fit du Ku Klux Klan l'une des plus puissantes organisations locales. Au début des années 1920, le Klan dirigeait le principal quotidien d'Anaheim ; il contrôla la municipalité pendant un an et fit placer aux environs de la ville des panneaux qui accueillaient les nouveaux venus par l'acronyme « KIGY » (Membres du Klan, je vous salue).

Ben, l'oncle de Carl, était propriétaire d'un magasin de fournitures agricoles situé en plein centre d'Anaheim. Carl y travaillait soixante-seize heures par semaine, vendant aux éleveurs du cru les produits dont ils avaient besoin pour leur bétail, leurs poulets et leurs porcs. Au cours de la messe du dimanche, à l'église catholique Saint-Boniface, Carl remarqua sur un banc voisin une séduisante jeune femme nommée Margaret Heinz. Il l'invita à manger une glace et ils commencèrent à se fréquenter. Carl rendait régulièrement visite à la ferme des Heinz, sur North Palm Street. Elle comprenait 4 hectares d'orangers et une maison de style espagnol où Margaret vivait avec ses parents, ses sept frères et ses sept sœurs. L'endroit lui paraissait magique. Les producteurs d'oranges occupaient le sommet de la hiérarchie sociale des fermiers californiens ; leurs maisons se dressaient au milieu d'arbres odorants et toujours verts qui leur procuraient un revenu considérable. Lorsqu'il était enfant, dans l'Ohio, Carl était ravi de recevoir une unique orange le matin de Noël. À présent, il y avait des oranges partout.

Margaret était secrétaire dans un cabinet d'avocats du centre-ville. De la fenêtre de son bureau, au quatrième étage, elle voyait Carl préparer le fourrage devant la boutique de son oncle. Après un court séjour en Ohio, Carl fut embauché par la boulangerie Armstrong, à Los Angeles. Il gagna bientôt 24 dollars par semaine, soit 6 de plus qu'avant – et suffisamment pour fonder une famille. Carl et Margaret se marièrent en 1939 et leur premier enfant naquit moins d'un an plus tard.

Carl, au volant d'un camion de la boulangerie, livrait du pain aux restaurants et aux marchés de l'ouest de Los Angeles. Il était stupéfait de voir le nombre de baraques à hot-dogs qui s'installaient et de la quantité de petits pains qui s'y écoulaient chaque semaine. Il apprit qu'une de ces baraques, située face à l'usine Goodyear sur Florence Avenue, était à vendre et décida de l'acheter. Margaret, résolument opposée à son idée, se demandait où Carl allait trouver l'argent. Il emprunta 311 dollars à la Bank of America, hypothéqua sa voiture et persuada sa femme de lui confier 15 dollars en liquide sortis de sa propre bourse. « Je travaille à mon compte maintenant, se dit-il alors, je suis lancé. » Il conserva son emploi à la boulangerie et engagea deux jeunes hommes pour s'occuper de l'échoppe pendant ses heures de travail. Ils vendaient 10 cents leurs hot-dogs, sandwiches au chili et tamales, et 5 cents les boissons fraîches. Carl était propriétaire de la baraque depuis cinq mois quand les États-Unis entrèrent en guerre et quand l'usine Goodyear se mit à tourner à plein régime. Il eut bientôt assez d'argent pour acheter une deuxième baraque, où Margaret travaillait souvent elle-même, vendant de la nourriture et rendant la monnaie pendant que leur fille dormait à côté, dans la voiture.

Le sud de la Californie venait tout juste de donner naissance à un style de vie – et à un mode d'alimentation – entièrement nouveaux. Tout tournait autour de l'automobile. Les villes de la côte est, construites à l'époque des chemins de fer, possédaient des quartiers d'affaires centraux reliés aux faubourgs par des tramways et des trains de banlieue. Mais la croissance extraordinaire de Los Angeles coïncida avec le moment où les voitures devenaient enfin abordables. De 1920 à 1940, la population du sud de la Californie fut presque multipliée par 3 grâce à l'arrivée d'environ 2 millions d'habitants d'autres États. Tandis que les villes de la côte est se développaient sous l'effet de l'immigration et gagnaient en diversité, Los Angeles devenait de plus en plus homogène et blanche. La ville fut inondée de nouveaux arrivants issus de la classe moyenne des États du Midwest, en particulier au cours des années précédant la Grande Dépression. Invalides, retraités et petits entrepreneurs étaient attirés vers le sud de la Californie par les annonces immobilières qui promettaient une belle vie sous un climat agréable. Ce fut la première migration à grande échelle qui s'accomplit essentiellement en voiture. Los Angeles se transforma bientôt en une ville unique au monde, tentaculaire et horizontale, en une métropole banlieusarde faite de maisons individuelles – une vision du futur modelée par l'automobile. Environ 80 % de la population était née ailleurs ; la moitié était arrivée en voiture au cours des cinq années précédentes. Impatience, sens de l'éphémère et de la vitesse, doublés d'une ouverture à la nouveauté, étaient enracinés dans la culture qui émergea bientôt. D'autres villes changeaient sous l'effet de l'automobile, mais aucune ne connut de modification aussi profonde. En 1940, 1 million de voitures environ circulaient à Los Angeles, soit plus que dans 41 États.

L'automobile offrait aux conducteurs un sentiment d'indépendance et de contrôle. Les déplacements journaliers échappaient aux contraintes telles que les horaires de train, les besoins des autres passagers et l'emplacement des arrêts de tram. Plus important encore, conduire semblait beaucoup moins onéreux qu'emprunter les transports en commun – illusion due au fait que le prix des voitures neuves ne comprenait pas le coût de la construction de nouvelles routes. Les groupes de pression des industries du pétrole, des pneumatiques et de l'automobile avaient en effet persuadé les agences fédérales et locales d'assumer cette dépense essentielle. Si les grandes compagnies automobiles avaient été contraintes de financer les routes – à l'image des compagnies de tram qui devaient poser et entretenir leurs voies – l'Ouest américain aurait aujourd'hui un tout autre aspect.

Cependant, l'industrie automobile ne se contenta pas de récolter la manne de la construction routière subventionnée par l'État. Elle était déterminée à éliminer la concurrence du rail par tous les moyens à sa portée. À la fin des années 1920, General Motors commença à acheter en secret des réseaux de tram dans tous les États-Unis par l'intermédiaire de sociétés écrans. Les réseaux de Tulsa en Oklahoma, de Montgomery en Alabama, de Cedar Rapids dans l'Iowa, d'El Paso au Texas, de Baltimore, de Chicago, de New York et de Los Angeles, passèrent tous aux mains de GM avant d'être complètement démantelés, leurs voies arrachées et leurs câbles aériens mis à terre. Les compagnies de tram furent transformées en lignes d'autobus, autobus d'ailleurs fabriqués par GM.

General Motors finit par convaincre d'autres entreprises susceptibles de bénéficier de la construction routière de l'aider à payer le coûteux rachat des tramways américains. En 1947, GM et un certain nombre de ses partenaires furent mis en examen pour infraction à la loi antitrust fédérale. Deux ans plus tard, le mécanisme de ce plan et ses intentions sous-jacentes furent étalés au grand jour lors d'un procès qui se tint à Chicago. Le jury fédéral reconnut GM, Mack Truck, Firestone et Standard Oil of California coupables d'un des deux chefs d'accusation. Le journaliste Jonathan Kwitny, qui enquêta sur l'affaire, affirma ensuite que ce cas « illustrait parfaitement ce qui peut arriver lorsque le gouvernement abandonne aux intérêts égoïstes des corporations d'importantes questions de politique publique ». Le juge William J. Campbell ne se montra pas aussi scandalisé. Il imposa à GM et à chacune des autres compagnies une amende de 5 000 dollars. Les dirigeants qui avaient comploté et mis secrètement à exécution la destruction du réseau de tramway américain furent condamnés à verser une amende de 1 dollar chacun. Le règne de l'automobile pouvait continuer à s'imposer sans encombre.

La culture automobile de la nation atteignit des sommets dans le sud de la Californie, où elle inspira des innovations telles que le premier motel et la première banque « drive-in ». Une nouvelle forme de restaurant naquit. « Les gens qui ont des voitures sont tellement paresseux qu'ils ne veulent même pas en sortir pour manger ! », déclara Jesse G. Kirby, fondateur d'une des premières chaînes de restaurants drive-in. Certes, son premier « Pig Stand » se trouvait au Texas, mais la chaîne prospéra bientôt à Los Angeles aux côtés d'innombrables autres établissements qui proposaient un « service au volant ». Dans le reste des États-Unis, les drive-in restaient un phénomène généralement saisonnier et fermaient à la fin de chaque été. Au sud de la Californie, l'été durait toute l'année, et les drive-in qui ne fermaient jamais donnèrent naissance à toute une nouvelle industrie.

Au début des années 1940, les restaurants drive-in du sud de la Californie arboraient pour la plupart des couleurs criardes et des formes rondes ; ils étaient surmontés de pylônes, de tours et d'enseignes tape-à-l'œil. Chacun d'eux était, pour reprendre l'expression de Michael Witzel, historien des drive-in, une sorte de « Mecque de néon circulaire » conçue pour être facilement repérable depuis la route. Le triomphe de l'automobile encourageait non seulement la séparation géographique entre les bâtiments, mais également l'élaboration par l'homme d'un paysage voyant et audacieux. L'architecture ne pouvait plus se permettre la subtilité ; elle devait attirer le regard de l'automobiliste roulant à grande vitesse. Les nouveaux drive-in rivalisaient donc d'artifices visuels, bâtiments décorés de couleurs vives et serveuses vêtues de costumes variés. Ces serveuses, appelées « filles de parking » – elles apportaient leur menu sur un plateau aux clients garés dans leur voiture – portaient souvent des jupes courtes et s'habillaient en cowgirl, en majorette ou en kilt de jeune Écossaise. Souvent séduisantes, elles ne touchaient pas de salaire horaire mais gagnaient leur vie grâce aux pourboires et à une faible commission sur chaque produit vendu. Ces serveuses de parking avaient tout intérêt à se montrer aimables avec leurs clients, et les drive-in devinrent rapidement le repaire favori des adolescents. Ils étaient parfaitement adaptés à la culture de la jeunesse prônée à Los Angeles. Résolument nouveaux et différents, ils offraient un cocktail de filles, de voitures et de repas nocturnes ; ces restaurants appâtèrent bientôt le client de tous les carrefours de la ville.

Service rapide

Fin 1944, Carl Karcher possédait quatre baraques à hot-dogs à Los Angeles. Il travaillait toujours à plein temps pour la boulangerie Armstrong. Lorsqu'un restaurant situé en face de la ferme des Heinz fut mis en vente, Carl décida de l'acheter. Il démissionna de la boulangerie, acheta le restaurant, le rénova et passa quelques semaines à apprendre à cuisiner. Le Drive-In Barbeque de Carl ouvrit ses portes le 16 janvier 1945, jour de son vingt-huitième anniversaire. Le petit restaurant, de forme rectangulaire avec un toit de tuiles rouges, n'avait rien d'exceptionnel. La seule touche d'extravagance était une étoile à cinq branches qui surplombait l'enseigne au néon du parking. Pendant les heures d'ouverture, Carl s'affairait en cuisine et Margaret s'occupait de la caisse tandis que des « filles de parking » servaient la plus grande partie des repas. Carl restait tard après la fermeture ; il nettoyait les toilettes et lavait les sols. Une fois par semaine, il préparait la « sauce spéciale » de ses hamburgers sur la véranda de sa maison ; elle mijotait dans d'énormes marmites où il la mélangeait à l'aide d'un bâton avant de la transvaser dans des bidons de 5 litres.

Après la Seconde Guerre mondiale, le succès du Drive-In Barbeque de Carl suivit le rythme de l'expansion économique du sud de la Californie. Les industries pétrolière et cinématographique s'étaient développées à Los Angeles au cours des années 1920 et 1930. Mais c'est la guerre qui fit du sud de la Californie la plus importante région économique de l'Ouest. Elle provoqua, pour reprendre l'expression de l'historien Carey McWilliams, un « boom fabuleux ». De 1940 à 1945, le gouvernement fédéral dépensa presque 20 milliards de dollars en Californie, essentiellement à Los Angeles et dans ses environs ; il construisit des usines aéronautiques et sidérurgiques, des bases militaires et des installations portuaires. Pendant ces six années, les dépenses fédérales représentèrent presque la moitié des revenus par habitant dans le sud de la Californie. À la fin de la Seconde Guerre mondiale, Los Angeles était devenu le deuxième centre industriel des États-Unis, après Detroit. Si Hollywood faisait la une des journaux, les dépenses militaires, qui fournissaient les deux tiers des emplois de la région, restèrent la source principale de l'économie locale pendant les deux décennies suivantes.

Cette nouvelle prospérité permit à Carl et Margaret d'acheter une maison située à proximité de leur restaurant. Ils ajoutèrent des pièces à mesure que la famille s'agrandissait, jusqu'à compter douze enfants, neuf filles et trois garçons. Au début des années 1950, Anaheim perdit rapidement son caractère rural et isolé. Walt Disney acheta 65 hectares d'orangeraies à quelques kilomètres du Drive-In Barbeque, fit abattre les arbres et se lança dans la construction de Disneyland. Dans la ville voisine de Garden Grove, le révérend Robert Schuller fonda la première église drive-in, un cinéma en plein air où il prêchait le dimanche matin, diffusant l'Évangile au moyen de petits haut-parleurs disposés près de chaque place de parking, en attirant des foules considérables grâce au slogan « Adorez le Seigneur là où vous êtes... dans la voiture familiale ». La ville d'Anaheim se tourna vers les fournisseurs de l'armée et réussit à persuader Northrop, Boeing et North American Aviation de construire des usines dans ses environs. Anaheim devint bientôt la ville au développement le plus rapide de l'État qui était déjà le plus dynamique du pays. Carl, dont le restaurant ne désemplissait pas, croyait son avenir assuré. Il entendit alors parler d'un restaurant situé dans l'« empire de l'intérieur », à 90 kilomètres de Los Angeles, qui vendait pour 15 cents – c'est-à-dire 20 cents de moins que les siens – des hamburgers d'excellente qualité. Il se rendit à San Bernardino ; là, dans E Street, il vit ce qui allait arriver. Des dizaines de gens faisaient la queue pour acheter des sachets de « Fameux Hamburgers McDonald ».

Richard et Maurice McDonald avaient quitté le New Hampshire pour le sud de la Californie au début de la Grande Dépression dans l'espoir de trouver du travail à Hollywood. Ils construisirent des décors pour les studios de la Columbia, firent des économies et achetèrent un cinéma à Glendale. Le cinéma n'eut guère de succès. En 1937, ils ouvrirent un restaurant drive-in à Pasadena afin de tirer profit de la nouvelle mode ; ils engagèrent trois filles de parking, qui vendaient essentiellement des hot-dogs. Quelques années plus tard, ils s'installaient à San Bernardino dans un établissement plus grand et ouvraient le McDonald Brothers Burger Bar Drive-In. Le nouveau restaurant se trouvait près d'un lycée et employait vingt serveuses de parking ; grâce à lui, les deux frères devinrent rapidement des hommes riches. Richard et « Mac » McDonald achetèrent l'une des plus grandes demeures de San Bernardino, un manoir situé sur une colline, avec court de tennis et piscine.

À la fin des années 1940, le drive-in ne convenait plus aux frères McDonald. Ils en avaient assez de passer leur temps à chercher de nouvelles serveuses et des cuisiniers spécialisés – particulièrement prisés – lorsque les anciens les quittaient pour un meilleur salaire. Ils en avaient assez de remplacer les assiettes, les verres et les couverts que leurs jeunes clients cassaient ou volaient sans arrêt. Enfin, ils en avaient assez des adolescents. Ils songèrent à vendre leur restaurant avant d'opter pour un nouveau système.

Les frères McDonald licencièrent toutes leurs serveuses en 1948, fermèrent le restaurant, installèrent des grils plus larges et rouvrirent au bout de trois mois ; ils inauguraient une méthode de préparation de la nourriture radicalement différente, plus rapide et moins chère, qui devait augmenter le volume des ventes. Ils supprimèrent presque les deux tiers des plats qui figuraient autrefois au menu. Ils éliminèrent tout ce qui se mangeait avec un couteau, une cuillère ou une fourchette. Ils ne vendaient plus que des hamburgers ou des cheeseburgers. Ils se débarrassèrent de leurs assiettes et de leurs verres, qu'ils remplacèrent par des gobelets et des assiettes en carton et des sacs en papier. Ils dissocièrent la préparation de la nourriture en tâches distinctes qu'accomplissaient différents employés. Ainsi, pour répondre à une commande type, une personne faisait griller le hamburger, une deuxième le préparait et l'emballait, une troisième s'occupait du milk-shake, une quatrième faisait cuire les frites et une cinquième encaissait. C'était la première fois que l'on appliquait à une cuisine de restaurant les principes de fonctionnement d'une chaîne de montage industrielle. Cette nouvelle division du travail signifiait qu'un employé n'apprenait à exécuter qu'une seule tâche. Ce n'était plus la peine d'employer les cuisiniers qualifiés qui coûtaient si cher. Tous les burgers étaient vendus avec les mêmes assaisonnements : ketchup, oignons, moutarde et deux cornichons. Aucune modification n'était autorisée. Le système de service ultrarapide des frères McDonald révolutionna le monde de la restauration. Une de leurs publicités destinée aux franchisés expliqua par la suite les avantages du système : « Imaginez : pas de filles de parking, pas de serveuses, pas de lave-vaisselle, pas d'apprentis – le système McDonald, c'est le self-service ! »

Richard McDonald dessina pour le restaurant un nouveau bâtiment qui le rendrait facilement visible de la route. Bien que n'étant pas architecte, il conçut des formes modèles, simples et reconnaissables. Il imagina deux arches dorées sur deux côtés du toit, éclairées au néon la nuit, qui formaient une lettre M géante. Le bâtiment, qui associait sans effort publicité et architecture, donna ainsi naissance à l'un des plus célèbres logos du monde.

Cependant, le service ultrarapide connaissait des débuts chaotiques. Les clients qui s'attendaient à être servis se garaient devant le restaurant et klaxonnaient, se demandant où étaient passées les serveuses de parking. Les gens n'avaient pas encore pris l'habitude de faire la queue pour obtenir leur nourriture. Le nouveau système fut adopté au bout de quelques semaines, lorsque tout le monde eut entendu vanter la qualité et le prix des hamburgers. Les frères McDonald visaient désormais une clientèle beaucoup plus large. Convaincus que des femmes attireraient les adolescents aux dépens des autres clients, ils employaient uniquement des jeunes hommes. Des familles entières vinrent bientôt faire la queue pour manger chez McDonald's. John F. Love, spécialiste de l'histoire de cette société, explique ainsi la signification à long terme du nouveau système de self-service de McDonald's : « Les familles ouvrières avaient enfin les moyens d'amener leurs enfants au restaurant. »

À cette époque, San Bernardino était le cadre idéal de toutes sortes d'expérimentations culturelles. La ville était un curieux creuset où se fondaient l'agriculture et une industrie localisée en périphérie de l'expansion du sud de la Californie, un endroit un peu en marge. Surnommée « San Berdoo », elle possédait de nombreux vergers de citronniers mais jouxtait les cheminées d'usine et les aciéries de Fontana. San Bernardino ne comptait que 60 000 habitants, mais des millions de gens y passaient chaque année. C'était en effet la dernière étape de la route 66, la fin du voyage pour les routiers, touristes et migrants venus de l'est. La rue principale était bondée de drive-in et de motels miteux. L'année où les frères McDonald ouvrirent leur nouveau self-service, un groupe de vétérans de la Seconde Guerre mondiale, dégoûtés par la monotonie de la vie civile, constituèrent à San Bernardino un club de motards qui empruntait le surnom de la 11e division aéroportée de l'armée américaine : les « Hell's Angels ». La ville qui a donné au monde le M géant de McDonald's lui a également donné une bande de motards qui symbolisait un ensemble de valeurs totalement antithétiques. Les Hell's Angels affichaient leur saleté, glorifiaient le désordre, effrayaient les familles et les petits enfants au lieu d'essayer de leur vendre des hamburgers, consommaient et vendaient de la drogue ; ils infusèrent à la *pop culture* américaine une colère, une noirceur et une mode revendicatrice – T-shirts et jeans déchirés, blousons et bottes de cuir noir, barbe et cheveux longs, croix gammées, bagues à tête de mort et autres colifichets sataniques, boucles d'oreilles et de nez, piercings et tatouages – qui allaient influencer une longue série de révoltés, de Marlon Brando à Marylin Manson. Les Hell's Angels étaient les anti-McDonald's, l'inverse de cet univers propre et riant. Ils se moquaient pas mal que vous passiez une bonne journée, ce qui ne les empêchait pas d'être aussi profondément américains, à leur manière, que n'importe quel fournisseur de service ultrarapide. En 1948, San Bernardino apporta au monde de nouveaux yin et yang, des modèles inédits de conformité et de rébellion. « Ils se mettent en colère quand ils lisent des articles sur leur saleté, écrivit par la suite Hunter Thompson à propos des Hell's Angels, mais au lieu d'aller voler du déodorant ils s'efforcent de devenir encore plus crasseux. »

Burgerville, USA

Après sa visite à San Bernardino, où il avait pu voir les files d'attente s'allonger devant chez McDonald's, Carl Karcher rentra à Anaheim décidé à ouvrir son propre restaurant self-service. Son instinct lui disait que la nouvelle culture de l'automobile allait transformer à jamais l'Amérique. Il comprenait parfaitement ce qui allait arriver, et il choisit le meilleur moment. Le premier restaurant Carl's Jr. ouvrit en 1956 – l'année de l'inauguration du premier centre commercial et du vote de la loi sur les autoroutes inter-États par le Congrès. Le président Dwight D. Eisenhower avait pesé de tout son poids pour faire passer cette loi : pendant la Seconde Guerre mondiale, il avait été terriblement impressionné par la *Reichsautobahn* d'Adolf Hitler, le premier réseau autoroutier au monde. Débarquant aux États-Unis par l'intermédiaire de la loi sur les autoroutes inter-États, les « autobahn » devinrent bientôt le plus important projet de travaux publics de l'histoire de la nation, qui consacra plus de 130 milliards de fonds fédéraux à la construction de 70 000 kilomètres de routes. Les nouvelles autoroutes stimulèrent la vente de voitures, de camions, et la construction immobilière en banlieue. Le premier restaurant self-service de Carl fut une réussite ; il en ouvrit rapidement d'autres près des sorties des nouvelles autoroutes californiennes. L'étoile placée au sommet de l'enseigne de son drive-in devint l'emblème de sa chaîne de restauration rapide. C'était une étoile souriante, chaussée de petites bottes, qui tenait à la main un burger et une boisson.

Les entrepreneurs venus de tout le pays affluaient à San Bernardino pour visiter le nouveau McDonald's et retournaient en construire des copies dans leur ville d'origine. « Nous servions exactement la même chose que McDonald's, admit plus tard le fondateur d'une chaîne concurrente. Si j'avais vu chez McDonald's l'employé chargé de retourner la viande sur le gril pendu par les pieds, j'aurais fait pareil. » Les chaînes de restauration rapide d'Amérique ne furent pas lancées par de grandes corporations exploitant les conclusions de groupes de travail et d'études de marché, mais par des démarcheurs, des cuisiniers, des orphelins et des gens qui avaient abandonné leurs études, bref par d'éternels optimistes à la recherche d'un morceau du prochain gâteau. Comme il fallait peu d'argent au départ et que les marges promettaient d'être élevées, un échantillon varié d'ambitieux se mirent à investir dans des grils et créèrent leur enseigne.

William Rosenberg avait quitté l'école à quatorze ans, travaillé comme télégraphiste pour la Western Union, conduit un camion de glaces, fait du porte-à-porte, vendu des sandwiches et du café aux ouvriers des usines de Boston ; puis, en 1948, il ouvrit une petite boutique de beignets qu'il appela Donkin'Donuts. Glen W. Bell Junior était un vétéran de la Seconde Guerre mondiale qui vivait à San Bernardino ; il mangeait au nouveau McDonald's et décida de l'imiter en utilisant le principe de la chaîne de montage pour préparer des repas mexicains ; il fonda une chaîne de restaurants connue sous le nom de Taco Bell. Keith G. Cramer, propriétaire du restaurant drive-in Chez Keith à Daytona Beach, en Floride, entendit parler du nouveau restaurant des frères McDonald ; il prit l'avion pour le sud de la Californie, mangea au McDonald's, rentra en Floride et ouvrit le premier Insta-Burger-King avec son beau-père, Matthew Burns, en 1953. Dave Thomas avait commencé à l'âge de douze ans à travailler dans un restaurant ; il quitta son père adoptif, prit une chambre dans un foyer de jeunes travailleurs, abandonna l'école à quinze ans, fut employé comme commis et comme cuisinier et finit par ouvrir son propre restaurant, baptisé Wendy's Old-Fashioned Hamburgers, à Columbus, dans l'Ohio. Thomas S. Monaghan avait passé la plus grande partie de son enfance dans un orphelinat catholique puis dans une série de familles d'accueil ; il travailla comme serveur, obtint péniblement le bac, s'engagea dans les marines et acheta une pizzeria à Ypsilanti, dans le Michigan, avec son frère ; la vente fut conclue grâce à un premier versement de 75 dollars. Huit mois plus tard, le frère de Monaghan se retirait en acceptant une Volkswagen Coccinelle en échange de sa part d'une affaire qui deviendrait célèbre sous le nom de Domino's.

L'histoire de Harland Sanders est sans doute la plus remarquable. Sanders quitta l'école à douze ans et travailla successivement comme ouvrier agricole, muletier et pompier dans les chemins de fer. Il fut avocat sans posséder le moindre diplôme de droit, médecin accoucheur sans formation médicale, démarcheur pour une compagnie d'assurances, vendeur de pneus chez Michelin et pompiste à Corbin, dans le Kentucky. Il vendit des repas faits maison à des clients assis à une petite table de salle à manger avant d'ouvrir un restaurant et un motel fort populaires ; il les vendit pour éponger ses dettes et redevint représentant de commerce à l'âge de soixante-cinq ans ; il proposait aux propriétaires de restaurants la « recette secrète » de son poulet frit. Le premier restaurant Kentucky Fried Chicken ouvrit en 1952 près de Salt Lake City, dans l'Utah. Comme il n'avait pas d'argent à consacrer à la publicité de la nouvelle chaîne, Harland s'habilla en colonel du Kentucky, avec costume blanc et cravate-lacet noire. Au début des années 1960, Kentucky Fried Chicken était la plus grosse chaîne de restaurants des États-Unis, et Colonel Sanders une marque déposée. Dans son autobiographie, intitulée *La vie telle que je l'ai connue a été « bonne à s'en lécher les doigts »*, Sanders décrit ses galères et ses succès, sa décision de renaître à une nouvelle vie par un second baptême à l'âge de soixante-quatorze ans, son combat continuel contre les jurons. Malgré tous ses efforts et sa piété envers le Christ, Harland Sanders reconnaissait qu'il lui était toujours affreusement difficile « de ne pas appeler un bon à rien, paresseux et incompétent fils de p... par autre chose que le nom qu'il mérite ».

Pour chaque idée de fast-food qui s'imposa dans le pays, d'innombrables nouveautés ne firent que de brèves apparitions – ou disparurent sans laisser de traces. Certaines chaînes portaient des noms familiers, comme Sandy's, Carrol's, Henry's, Winky's et Mr. Fifteen's. D'autres, comme le Satellite Hamburger System et Kelly's Jet System, avaient des noms futuristes. La majorité des chaînes prenaient le nom de leur plat principal : Burger Chef, Burger Queen, Burgerville USA, Yumy Burger, Twitty Burger, Whataburger, Dundee Burger, Biff-Burger, OK Big Burger et Burger Boy Food-O-Rama.

Ces nouveaux restaurants vantaient souvent les merveilles technologiques de leurs installations. Les « filles de parking » furent remplacées par divers systèmes de commande à distance, comme le Fone-A-Chef, le Teletray et l'Electro-Hop. Le Motormat était un système de rails élaboré qui acheminait boissons et nourriture de la cuisine aux voitures garées sur le parking. La chaîne Biff-Burger faisait « roto-rôtir » la viande sous des tubes à quartz rougeoyants qui fonctionnaient exactement comme des radiateurs. Les restaurants Insta-Burger-King disposaient de deux engins baptisés « Miracle

Insta Machines », l'un pour confectionner les milk-shakes, l'autre pour cuire les burgers. « Ces deux machines ont été soigneusement mises au point, assurait aux franchisés éventuels la compagnie qui les vendait, elles sont de conception très simple et peuvent être utilisées même par un crétin. » L'Insta-Burger Stove était un appareil sophistiqué. Douze rondelles de viande hachée placées dans des corbeilles en acier y pénétraient simultanément, tournaient autour de deux éléments électriques chauffants qui les cuisaient des deux côtés, puis tombaient directement dans un bain de sauce pendant que les petits pains des hamburgers grillaient dans un appareil adjacent. Cette « machine miracle », beaucoup trop complexe, fonctionnait souvent mal et la chaîne Burger King finit par y renoncer.

La guerre du fast-food faisait particulièrement rage dans le sud de la Californie – lieu de naissance de McDonald's, Taco Bell et Carl's Jr., mais aussi de Jack in the Box. Les vieux drive-in, incapables de lutter contre la nouvelle restauration rapide en self-service, plus économique, mirent l'un après l'autre la clé sous la porte. Mais Carl persévéra, essaimant ses restaurants du nord au sud de l'État, le long des nouvelles autoroutes. Quatre de ces grands axes – Riverside, Santa Ana, Costa Mesa et Orange – traversèrent bientôt Anaheim. Si Carl's Jr. marchait très bien, certaines des idées de Carl auraient mieux fait de ne pas quitter la planche à dessin. Les restaurants Carl's Whistle Stop employaient des serveurs habillés en cheminot, servaient des « Hobo[1] burgers » et acheminaient les commandes jusqu'aux cuisines à l'aide de trains électriques miniatures. Les trois qui furent construits en 1966 changèrent d'enseigne quelques années plus tard. Une chaîne de cafétérias sur un thème écossais ne trouva jamais son créneau. Les serveuses de « Scot's » portaient des jupes écossaises et certains plats avaient un nom malencontreux, comme le « Clansman[2] ».

Les grandes chaînes de fast-foods se développèrent dans tout le pays ; de 1960 à 1973, le nombre de restaurants McDonald's passa de 250 environ à 3 000. En 1973, l'embargo arabe sur le pétrole causa des sueurs froides à toute l'industrie du fast-food ; les files d'attente qui se formaient aux stations-service firent croire à certains que la culture automobile de l'Amérique était menacée. La pénurie de carburant provoqua la baisse des actions McDonald's. À la fin de la crise, le fast-food retrouva sa valeur en Bourse et McDonald's redoubla d'efforts pour ouvrir des restaurants, non seulement à la

---

1. Un *hobo* est un vagabond qui voyage souvent clandestinement dans les trains de marchandises (NDT).
2. Par référence aux membres du Ku Klux Klan (NDT).

périphérie, mais également au centre des villes. Wall Street consentit de lourds investissements dans les chaînes de fast-foods, à la tête desquelles les pionniers furent souvent remplacés par des directeurs généraux. Les petites entreprises régionales des débuts étaient devenues une industrie du fast-food qui constituait un élément essentiel de l'économie américaine.

Le progrès

En 1976, les entreprises Carl Karcher SA (CKE) bâtirent leur nouveau siège sur les terres jadis occupées par la ferme Heinz, à Anaheim. La fête d'inauguration fut l'un des moments les plus marquants de la vie de Carl. Plus d'un millier d'invités assistèrent à la soirée habillée organisée sous une tente dressée au milieu du parking. On dîna et on dansa à la clarté lunaire d'une nuit magnifique. Trente-cinq ans après avoir acheté sa première baraque à hot-dogs, Carl Karcher contrôlait l'une des plus grandes chaînes de fast-foods privées des États-Unis. Il possédait plusieurs centaines de restaurants. Il entretenait des liens d'amitié avec beaucoup d'Américains influents, dont le gouverneur Ronald Reagan, l'ancien président Richard Nixon, Gene Autry, Art Linkletter, Lawrence Welk et Pat Boone. On le surnommait « Monsieur Comté d'Orange ». Il était membre bienfaiteur d'organisations caritatives catholiques, chevalier de Malte et défenseur acharné du droit à la vie. Il assistait à des messes privées au Vatican avec le pape. Soudain, malgré son dur labeur, la chance de Carl commença à tourner.

Au cours des années 1980, CKE ouvrit son capital, inaugura des restaurants Carl's Jr. au Texas, ajouta des repas plus chers sur ses menus et commença à se développer par le biais de franchises. Les nouveaux plats et les restaurants texans n'eurent guère de succès. La valeur des actions CKE plongea. En 1988, Carl et une demi-douzaine de membres de sa famille furent accusés de délit d'initié par la SEC, la Securities and Exchange Commission (l'équivalent américain de la Commission des opérations de Bourse). Ils avaient vendu de grandes quantités d'actions CKE juste avant la chute de leur cours. Carl nia farouchement et subit l'humiliation de la publicité qui entoura l'affaire. Il accepta néanmoins un compromis avec la SEC – afin d'éviter une bataille judiciaire aussi longue qu'onéreuse, déclara-t-il – et paya plus d'un demi-million de dollars d'amende.

Au début des années 1990, un certain nombre d'investissements immobiliers de Carl se révélèrent imprudents. Plusieurs lotissements nouveaux d'Anaheim et de l'« empire de l'intérieur » firent faillite, laissant à

Carl le soin d'éponger leurs dettes. Il avait autorisé les promoteurs à utiliser ses actions CKE comme caution de leurs emprunts bancaires et se retrouva donc impliqué dans plus d'une vingtaine de procès. Du jour au lendemain, il devait plus de 70 millions de dollars aux banques. La baisse des actions CKE obérait sérieusement sa capacité à rembourser les emprunts. Son frère Don – conseiller écouté et président de CKE – mourut en mai 1992. Le nouveau président tenta d'augmenter les ventes des restaurants Carl's Jr. en achetant de la nourriture de qualité médiocre et en baissant les prix. Cette stratégie ne tarda pas à chasser les clients.

Carl, qui était président-directeur général de CKE, chercha le moyen de sauver sa compagnie tout en payant ses dettes. Il proposa de s'associer avec une chaîne appelée Green Burrito pour vendre de la nourriture mexicaine dans ses restaurants. Certains directeurs de CKE s'opposèrent à ce plan qui aurait bénéficié, d'après eux, davantage à Carl qu'à la compagnie. Carl avait en effet des intérêts financiers dans ce marché : après l'acceptation du conseil d'administration de CKE, il recevrait à titre personnel un prêt de 6 millions de dollars de Green Burrito. Carl fut scandalisé que l'on démolisse ainsi son entreprise en mettant en cause sa bonne foi. CKE était devenue une société très différente de celle qu'il avait fondée. La nouvelle équipe de directeurs avait mis fin à la coutume qui consistait à commencer toutes les réunions du comité exécutif par la prière de saint François d'Assise et le serment d'allégeance au drapeau. Carl s'entêta à affirmer que l'accord prévu avec Green Burrito était valable et exigea un vote du conseil d'administration. Lorsque le conseil rejeta le plan, Carl tenta de limoger ses membres. Ils furent plus rapides que lui. Le 1er mars 1993, le conseil de CKE démit Carl N. Karcher de ses fonctions par cinq voix contre deux. Seuls Carl et son fils Carl Leo s'y étaient opposés. Carl se sentit profondément trahi. Il connaissait certains membres du conseil depuis des années ; ils étaient de vieux amis ; il les avait enrichis. Dans une déclaration publiée après son renvoi, Carl décrivit le conseil d'administration de CKE comme « une bande de traîtres » et parla d'« un des jours les plus tristes » de sa vie. À l'âge de soixante-seize ans, plus de cinquante ans après avoir fondé l'entreprise, Carl N. Karcher ne pouvait plus entrer dans ses bureaux, sur la porte desquels on avait posé de nouvelles serrures.

Le siège de CKE se trouve toujours sur les terres où la famille Heinz cultivait autrefois les oranges. Aujourd'hui, l'air n'embaume plus les agrumes et les orangeraies ont disparu. La ville où s'alignaient à perte de vue d'interminables rangées d'orangers et de citronniers ne possède désormais plus un seul are consacré à la culture commerciale des agrumes. La population d'Anaheim atteint 300 000 personnes, environ trente fois plus que lors de l'arrivée de Carl. Une zone commerciale a remplacé le Carl's Drive-In Barbeque. Sur Harbor Boulevard, non loin du siège de CKE, on trouve une station-service Exxon, un soldeur de literie, un Shoe City, un garage Las Vegas Auto Sales et une bretelle de sortie de l'autoroute Riverside. Le siège de CKE est un bâtiment moderne de style espagnol, avec des colonnes blanches, des arches de brique rouge et des baies vitrées en verre fumé. Je m'y suis rendu récemment ; il y régnait une atmosphère paisible et fraîche. Je suis passé devant une statue en bois de saint François d'Assise, grandeur nature, exposée sur un des paliers de l'escalier.

Carl avait l'élégance de l'époque des grands orchestres de jazz, avec sa veste brune à carreaux, sa chemise blanche, sa cravate marron assortie et ses coquettes chaussures bicolores. Grand et carré, il semblait remarquablement en forme. Les murs de son bureau étaient couverts de plaques et de souvenirs, de photographies sur lesquelles il posait en compagnie de présidents, de joueurs de base-ball célèbres, d'anciens employés, de ses petits-enfants, de prêtres, de cardinaux, de Mikhaïl Gorbatchev, du pape. Il décrocha fièrement un cadre et me le tendit. C'était le reçu d'origine des 326 dollars qui avaient servi à l'achat de sa première baraque à hot-dogs.

Huit semaines après avoir été mis à la porte de son bureau, en 1993, Carl réussissait à racheter sa compagnie, grâce à une série de transactions complexes, un partenariat dirigé par le financier William P. Foley, qui avait racheté certaines des dettes de Carl en échange d'une grande partie de ses actions et pris le contrôle de CKE. Foley devint le nouveau président du conseil d'administration tandis que Carl, nommé président d'honneur, récupérait son bureau. Presque tous les directeurs qui s'étaient opposés à lui quittèrent la compagnie par la suite. Le plan Green Burrito, adopté, fut un véritable succès. La nouvelle direction de CKE semblait avoir renversé la situation de la compagnie, dont les actions recommencèrent à grimper. En juillet 1997, CKE achetait Hardee's pour 327 millions de dollars et devenait la quatrième chaîne de hamburgers des États-Unis, derrière McDonald's, Burger King et Wendy's. Les enseignes à l'effigie de la petite étoile souriante de Carl's Jr. commencèrent à fleurir dans tout le pays.

Carl paraissait stupéfait par le récit de sa propre vie. Margaret et lui étaient mariés depuis soixante ans. Il vivait à Anaheim dans la même maison depuis cinquante ans. Il avait vingt petites-filles et vingt petits-fils. Pour un homme de quatre-vingts ans, il avait une mémoire confondante, qui lui permettait de débiter sans hésitation noms, dates et adresses datant de plus d'un demi-siècle. Il respirait le même optimisme jovial et la même bonne humeur que son vieil ami Ronald Reagan. « Toute ma philosophie tient en ce conseil : "N'abandonne jamais", me dit Carl. Le mot "impossible" ne devrait pas exister... Conduis-toi bien... Les petits ruisseaux font les grandes rivières... La vie est belle, la vie est fantastique, et c'est ce que je pense de chaque jour de ma vie. » Malgré l'expansion de CKE, Carl avait toujours plusieurs millions de dettes. Il avait contracté de nouveaux prêts pour rembourser les anciens. Lorsqu'il était au plus bas, certains conseillers financiers l'avaient supplié de se mettre en faillite. Carl avait refusé ; il avait emprunté plus de 8 millions de dollars à des amis et à des parents, et il n'entendait pas se soustraire à ses obligations. Il assistait tous les jours à la messe de 6 heures du matin avant de partir au bureau pour 7 heures. « Mon objectif pour ces deux prochaines années, me confia-t-il, est de payer toutes mes dettes. »

Je jetai un regard par la fenêtre et lui demandai ce qu'il ressentait lorsqu'il traversait Anaheim en voiture aujourd'hui, avec ses fast-foods, ses lotissements et ses zones commerciales. « Pour être franc, dit-il, je suis le plus heureux des hommes. » Je crus qu'il avait mal compris ma question et la reformulai en lui demandant s'il regrettait la disparition du vieil Anaheim, de ses ranches et de ses vergers.

« Non, répondit-il, je crois au Progrès. »

Carl avait grandi dans une ferme sans électricité ni eau courante. Il avait échappé à la dureté de la vie rurale. Je compris que ce qu'il voyait depuis la fenêtre de son bureau ne le dérangeait aucunement. C'était un signe de succès.

« Quand j'ai rencontré ma femme, ajouta-t-il, cette route était un chemin caillouteux... aujourd'hui elle est bitumée. »

On entre dans le musée Ray A. Kroc après avoir traversé la boutique McStore. Musée et boutique sont installés au rez-de-chaussée du siège de McDonald's, au numéro 1, McDonald's Plaza à Oak Brook, dans l'Illinois. Le bâtiment a des fenêtres ovales et une façade en béton gris – un style qui devait paraître futuriste lors de son inauguration, il y a trente ans. Aujourd'hui, seul subsiste son aspect de morne impassibilité, relique archi- tecturale de l'ère Nixon. Il ressemble aux ambassades américaines qui atti- raient autrefois opposants à la guerre, manifestations étudiantes et immolations de drapeaux. Les 32 hectares du campus de Hamburger Uni- versity, le centre de formation des dirigeants de McDonald's, se trouvent à courte distance du siège. Des autobus font constamment la navette entre le campus et McDonald's Plaza, transportant de jeunes hommes et femmes en uniforme, nets et soignés, venus préparer leur diplôme de « hamburgerolo- gie ». Le programme de formation, qui dure deux semaines, s'adresse chaque année à plusieurs milliers de directeurs, responsables et franchisés. Les étu- diants originaires d'autres villes descendent au Hyatt du campus. La plupart des cours traitent de sujets liés aux ressources humaines : ils enseignent comment travailler en équipe et motiver les employés et assurent la promo- tion d'un « langage McDonald's commun » et d'une « culture McDonald's commune ». Trois mâts se dressent sur McDonald's Plaza, le cœur de l'empire du hamburger. Au sommet du premier flotte le drapeau américain, en haut du deuxième le drapeau de l'Illinois ; quant au troisième, il arbore un drapeau rouge vif orné des deux arches dorées d'un M géant.

Le McStore vend des poupées McBurglar en tissu et des téléphones en forme de frite ; cravates, pendules, porte-clés, sacs de golf et coupe-vent, bijoux, layette, boîtes à déjeuner, tapis de souris, vestes en cuir, cartes postales et camions miniatures parmi une multitude d'autres articles sont tous estampillés McDonald's. On peut acheter des T-shirts décorés d'une version inédite du drapeau américain : les cinquante étoiles blanches y sont remplacées par un M géant.

Au fond du magasin, une fois passées les empreintes de Ronald McDonald reproduites sur le sol et les étagères où s'empilent assiettes et verres, un buste en bronze de Ray Kroc marque l'entrée du musée. Kroc a fondé la société McDonald's, qui continue à suivre les préceptes de sa philosophie – « qualité, service, propreté et rapport qualité-prix ». L'homme immortalisé dans le bronze, la cinquantaine dégarnie, a des joues lisses et un regard d'une grande intensité. Une vitrine disposée à proximité contient plaques, médailles et lettres de félicitations. « Un des meilleurs moments de la fête organisée pour mon soixante et unième anniversaire, écrivait le président Nixon en 1974, eut lieu sur la route de Palm Springs, lorsque Tricia nous suggéra de faire une halte dans un McDonald's. J'entendais les filles parler du fameux "Big Mac" depuis des années ; j'ai souvent pensé que Mme Nixon faisait les meilleurs hamburgers du monde, mais nous sommes tous deux convaincus que ceux de McDonald's n'arrivent pas loin derrière... La prochaine fois que notre cuisinier prendra un congé, nous irons chez McDonald's pour son service rapide, son accueil souriant – et probablement pour le meilleur rapport qualité-prix des restaurants américains. » Dans d'autres vitrines sont exposés des objets qui évoquent la vie de Kroc, ses longues années de bataille qui ont débouché sur une réussite tardive de milliardaire. Le musée, petit et éclairé par une lumière tamisée, présente chaque pièce avec révérence. Le jour de ma visite, il était vide et silencieux. Il ne ressemblait pas à un musée traditionnel, où les objets sont froidement numérotés, catalogués et décrits. On aurait plutôt dit un sanctuaire.

Le matériel exposé au musée Ray A. Kroc fait appel à des moyens technologiques sophistiqués. Des diaporamas apparaissent et disparaissent sur simple pression d'un bouton. La voix des amis et collaborateurs de Kroc – l'un d'eux porte le nom de « vice-président de l'individualité » de McDonald's – résonne à un signal donné. Des vitrines obscures s'illuminent soudain de l'intérieur pour révéler leur contenu. Une œuvre d'art accrochée au mur dévoile un portrait de Ray Kroc lorsqu'on la regarde depuis la gauche, et les lettres QSC et V *(Quality, Service, Cleanliness, Value)* depuis la droite. Le musée ne possède pas de version robotisée du fondateur de McDonald's qui raconterait blagues et anecdotes. Mais elle n'y serait pas déplacée. Une animation interactive baptisée « Parlez avec Ray » présente des clips vidéo de Kroc interviewé par Tom Snyder sur le plateau du Phil Donahue Show, ou discutant avec le révérend Robert Schuller près de l'autel de la cathédrale Crystal du comté d'Orange. « Parlez avec Ray » permet au spectateur de poser à Kroc trente-six questions prédéterminées sur des sujets variés ; Kroc apporte ses réponses sur de vieilles vidéos. L'animation ne fonctionnait pas le jour de ma visite. Ray refusait de répondre à mes questions et je dus l'écouter répéter sans cesse le même discours.

La tonalité très « Disney » du musée reflète, entre autres, les nombreuses similarités entre la société McDonald's et le groupe Walt Disney. Il reflète également les chemins parallèles des deux hommes qui ont fondé ces géants de l'économie. Ray Kroc et Walt Disney sont tous deux nés en Illinois à un an d'intervalle, Disney en 1901 et Kroc en 1902 ; ils se sont rencontrés jeunes gens, alors qu'ils servaient dans le même corps d'ambulanciers, pendant la Première Guerre mondiale ; tous deux ont fui le Midwest pour s'installer dans le sud de la Californie, où ils ont joué un rôle capital dans la création de nouvelles industries américaines. Le critique de cinéma Richard Schickel a décrit le besoin impérieux qui poussait Disney à « ranger, contrôler et garder net tout environnement où il se trouvait ». On pourrait facilement dire la même chose de Ray Kroc, dont l'obsession du contrôle et de la propreté est devenue l'une des caractéristiques de la chaîne de restaurants. Kroc nettoyait les trous de son seau à balai avec une brosse à dents.

Kroc et Disney ont tous deux abandonné leurs études, puis plaqué sur leurs compagnies les signes extérieurs de l'éducation supérieure. Le centre de formation des employés des parcs à thème de Disney portait le nom de Disney University. Plus important encore, les deux hommes partageaient la même vision de l'Amérique, la même foi optimiste en la technologie, les mêmes opinions politiques conservatrices. Personnages charismatiques, ils ont élaboré une vision d'entreprise globale et saisi l'esprit de leur temps en s'appuyant sur d'autres pour les détails créatifs et financiers. Walt Disney n'a ni écrit ni dessiné les longs métrages animés désormais classiques qui portent son nom. Ray Kroc n'a pas réussi à ajouter de nouveaux plats au menu des McDonald's – par exemple le Kolacky, une pâtisserie, et le Hulaburger, un sandwich au fromage et à l'ananas grillé. Cependant, les deux hommes savaient repérer et motiver le talent. Disney, sans doute plus célèbre, a aussi connu le succès plus tôt, mais l'influence de Kroc a été plus déterminante. Son entreprise a inspiré davantage d'imitateurs, exercé davantage de pouvoir sur l'économie américaine – et engendré une mascotte plus fameuse encore que Mickey.

Malgré leurs succès d'hommes d'affaires et d'entrepreneurs, de personnalités culturelles et d'avocats d'un certain type d'américanisme, l'accomplissement peut-être le plus significatif de ces deux hommes se trouve ailleurs. Walt Disney et Ray Kroc étaient des vendeurs nés. Ils ont perfectionné l'art de vendre aux enfants. Leur succès a amené beaucoup d'autres à diriger leurs efforts de marketing vers les enfants, transformant les plus jeunes consommateurs américains en un groupe démographique étudié, analysé et ciblé avec avidité par les plus grandes sociétés du monde.

Walt et Ray

En s'emparant du système de service ultrarapide des frères McDonald qu'il a répandu dans tout le pays, Ray Kroc a créé un empire du fast-food. S'il a fondé une société qui a fini par incarner l'Amérique de la grande entreprise, Kroc n'a jamais été un dirigeant du genre conformiste. C'était un ancien musicien de jazz qui jouait dans les bars clandestins – et s'est produit au moins une fois dans un bordel – pendant la Prohibition. Représentant de commerce charmant, souriant et infatigable, il endura de longues années de déceptions avant de tirer enfin le gros lot à l'aube de la soixantaine. Kroc a grandi à Oak Park, dans l'Illinois, non loin de Chicago. Son père travaillait pour la Western Union. Jeune lycéen, il découvrit le plaisir de la vente en travaillant dans la buvette de son oncle. « C'est là que j'ai appris qu'on pouvait influencer les gens avec un sourire et de l'enthousiasme, se souvient-il dans son autobiographie, intitulée *Grinding it Out*, et leur vendre une coupe glacée alors qu'ils étaient venus pour un café. »

Au fil des ans, Kroc vendit du café en grains, des partitions, des gobelets en papier, des terrains en Floride, des boissons instantanées en poudre, un distributeur de crème Chantilly ou de mousse à raser, au choix, des cubes de crème glacée et un ensemble comprenant une table et un banc qui se repliaient dans le mur. Il se rendit compte que les cubes de crème glacée avaient une fâcheuse tendance à glisser de l'assiette lorsqu'on essayait de les manger. Kroc employait la même technique de base pour vendre tous ces produits : il adaptait son boniment aux goûts du client. Il s'entêtait malgré les revers successifs, toujours convaincu que le succès l'attendait au coin de la rue. « Si vous y croyez, et si vous y croyez suffisamment fort, expliquait Kroc lors de ses conférences, vous ne pouvez pas échouer. Peu importe ce que vous cherchez à faire – vous pouvez y arriver ! »

Ray Kroc vendait des machines à milk-shakes quand il se rendit pour la première fois au nouveau self-service McDonald's de San Bernardino, en 1954. Les frères McDonald figuraient parmi ses meilleurs clients. L'ensemble de machines que Kroc leur vendit pouvait préparer cinq milk-shakes en même temps. Il se demanda pourquoi les frères McDonald en voulaient huit. Kroc avait démarché pas mal de restaurateurs dans le cadre de son travail – mais il n'avait jamais rien vu de comparable au système de service ultrarapide de McDonald's. « Quand j'ai vu ça, écrivit-il, j'ai eu l'impression d'être un Newton moderne qui aurait tout juste reçu une patate sur le crâne. » Il étudia le restaurant « avec les yeux du commercial », et envisagea d'installer un McDonald's à chaque carrefour passant du pays.

Richard et « Mac » McDonald étaient moins ambitieux. Leur restaurant dégageait 100 000 dollars de bénéfice net par an, une somme considérable pour l'époque. Ils possédaient déjà une grande maison et trois Cadillac. Ils n'aimaient pas voyager. Ils venaient de refuser une offre de la Laiterie Carnation, qui espérait augmenter la vente de milk-shakes grâce à l'ouverture d'autres McDonald's. Kroc persuada néanmoins les deux frères de lui céder le franchisage de McDonald's aux États-Unis. Ils pourraient rester chez eux pendant que Kroc sillonnait le pays pour les rendre encore plus riches. Un contrat fut signé. Des années plus tard, Richard McDonald évoquait ainsi sa première rencontre avec Kroc, qui aboutirait bientôt à la naissance de la plus grande chaîne de restauration du monde : « Ce petit gars est entré et il a dit, d'une voix haut perchée : "Salut !" »

Une fois conclu l'accord avec les frères McDonald, Kroc envoya une lettre à Walt Disney. En 1917, ils avaient tous deux menti à propos de leur âge pour s'engager dans la Croix-Rouge et aller au feu en Europe. De toute évidence, leur dernière conversation remontait à un bon moment. « Cher Walt, commençait la lettre, tu me trouveras sans doute un peu présomptueux de m'adresser à toi de cette manière, mais je suis sûr que tu ne voudrais pas me voir en adopter une autre. Je m'appelle Ray Kroc... Je regarde souvent la photo de la compagnie A prise à Sound Beach, Connecticut, et beaucoup de souvenirs agréables me reviennent. » Après cette introduction, il en venait au fait : « J'ai récemment pris en main le franchisage national du système McDonald's. J'aimerais savoir s'il existe un créneau pour un McDonald's dans ton projet Disneyland. »

Walt Disney répondit cordialement et confia cette proposition au directeur chargé des concessions du parc à thème. La construction de Disneyland, dont plusieurs millions d'enfants américains attendaient impatiemment l'ouverture, n'était pas encore achevée, et Kroc pouvait entretenir des espoirs fondés. Il semble que la compagnie Disney demanda à Kroc de faire passer le prix des frites McDonald's de 10 à 15 cents ; Disney empocherait la différence comme prix de la concession ; Ray Kroc aurait alors refusé de flouer ses fidèles clients. Cette histoire tout à fait improbable ressemble à un effort tardif de McDonald's pour présenter sous le meilleur angle possible l'échec d'une négociation commerciale. Toujours est-il que lors de l'ouverture de Disneyland en juillet 1955 – événement commenté notamment par Ronald Reagan sur ABC – les points de restauration du parc arboraient les enseignes Welch's, Stouffer's et Aunt Jemima's, mais il n'y avait pas de McDonald's. Kroc ne jouait pas encore dans la même catégorie. Le souvenir qu'il garde de Walt Disney jeune, brièvement mentionné dans *Grinding it Out*, n'est pas entièrement flatteur. « On le considérait comme un drôle de numéro, écrit Kroc, parce que chaque fois que nous avions une permission pour aller en ville et que nous allions draguer, il restait au camp à faire des dessins. »

Quelle que soit la nature des sentiments réciproques des deux hommes, Walt Disney joua à maints égards le rôle de modèle pour Ray Kroc. Disney avait connu le succès beaucoup plus tôt. Il avait quitté le Midwest a vingt et un ans et fondé son propre studio de cinéma à Los Angeles. Il était devenu célèbre avant ses trente ans. Steven Watts décrit dans *The Magic Kingdom* (« Le royaume magique », 1997) la façon dont Walt Disney s'efforça d'appliquer les techniques de la production de masse au cinéma de Hollywood. Fervent admirateur de Henry Ford, il introduisit chaîne de montage et rigoureuse division du travail au studio Disney, bientôt décrit comme une « usine à divertissement ». Au lieu de s'occuper de scènes entières, les dessinateurs remplissaient des tâches étroitement limitées ; ils dessinaient et coloriaient les personnages de Disney sous la supervision de contrôleurs qui calculaient le temps nécessaire à l'achèvement de chaque élément. Dans les années 1930, le fonctionnement du système de production du studio était calqué sur celui d'une usine automobile. « Des centaines de jeunes gens étaient formés et façonnés, expliquait Disney, en machine conçue pour fabriquer du divertissement. »

Cependant, les conditions de travail de l'usine Disney n'étaient pas toujours roses. En 1941, plusieurs centaines d'animateurs se mirent en grève pour exprimer leur soutien à l'Association des dessinateurs. Les autres grands studios d'animation de Hollywood avaient déjà signé des accords avec ce syndicat. Le père de Disney était un socialiste convaincu et les films de ce dernier faisaient depuis longtemps l'éloge populiste de l'homme ordinaire. Mais la réaction de Walt face à la grève trahit une sensibilité politique toute différente. Il renvoya les employés favorables au syndicat, autorisa des vigiles à molester les piquets de grève, tenta d'imposer un syndicat maison, fit venir illégalement de Chicago un patron du crime organisé et publia dans *Variety* une pleine page de publicité contre l'Association des dessinateurs, dont les chefs étaient accusés de communisme. La grève cessa après que Disney eut accédé aux revendications du syndicat. L'expérience lui laissa un goût amer. Persuadé que des agents communistes étaient responsables de ses ennuis, Disney accepta de témoigner devant la Commission des activités antiaméricaines du Congrès, servit d'informateur au FBI et soutint fermement le principe de la liste noire de Hollywood. Au plus fort des tensions qui agitaient son studio, Disney avait fait un discours à un groupe d'employés ; d'après lui, la solution de leurs problèmes ne dépendait pas d'un syndicat, mais d'une bonne journée de travail. « N'oubliez pas ceci, déclara Disney, la loi de l'univers veut que le fort survive tandis que le faible tombe en chemin ; tous vos plans idéalistes ne sont que pure foutaise et n'y changeront rien. »

Plusieurs dizaines d'années plus tard, Ray Kroc allait utiliser le même langage pour définir sa propre philosophie politique. Ses années de représentant de commerce – toujours sur la route, à s'occuper seul de ses bons de commande et de ses échantillons, à frapper aux portes et à affronter seul chaque nouveau client pour se voir claquer la porte au nez plus souvent qu'à son tour – influençaient certainement sa vision de l'humanité. « Écoutez, c'est ridicule d'appeler cela une industrie, répondit Kroc en 1972 à un journaliste qui lui servait une analyse subtile de l'industrie du fast-food. Ce n'en est pas une. Ce sont des loups qui se dévorent entre eux. Je vais les tuer avant qu'ils ne me tuent. Vous parlez de la survie du plus fort à l'américaine. »

Contrairement à Disney, qui soutenait des groupes de droite et produisait des affiches électorales pour le Parti républicain, Kroc ne se mêlait pas de politique – à une notable exception près. En 1972, Kroc versa 250 000 dollars pour la campagne de réélection de Nixon sous forme de contributions séparées à divers comités républicains fédéraux et locaux. Nixon avait toutes les raisons d'apprécier McDonald's avant même de goûter un de ses hamburgers. Kroc n'avait jamais rencontré le président ; il ne donnait pas d'argent par amitié ou penchant particulier. Cette année-là, l'industrie du fast-food faisait pression sur le Congrès et la Maison-Blanche en faveur d'une nouvelle loi – connue sous le nom de « décret McDonald's » – qui permettrait aux employeurs de payer aux jeunes de seize et dix-sept ans un salaire inférieur de 20 % au salaire minimum. À l'époque où Kroc fit don de ces 250 000 dollars, les employés de ses équipes gagnaient environ 1,60 dollar par jour. La proposition de salaire inférieur au minimum légal en réduirait certains à 1,28 dollar.

L'administration Nixon se prononça pour le décret McDonald's et autorisa la chaîne à augmenter le prix de ses Big Mac malgré le gel des prix et des salaires imposé aux autres chaînes de restauration rapide. Le montant de la contribution politique de Kroc et le moment choisi entraînèrent les protestations des démocrates qui hurlèrent au trafic d'influence. Ulcéré par cette accusation, Kroc qualifia ses détracteurs de « salopards ». Le scandale lui coupa l'envie de soutenir les candidats aux élections. Kroc garda néanmoins un faible pour Calvin Coolidge, dont les idées sur les vertus du travail et de l'autonomie étaient prônées avec éclat au siège de la firme McDonald's.

Une vie meilleure

Malgré son opposition passionnée au socialisme et à tout ce qui ressemblait à une interférence gouvernementale avec la libre entreprise, Walt Disney ne garda ses studios à flot dans les années 1940 que grâce à des subventions fédérales. La grève des animateurs l'avait laissé dans une situation financière précaire. Disney commença à solliciter des contrats du gouvernement, qui représentèrent bientôt 90 % de la production de ses studios. Pendant la Seconde Guerre mondiale, Walt Disney produisit des dizaines de films de formation militaire et de propagande, dont *Comment gagner la guerre par la nourriture*, *Bombardement de précision à haute altitude* et *Quelques informations sur les maladies vénériennes*. Après la guerre, Disney continua à collaborer étroitement avec les hautes autorités militaires et les fournisseurs de l'armée et devint le plus populaire vulgarisateur de la science américaine à l'époque de la guerre froide. Walt Disney rassurait un public qui vivait dans la crainte de l'holocauste nucléaire, et il rendait merveilleuses et passionnantes les plus récentes avancées technologiques. Le titre d'un film produit pour Westinghouse Electric par les studios Disney résume sa foi dans la nature bienfaisante de la technologie américaine : *L'Aube d'une vie meilleure*.

Disney manifesta sa passion pour la science avec « Tomorrowland » (« Le pays du futur »), nom donné à un des villages de son parc à thème et à certains passages de son émission télévisée hebdomadaire. Ce pays du futur englobait tout un ensemble de choses qui allaient des voyages dans l'espace aux appareils ménagers et décrivait le progrès comme une marche ininterrompue vers le plus grand confort du consommateur. Mais la médaille avait un revers : ce pays du futur faisait l'éloge de la technologie sans se poser aucune question morale. Certains aspects de la science qu'il embrassait ainsi s'avérèrent moins bénins que prévu – et certains des savants qu'il louait étaient de bien étranges modèles pour les enfants du pays.

Au milieu des années 1950, Werner von Braun participa à la production et à la présentation d'une série d'émissions télévisées de Disney consacrées à l'exploration spatiale. *L'Homme dans l'espace* et les épisodes de *Tomorrowland* dédiés à ce thème eurent un succès énorme et stimulèrent le soutien du grand public à un programme spatial américain. Von Braun était alors le plus grand spécialiste des fusées de l'armée américaine. Il avait occupé la même fonction dans l'armée allemande pendant la Seconde Guerre mondiale. Il adhéra très tôt, et avec enthousiasme, au parti nazi et obtint le grade de commandant dans les ss. Au moins 20 000 détenus, dont beaucoup de prisonniers de guerre alliés, moururent à Dora-Nordhausen, l'usine où étaient fabriquées les fusées de Von Braun. Moins de dix ans après sa libération, il donnait des ordres aux animateurs de Disney et concevait pour Disneyland un manège appelé « En route pour la lune ». Heinz Haber, autre consultant important de Tomorrowland – qui devint ensuite le premier conseiller scientifique des productions Walt Disney – passa la plus grande partie de la guerre à conduire des recherches sur les vols à grande vitesse et à haute altitude pour l'institut de médecine de l'air de la Luftwaffe. Pour mesurer les risques encourus par les pilotes de l'armée de l'air allemande, l'institut mena des expériences sur plusieurs centaines de déportés du camp de concentration de Dachau, près de Munich. Ceux qui survivaient aux expériences étaient généralement tués et disséqués. Haber quitta l'Allemagne après la guerre et fit profiter l'aviation américaine de ses connaissances. Il présenta *L'Homme dans l'espace* en compagnie de Von Braun. Lorsque l'administration Eisenhower demanda à Walt Disney de produire une émission pour la défense de l'usage civil de l'énergie nucléaire, la conception en fut confiée à Heinz Haber. Il présenta l'émission *Notre ami l'atome* et écrivit un livre pour enfants très populaire qui portait le même titre ; tous deux présentaient la fission nucléaire comme un phénomène amusant, sans rien de terrifiant. *Notre ami l'atome* était coproduit par General Dynamics, un fabricant de réacteurs nucléaires. Cette compagnie finançait également le sous-marin nucléaire qui était une des attractions de Tomorrowland.

Le moindre aspect de la vie américaine du futur annoncée par Disneyland était parrainé par une grande entreprise. Walt Disney était l'artiste le plus aimé des enfants américains. Il possédait un accès sans égal à leurs jeunes cerveaux influençables – et d'autres firmes, qui produisaient et vendaient d'autres produits, étaient impatientes de participer à la course. Monsanto construisit la Maison du Futur, en plastique, de Disneyland. General Electric finança le Carrousel du Progrès, où une ménagère robotisée chantait

Les Grands et Beaux Lendemains dans sa cuisine. Richfield Oil proposait des rêves de voitures utopistes et un manège fort pertinemment baptisé Autopie. « Vous quittez maintenant le Monde d'Aujourd'hui, proclamait la plaque apposée à l'entrée de Disneyland, pour entrer dans le Monde d'Hier, de Demain et du Rêve. »

Disneyland offrait alors à ses visiteurs un extraordinaire sentiment de liberté ; personne n'avait jamais rien vu de pareil. On constate, bien sûr, qu'ironiquement ce monde suburbain de Demain, régi par l'entreprise, allait rapidement devenir l'Anaheim d'Aujourd'hui. Moins de dix ans après son ouverture, Disneyland n'était plus serti d'un idyllique écrin rural d'orange-raies, mais coincé au milieu de motels minables, de fast-foods et de parcs industriels, sur fond d'embouteillages engorgeant l'autoroute de Santa Ana. Walt Disney dormait souvent dans le petit appartement qu'il s'était amé-nagé au-dessus de la caserne de pompiers de Main Street, USA, la rue princi-pale de Disneyland. Au début des années 1960, il devenait de plus en plus difficile d'ignorer les dures réalités d'Aujourd'hui, et Disney se mit à rêver plus grand, d'un Disney World plus éloigné encore des forces qu'il avait contribué à déchaîner, d'une chimère sur laquelle il aurait un contrôle encore plus absolu.

Walt Disney lança, parmi d'autres innovations culturelles, la stratégie de marketing à présent connue sous le nom de « synergie ». Au cours des années 1930, il signa avec une douzaine de firmes des licences qui les auto-risaient à utiliser Mickey sur leurs produits et dans leurs publicités. En 1938, *Blanche-Neige* marqua un tournant dans le marketing cinématographique : Disney avait accordé 70 licences avant la sortie du film. Jouets, livres, vête-ments, goûters et disques Blanche-Neige étaient déjà en vente lorsque le film sortit. Disney employa ensuite la télévision pour parvenir à un degré de synergie supérieur à ce qui avait jamais été tenté. Sa première émission de télévision, *Une heure au pays des merveilles* (1950), se terminait par la promotion d'*Alice au pays des merveilles*, le prochain film des studios Disney. *Disneyland* (1954), sa première série télévisée, proposait des comptes rendus hebdomadaires du chantier de construction du parc éponyme. ABC, qui dif-fusait l'émission, avait de gros intérêts financiers dans l'aventure d'Ana-heim. Un autre investisseur important, Western Printing & Lithography, imprimait les livres de Disney, par exemple *The Walt Disney Story of Our Friend the Atom* (« Disney raconte notre ami l'atome »). Sous couvert de divertissement télévisé, les épisodes de *Disneyland* n'étaient souvent guère plus que des informations publicitaires destinées à la promotion de films, livres et jouets, sans oublier le parc d'attractions – mais essentiellement de

Disney lui-même, incarnation vivante d'une marque, homme qui avait su rassembler tous ces produits en une unique idée, joyeuse, sympathique et patriotique.

À l'époque des débuts difficiles de McDonald's, Ray Kroc rêvait d'avoir à sa disposition de tels outils de marketing. Il ne pouvait compter que sur son intelligence, son charisme et son instinct pour la promotion. Kroc croyait aveuglément en ce qu'il vendait et il présentait les franchises McDonald's avec une ferveur presque religieuse. Il s'y connaissait aussi un peu en publicité, car il avait fait passer des auditions pour une station de radio de Chicago dans les années 1920 et longtemps joué dans des boîtes de nuit. Pour que l'on parle enfin de McDonald's, Kroc engagea une agence de publicité dirigée par un auteur comique et un ancien organisateur de tournées de MGM. Les enfants seraient la cible numéro un de la nouvelle chaîne de restaurants. Kroc reprenait et améliorait la stratégie des frères McDonald, qui visaient une clientèle familiale. Il tombait pile. L'Amérique était en plein baby-boom ; le nombre des naissances avait explosé au cours des années suivant la Seconde Guerre mondiale. Kroc voulait créer pour les enfants un endroit sûr, propre et cent pour cent américain. Le contrat de franchise McDonald's stipulait que chaque nouveau restaurant devait arborer les couleurs américaines. Kroc avait compris que la façon de vendre de la nourriture comptait autant que le goût de celle-ci. Il aimait dire qu'il était dans le spectacle, et non dans la restauration. La promotion de McDonald's auprès des enfants se révéla une stratégie intelligente et pragmatique. « Un enfant qui aime nos publicités télévisées et emmène ses grands-parents chez McDonald's, expliquait Kroc, nous apporte deux clients supplémentaires. »

La première mascotte de la société McDonald's fut Speedee, un petit cuisinier malin avec un hamburger en guise de tête. Le personnage fut ensuite rebaptisé Archie McDonald. La mascotte d'Alka-Seltzer s'appelait en effet Speedy et il semblait peu judicieux de suggérer un lien entre les deux marques. En 1960, un franchisé McDonald's de Washington nommé Oscar Goldstein décida de sponsoriser *Le Cirque de Bozo*, une émission pour enfants de la télévision locale. La venue de Bozo au restaurant McDonald's attira des foules énormes. Lorsque la chaîne locale de NBC supprima *Le Cirque de Bozo*, en 1963, Goldstein engagea l'acteur vedette Willard Scott, qui devait présenter la météo dans l'émission *Today* de NBC quelques années plus tard, pour créer un nouveau personnage de clown qui se produirait dans son restaurant. Une agence de publicité dessina son costume et Scott lui donna le nom de Ronald McDonald : une étoile était née. Deux ans plus tard, la société McDonald's présenta Ronald McDonald au reste des États-Unis par l'intermédiaire d'une gigantesque campagne publicitaire. Mais le rôle n'était plus tenu par Willard Scott. Il avait trop d'embonpoint ; McDonald's voulait quelqu'un de plus mince pour vanter ses burgers, ses frites et ses boissons.

L'expansion de la chaîne de restaurants McDonald's, à la fin des années 1960, coïncida avec le déclin de la Compagnie Walt Disney. Disney était mort et sa vision de l'Amérique synthétisait à peu près tout ce contre quoi les jeunes de l'époque se révoltaient. Bien qu'il ne prônât guère l'alimentation saine et les gadgets psychédéliques, McDonald's avait le grand avantage de paraître neuf – et Ronald McDonald, ses vêtements et ses amis avaient quelque chose de psychédélique. Puisque sa mascotte rivalisait désormais avec Mickey en termes de popularité, Kroc envisagea de construire son propre Disneyland. Cet homme à l'esprit de compétition aiguisé aimait régler ses comptes chaque fois qu'il en avait l'occasion. « S'ils étaient en train de se noyer, dit un jour Kroc en parlant de ses concurrents, je leur mettrais un tuyau d'arrosage dans la bouche. » Il prévoyait d'acheter 600 hectares de terres au nord-est de Los Angeles pour y bâtir un nouveau parc d'attractions. Le parc, provisoirement appelé Le Monde de l'Ouest, exploiterait le thème du cow-boy. D'autres responsables de McDonald's, refusant de voir des fonds détournés de la restauration et inquiets à la perspective de perdre des millions, s'opposèrent au projet. Kroc, qui avait proposé d'hypothéquer les terres sur ses propres deniers, finit par se ranger à l'avis de ses conseillers et renonça à son plan. La société McDonald's étudia ensuite la reprise d'Astro World, à Houston. Finalement, plutôt que d'investir dans un grand parc à thème, elle opta pour une approche plus décentralisée. Elle bâtit de petits terrains de jeux et autres McDonaldland dans tous les États-Unis.

Le monde imaginaire de McDonaldland devait beaucoup au royaume magique de Walt Disney. Don Ament, qui lui donna ses traits distinctifs, avait travaillé comme décorateur chez Disney. Richard et Robert Sherman – qui avaient écrit et composé, entre autres, toutes les chansons de *Mary Poppins*, ainsi que *Demain sera grand et beau* et *Ce monde est petit, après tout* pour Disneyland – furent engagés pour les premières publicités de McDonaldland. Ronald McDonald, le maire McCheese et les autres personnages des réclames donnaient de McDonald's l'image d'un endroit où l'on ne fait pas que manger. McDonaldland, avec ses cubes de hamburgers, ses arbres en tarte aux pommes et sa fontaine en Filet-O-Fish, partageait avec Disneyland un élément essentiel. Presque tout y était à vendre. McDonald's s'empara rapidement de l'imaginaire des bambins, le public auquel s'adressaient les publicités. La chaîne de restaurants évoquait dans leur esprit une suite d'images plaisantes : des couleurs gaies, un terrain de jeux, un jouet, un clown, une boisson à déguster avec une paille, de petits morceaux de nourriture emballés comme des cadeaux. Kroc avait réussi, comme son vieux camarade de la Croix-Rouge, à vendre aux enfants quelque chose de plus que des frites.

Les enfants-clients

Il y a vingt-cinq ans, seules une poignée d'entreprises américaines orientaient leur marketing vers les enfants – Disney, McDonald's, confiseurs, fabricants de jouets ou de céréales pour petit déjeuner. Les enfants d'aujourd'hui sont la cible des opérateurs de téléphone, des compagnies pétrolières, de l'industrie automobile et des chaînes d'habillement ou de restauration. Les années 1980 ont vu l'explosion de la publicité destinée aux enfants. Beaucoup de parents qui travaillaient et se sentaient coupables de consacrer moins de temps à leurs rejetons commencèrent à dépenser plus d'argent pour eux. Un expert en marketing a appelé ces années la « décennie de l'enfant-consommateur ». Après avoir négligé les enfants pendant des années, les grandes agences de publicité de Madison Avenue se sont mises à les observer et à les traquer. Toutes ont désormais des départements spécialisés et de nombreuses sociétés de marketing se consacrent exclusivement aux enfants. Ces groupes tendent à adopter des noms aux consonances douces : Bavardage, Kid Connection, Kid2Kid, Groupe Gepetto, ou Just Kids. Au moins trois publications – *Youth Market Alert, Selling to Kids* (« Vendre aux enfants ») et *Marketing to Kids Report* (« Annuaire du marketing destiné aux enfants ») – de cette industrie couvrent les campagnes de publicité et recherches en marketing récentes. La croissance de la publicité pour enfants repose sur la volonté d'augmenter la consommation non seulement actuelle, mais future. Certaines sociétés planifient des stratégies publicitaires « du berceau à la tombe » dans l'espoir que la nostalgie des souvenirs d'enfance influencera une vie entière d'achats. Elles se sont ralliées aux constats que Ray Kroc et Walt Disney ont faits il y a bien longtemps – la « loyauté » envers une marque commence parfois dès l'âge de deux ans. De fait, les recherches en marketing ont montré que les enfants reconnaissent souvent le logo d'une marque avant même de savoir identifier leur propre nom.

La campagne de publicité Joe Camel, qui utilise depuis des années un personnage de bande dessinée moderne pour vendre des cigarettes, montre à quel point les enfants peuvent être influencés par la bonne mascotte. Une étude publiée en 1991 dans le *Journal de l'Association médicale américaine* révélait que presque tous les enfants américains de six ans pouvaient identifier Joe Camel, qui leur était aussi familier que Mickey. Une autre étude montrait qu'un tiers des cigarettes vendues illégalement aux mineurs étaient des Camel. Plus récemment, une société de marketing a fait un sondage dans les centres commerciaux du pays pour demander aux enfants de décrire leurs publicités télévisées préférées. Selon cette étude – la « CME Kid-Com Ad Traction Study II », rendue publique en 1999 lors de la Conférence sur le marketing destiné aux enfants de San Antonio, au Texas –, les spots de Taco Bell qui mettent en scène un chihuahua parlant arrivent en tête des publicités pour les fast-foods. Les enfants interrogés aimaient également les spots de Pepsi et Nike, mais leur pub télé préférée était celle de Budweiser.

La plus grande partie de la publicité destinée aux enfants poursuit un objectif immédiat. « Il ne s'agit pas seulement d'inciter les enfants à réclamer, explique un spécialiste dans *Selling to Kids*, il s'agit de leur donner une raison particulière de demander le produit. » Le sociologue Vance Packard décrivait autrefois les enfants comme des « représentants de commerce de substitution », qui devaient persuader autrui, en général leurs parents, d'acheter ce qu'ils désiraient. Les experts en marketing emploient des termes différents pour expliquer la réaction que doivent susciter leurs publicités – « effet levier », « facteur coup de pouce », « pouvoir de harcèlement ». Le but de la plupart des publicités destinées aux enfants est simple : pousser les enfants à harceler leurs parents, et pas juste un peu.

James U. McNeal, professeur de marketing à l'université A & M, au Texas, passe pour le plus grand spécialiste en matière de marketing destiné aux enfants. McNeal se livre dans l'ouvrage *Kids as Customers* (« Les enfants-clients », 1992) à une analyse systématique des « styles de réclamation et de supplication des enfants ». Il classe les techniques de harcèlement juvénile en sept catégories. Le harcèlement suppliant s'accompagne de la répétition de termes tels que « s'il te plaît » ou « m'man, m'man, m'man ». Le harcèlement obstiné implique de constantes requêtes du produit convoité et peut inclure la phrase « Je vais demander une dernière fois ». Le harcèlement violent est extrêmement présomptueux et comporte parfois des menaces subtiles telles que « Bon, dans ce cas je vais demander à papa ». Le harcèlement démonstratif, le plus dangereux, se traduit souvent par des crises de colère dans les lieux publics, avec spasmes, sanglots et refus de quitter le magasin. Le harcèlement sucré promet de l'affection en échange d'un achat et repose sur des déclarations apparemment sincères, du genre : « Tu es le meilleur papa du monde ». Le harcèlement menaçant est une forme juvénile de chantage, avec vœux de haine éternelle et menaces de fugue si l'on refuse l'achat. Enfin, le harcèlement pitoyable prétend que l'enfant aura le cœur brisé et deviendra un objet de moquerie ou d'ostracisme si ses parents refusent de lui acheter un article particulier. D'après les recherches de McNeal, « tous ces styles et ces supplications peuvent être combinés, mais les enfants s'en tiennent généralement à ceux qui s'avèrent les plus efficaces... avec leurs propres parents ».

McNeal ne conseille à aucun moment de transformer les enfants en monstres braillards et pantelants. Il étudie les « enfants-clients » depuis plus de trente ans et croit en une approche plus traditionnelle du marketing : « La clé consiste à inciter les enfants à voir une entreprise [...] à peu près de la même façon que maman ou papa, mamie ou papy, explique-t-il. De même, une entreprise capable de s'allier des valeurs universelles telles que patriotisme, défense nationale et santé pourra certainement convaincre les enfants de croire en elle. »

Avant d'essayer d'influencer le comportement des enfants, les publicitaires doivent apprendre quels sont leurs goûts. Les chercheurs d'aujourd'hui ne se contentent plus de sonder les enfants dans les centres commerciaux, ils organisent des groupes d'études pour des petits de deux à trois ans. Ils analysent les dessins d'enfants, engagent des enfants pour diriger ces groupes d'études, organisent des « pyjama-parties » et interrogent les enfants au cours de la nuit. Ils envoient à domicile, dans les boutiques, les fast-foods et autres endroits où se rassemblent les enfants des anthropologues chargés d'observer discrètement l'attitude des clients potentiels. Ils étudient les publications spécialisées sur le développement de l'enfant et cherchent des indices dans l'œuvre de théoriciens comme Erik Erikson et Jean Piaget. Ils étudient l'imaginaire des jeunes enfants pour appliquer leurs découvertes à la promotion et à la conception des produits.

Dan S. Acuff – président de Youth Market System Consulting et auteur de *What Kids Buy and Why* (« Ce que les enfants achètent et pourquoi », 1997) – souligne l'importance de la recherche sur les rêves. Les études suggèrent que les enfants rêvent à 80 % d'animaux jusqu'à l'âge de six ans. Les créatures aux formes douces et arrondies comme Barney, les personnages animés de Disney et les Teletubbies attirent donc évidemment les enfants. Le labo « Personnages », un service de Youth Market System Consulting, se sert d'une technique exclusive d'analyse de personnages pour aider les entreprises à mettre au point de nouvelles mascottes. Elle est censée créer des personnages imaginaires parfaitement adaptés au niveau de développement neurologique et cognitif de la tranche d'âge visée.

Les clubs pour enfants sont depuis longtemps considérés comme un moyen efficace de cibler les publicités et de récolter des informations démographiques ; ces clubs font appel au besoin fondamental de prestige et d'appartenance de l'enfant. Le club Mickey Mouse de Disney, formé en 1930, fut l'un des précurseurs. Ces clubs, utilisés par les entreprises pour solliciter les nom, adresse, code postal et commentaires personnels des jeunes clients, se sont multipliés au cours des années 1980 et 1990. « Les courriers de marketing envoyés par l'intermédiaire d'un club peuvent être non seulement personnalisés, conseille James McNeal, mais même taillés sur mesure pour une tranche d'âge ou un groupe géographique déterminés. » Un club pour enfants bien conçu et bien géré peut être extrêmement rentable. D'après un dirigeant de Burger King, la création d'un club d'enfants Burger King en 1991 a fait progresser les ventes de menus enfants de 300 % au bas mot.

Internet est devenu un autre outil précieux pour récolter des informations sur les enfants. Une enquête fédérale menée en 1998 sur les sites qui leur sont destinés a découvert que 89 % de ces sites leur demandaient des informations personnelles ; 1 % seulement exigeaient un accord parental avant fourniture de ces informations. Un personnage du site McDonald's affirmait que Ronald McDonald était l'« autorité suprême en tout ». Le site encourageait les enfants à envoyer à Ronald un courrier électronique révélant leur menu McDonald's favori, leur livre et leur équipe sportive préférés – et leur nom. Désormais, les sites des chaînes de fast-foods ne demandent plus aux enfants de leur fournir des informations personnelles sans s'assurer d'abord de l'accord de leurs parents ; c'est un délit fédéral depuis le vote de la loi sur la protection informatique de la vie privée des enfants mise en application en avril 2000.

Malgré l'importance croissante d'Internet, la télévision reste le média essentiel de la publicité destinée aux enfants. Les effets des spots télévisés font depuis longtemps l'objet de controverses. En 1978, la FTC, la Commission fédérale du commerce, a voulu interdire toutes les publicités télévisées destinées aux enfants de sept ans ou moins. De nombreuses études avaient montré que les jeunes enfants ne font aucune différence entre publicité et programmes. Ils ne comprennent pas le but véritable de la publicité et pensent qu'elle dit la vérité. Michael Pertschuk, directeur de la FTC, affirmait vouloir protéger les enfants contre une publicité qui exploite leur manque de maturité. « Ils ne peuvent se protéger eux-mêmes, disait-il, en face d'adultes qui tirent parti de leur propension à vivre dans l'instant. »

La proposition de la FTC était soutenue par l'Association des pédiatres américains, le Rassemblement national des parents et professeurs, l'Union des consommateurs et la Ligue pour la protection de l'enfance, parmi d'autres. Mais elle essuya les foudres de l'Association nationale de l'audio-visuel, des Fabricants de jouets d'Amérique et de l'Association nationale des publicitaires. Les groupes industriels firent pression sur le Congrès pour empêcher toute restriction sur les publicités destinées aux enfants et pour-suivirent Pertschuk devant un tribunal fédéral pour lui interdire de partici-per aux futures réunions de la FTC sur le sujet. En avril 1981, trois mois après l'arrivée à la Maison-Blanche du président Ronald Reagan, un rapport interne de la FTC déclarait qu'une interdiction de la publicité destinée aux enfants serait impossible à mettre en œuvre ; c'était le coup de grâce. « Nous sommes enchantés de la recommandation raisonnable de la FTC », déclara le président de l'Association nationale de l'audiovisuel.

Les publicités du samedi matin qui donnaient lieu à débat passionné il y a vingt ans nous paraissent aujourd'hui presque pittoresques. Loin d'être interdite, la publicité télévisée destinée aux enfants est diffusée 24 heures sur 24, sous-titrée et en stéréo. Nickelodeon, Disney Channel, Cartoon Net-work et les autres chaînes câblées pour enfants représentent environ 80 % des programmes télévisés regardés par les enfants. Aucune de ces chaînes n'existait avant 1979. L'enfant américain typique passe aujourd'hui environ 21 heures par semaine devant la télévision – soit presque un mois et demi par an. Ce chiffre n'inclut pas le temps passé devant un écran à regarder des cassettes, à jouer à des jeux vidéo ou à utiliser un ordinateur. En dehors de l'école, un enfant américain typique passe plus de temps à regarder la télévision qu'à pratiquer n'importe quelle autre activité, à part dormir. Il (ou elle) voit plus de 30 000 publicités télévisées par an. Même les plus jeu-nes enfants regardent beaucoup la télé. Un quart des enfants américains âgés de deux à cinq ans ont un téléviseur dans leur chambre.

Synergie parfaite

Bien qu'elles consacrent chaque année environ 3 milliards de dollars à la publicité télévisée destinée aux enfants, les chaînes de fast-foods portent leurs efforts de marketing largement au-delà des publicités conventionnel-les. La société McDonald's a ouvert plus de 8 000 terrains de jeux dans ses restaurants des États-Unis. Burger King en possède plus de 2 000. Un fabri-cant d'« espaces de jeux » explique pourquoi les chaînes de fast-foods construisent ce genre de structures en plastique : « Ils attirent les enfants, qui font entrer les parents, qui sortent l'argent. » Comme les municipalités américaines consacrent moins d'argent aux loisirs des enfants, les fast-foods sont devenus le lieu de rencontre des familles qui ont de jeunes enfants.

Environ 90 % des enfants américains âgés de trois à neuf ans se rendent chaque mois dans un McDonald's. Les balançoires, toboggans et autres « bains de balles » ont amplement démontré leur pouvoir d'attraction. « Mais quand on en vient aux choses sérieuses, note un article paru dans *Brandweek*, le meilleur moyen d'attirer les enfants, c'est les jouets, encore et toujours les jouets. »

L'industrie du fast-food a noué des liens promotionnels privilégiés avec les grands fabricants de jouets du pays : elle donne gratuitement des jouets tout simples et vend les plus élaborés à prix réduit. Les jouets les plus à la mode ces dernières années – cartes Pokémon, poupées Craquinou et tamagochis – ont été lancés par les promotions des fast-foods. Une campagne réussie peut facilement doubler ou tripler le volume de ventes hebdomadaire de menus pour enfants. Les chaînes distribuent souvent différentes versions du même jouet pour encourager les visites répétées des jeunes enfants et des collectionneurs adultes, qui espèrent obtenir des ensembles complets. En 1999, McDonald's a distribué 80 versions différentes de peluches Furby. Selon un guide spécialisé appelé *Tomart's Price Guide to McDonald's Happy Meal Collectibles*, certains de ces cadeaux valent aujourd'hui plusieurs centaines de dollars.

Rod Taylor, chroniqueur à *Brandweek*, mentionne l'opération Teenie Beany Baby, menée par McDonald's en 1997, comme l'une des campagnes de promotion les plus réussies de l'histoire de la publicité américaine. McDonald's vendait à l'époque environ 10 millions de Happy Meals (menus pour enfants) par semaine. En avril 1997, McDonald's joignit une poupée Teenie Beany Baby à chaque Happy Meal et en vendit environ 100 millions en dix jours. Rares sont les opérations de marketing capables de parvenir à un taux aussi faramineux de ventes parmi les clients qu'elles visent. Les Happy Meals sont destinés aux enfants âgés de trois à neuf ans ; quatre Happy Meal Teeny Beanie Baby furent vendus à chaque enfant américain de cette tranche d'âge en l'espace de dix jours. Tous ces repas n'étaient pas achetés pour des enfants. Beaucoup de collectionneurs adultes les achetèrent pour les poupées qu'ils contenaient et jetèrent la nourriture.

La concurrence pour séduire les jeunes consommateurs a poussé les chaînes de fast-foods à former des alliances non seulement avec les fabricants de jouets, mais également avec les fédérations sportives et les studios de Hollywood. McDonald's a conduit des campagnes de promotion avec la NBA (National Basketball Association) et les Jeux olympiques. Pizza Hut, Taco Bell et KFC ont signé un contrat de trois ans avec la NCAA (Fédération du sport scolaire et universitaire). Wendy's s'est associée à la Ligue nationale de hockey. Burger King et Nickelodeon, Denny's et la Ligue de base-ball professionnel, McDonald's et la chaîne câblée Fox Kids ont tous constitué des partenariats qui allient publicité pour les fast-foods et divertissement pour enfants. Burger King a vendu des *nuggets* de poulet en forme de Teletubbies, McDonald's exploite désormais sa propre ligne de cassettes vidéo pour enfants, avec Ronald McDonald en vedette. Les aventures loufoques de Ronald McDonald sont produites par Klasky-Csupo, dont on connaît mieux les séries animées *Les Rase-Moquette* et *Les Simpson*. Ces films qui mettent en scène les personnages de McDonaldland sont vendus 4,5 dollars. « Nous voyons en eux l'occasion rêvée, assura un responsable de McDonald's lors d'une conférence de presse, de forger une relation plus significative entre Ronald et les enfants. »

Toutes ces campagnes de promotion cumulées ont renforcé les liens qui unissent Hollywood et l'industrie du fast-food. Les grands studios ont récemment entrepris de recruter des dirigeants de ce secteur. Susan Frank, ancienne directrice du marketing national chez McDonald's, a occupé les mêmes fonctions pour la chaîne Fox Kids. Elle dirige à présent un nouveau réseau câblé à caractère familial lancé par Hallmark Entertainment et la Compagnie Jim Henson, le créateur du *Muppet Show*. Ken Snelgrove, longtemps chargé du marketing pour Burger King et McDonald's, travaille aujourd'hui à la MGM. Brad Ball, ancien vice-président chargé du marketing chez McDonald's, dirige le département marketing de Warner Brothers. Peu après son embauche, il affirmait dans le *Hollywood Reporter* qu'il n'y avait guère de différence entre vendre des films et vendre des hamburgers. John Cywinski, ancien directeur du marketing de Burger King, est devenu en 1996 le patron du marketing de la branche films de Walt Disney avant de quitter ce poste pour travailler chez McDonald's. Quarante ans après la première apparition publicitaire du clown Bozo, accords de marketing, cadeaux publicitaires et valse des dirigeants ont tous contribué à rendre la culture américaine du fast-food indissociable de la culture populaire des enfants.

En mai 1996, le groupe Walt Disney et la société McDonald's ont signé un contrat de marketing global d'une durée de dix ans. Un accord avec une chaîne de fast-foods permet généralement à un studio de Hollywood de gagner entre 25 et 45 millions de dollars de publicité additionnelle pour un film, c'est-à-dire le double du budget publicitaire initialement prévu. Ces licences sont habituellement négociées film par film ; le contrat signé en 1996 accordait à McDonald's l'exclusivité des droits de présence publicitaire sur la production de films et de cassettes vidéo du studio Disney. Certains observateurs pensent que Disney, grâce à cette source régulière de fonds pour le marketing, est le principal bénéficiaire de l'accord. Les termes du marché stipulent que les personnages de Disney ne peuvent être représentés assis dans un restaurant McDonald's ou en train de manger la nourriture vendue par la chaîne. Au début des années 1980, la société McDonald's avait décliné plusieurs offres de rachat de Disney ; dix ans plus tard, ses responsables se défendaient d'avoir donné à Disney la mainmise sur leurs opérations promotionnelles communes. « Beaucoup de gens ne peuvent admettre le fait que deux grandes marques dotées d'une telle crédibilité puissent forger ce genre de relations de travail, déclara un dirigeant de McDonald's à un journaliste. Cela implique leurs parcs à thème, leur prochain film, leurs personnages, leurs cassettes vidéo... Il s'agit de beaucoup plus que d'un simple hamburger. Nous parlons de l'intégration à long terme de nos deux marques. »

L'œuvre de Walt Disney et celle de Ray Kroc, après un tour complet, venaient de s'unir en parfaite synergie. McDonald's a commencé à vendre ses hamburgers et ses frites dans les parcs Disney. L'éthique de McDonaldland et celle de Disneyland, jamais très éloignées l'une de l'autre, ont fini par se rejoindre. On peut désormais acheter un Happy Meal dans l'Endroit le plus heureux de la Terre[1].

L'essence de la marque

Ce sont les mots qu'ils utilisent qui donnent le meilleur aperçu de la démarche des services de marketing des chaînes de fast-foods. Des documents confidentiels liés à une récente campagne de publicité de McDonald's permettent de comprendre clairement la façon dont cette société considère ses clients. Elle affrontait alors une longue série de problèmes. « Les ventes diminuent, peut-on lire sur une note. Les gens nous disent que Burger King et Wendy's réussissent beaucoup mieux à proposer [...] de la meilleure nourriture au meilleur prix. » Les études de consommation indiquaient que l'avenir des ventes était menacé dans certaines régions clés. Un responsable écrit ainsi que « de plus en plus de clients nous disent [...] que McDonald's est une grosse entreprise qui veut juste vendre [...] autant qu'elle peut ». Le lien affectif noué à l'époque où les clients étaient des « bambins » se relâchait peu à peu. Les nouvelles publicités à la radio et à la télé devaient faire sentir aux gens qu'ils comptaient pour McDonald's. Elles devaient associer le

---

1. Jeu de mots sur la reprise de *Happy* (« heureux »), le slogan des parcs Disney étant : *The Happiest Place on Earth* (NDT).

McDonald's d'aujourd'hui à celui que les gens aimaient autrefois. « Le défi posé par cette campagne, écrit Ray Bergold, directeur du marketing de la chaîne, consiste à faire croire aux clients que McDonald's est leur "ami dévoué". »

Selon ces documents, les alliances avec d'autres marques étaient destinées à éveiller des sentiments positifs pour McDonald's en favorisant dans l'esprit des consommateurs l'association de plusieurs choses qu'ils apprécient. Ainsi les publicités établiraient-elles un rapport entre les frites McDonald's et « l'excitation et le fanatisme suscités par la NBA ». Les sentiments de fierté inspirés par les Jeux olympiques seraient utilisés pour lancer un nouveau hamburger contenant encore plus de viande que le Big Mac. Les liens avec le groupe Walt Disney, conçus pour « rehausser la perception de la marque McDonald's » passaient de loin pour les plus importants. Un mémorandum s'attachait à expliquer les raisons psychologiques sous-jacentes motivant de nombreuses visites chez McDonald's : les parents emmènent leurs enfants chez McDonald's parce qu'ils « veulent que les enfants les aiment [...] cela les aide à penser qu'ils sont de bons parents ». Acheter un produit Disney est la manière « idéale » de rendre les enfants heureux, mais trop chère pour être répétée quotidiennement. La publicité devait exploiter ces sentiments en faisant savoir aux parents que « seul McDonald's permet de se procurer facilement un peu de la magie Disney ». Les messages destinés aux « parents qui roulent en monospace » devaient sous-entendre qu'amener ses enfants chez McDonald's « est un moyen facile de sentir qu'on est un bon parent ».

Le but essentiel de la campagne « Mon McDonald's » née de ces propositions consistait à persuader le consommateur que McDonald's « s'intéresse à moi » et « me connaît ». Le rapport qui présentait la campagne à la société expliquait : « L'essence de la notion englobée par McDonald's est "ami dévoué"... "Ami dévoué" exprime toute la bonne volonté et le lien affectif unique entre le client et l'expérience vécue chez McDonald's... [Notre but est de faire] croire aux clients que McDonald's est leur "ami dévoué". Note : cela doit être fait sans recourir aux mots "ami dévoué"... Chaque publicité [devrait être] honnête... Chaque message respectera le bon goût et devra ressembler aux paroles d'un ami dévoué. » Les mots « ami dévoué » ne devaient jamais figurer dans les publicités car il ne fallait pas, en les utilisant trop tôt, « épuiser une essence de marque » qui pouvait à l'avenir s'avérer précieuse auprès de différents groupes nationaux et ethniques et de différentes catégories d'âge. Malgré la confiance accordée par McDonald's à ses amis dévoués, la première page de ce rapport annonçait en gros caractères, à l'encre rouge : « Tout usage, ou copie, non autorisés de ce document donneront lieu à des poursuites civiles ou pénales. »

Mcprofs et gentilshommes du Coca

Non contents de vendre aux enfants par l'intermédiaire de terrains de jeux, jouets, dessins animés, films, cassettes vidéo, organisations caritatives et parcs d'attractions, d'utiliser concours, tirages au sort, jeux et clubs, de diffuser leurs messages à la télévision et à la radio, dans la presse et sur Internet, les chaînes de fast-foods envahissent aujourd'hui les derniers secteurs clés de la vie américaine épargnés par la publicité. Le district 11 de Colorado Springs, première circonscription scolaire publique à accepter la publicité pour Burger King sous les préaux de ses écoles et sur les flancs de ses bus de ramassage, a lancé en 1993 un mouvement qui s'est propagé à tout le pays. Comme beaucoup d'autres administrations scolaires du Colorado, le district 11 était confronté à une baisse de revenus due à l'augmentation du nombre d'élèves et à l'hostilité de l'électorat face à toute hausse des impôts destinés à l'enseignement. Les premiers contrats publicitaires pour Burger King et King Sooper ne rapportaient que 37 500 dollars par an, soit un peu plus de 1 dollar par élève, ce qui était plutôt décevant. En 1996, les responsables du district décidèrent de faire appel aux talents de négociateur d'un professionnel et engagèrent Dan DeRose, président de DD Marketing SA, une société installée à Pueblo, dans le Colorado. DeRose élabora des forfaits spéciaux destinés aux entreprises. Il leur proposa cinq affiches destinées aux bus de ramassage, des publicités pour les préaux et les journaux des 52 écoles de la circonscription, une pancarte de stade, des annonces publicitaires diffusées pendant les matches et des billets gratuits pour les événements sportifs des lycées, le tout pour 12 000 dollars.

En l'espace d'un an, DeRose réussit à tripler les revenus publicitaires du district 11. Mais son plus beau coup était encore à venir. Au mois d'août 1997, DeRose négocia un contrat de dix ans qui faisait de Coca-Cola le fournisseur exclusif de boissons du district pour un montant total de 11 millions de dollars (moins la commission de DD). Le contrat prévoyait également d'accorder à un élève de terminale choisi par tirage au sort parmi les élèves bien notés et jamais absents l'utilisation gratuite d'une Chevy Cavalier 1998.

Les efforts publicitaires du district 11 furent bientôt imités par d'autres circonscriptions scolaires du Colorado, à Pueblo, Fort Collins, Denver et Cherry Creek. Les responsables de Colorado Springs n'ont pas inventé le recours au financement des entreprises pour couvrir une insuffisance de budget. Mais ils l'ont élevé à un niveau inédit de rationalisation et de systématisation. Plusieurs centaines d'administrations scolaires des États-Unis adoptent déjà des arrangements similaires, ou envisagent de le faire. Les enfants passent sept heures par jour et cent cinquante jours par an à l'école. Ce temps échappait autrefois à la publicité, aux campagnes de promotion et aux études de marketing – à la grande frustration de nombreuses entreprises. Les chaînes de fast-foods du pays vendent aujourd'hui leurs produits dans les écoles publiques au moyen de campagnes conventionnelles, de matériel pédagogique et de franchises de restauration scolaire, parmi d'autres expédients moins orthodoxes.

Les partisans de la publicité à l'école affirment qu'elle est nécessaire pour éviter les réductions de budget supplémentaires ; les adversaires rétorquent que les enfants, légalement obligés de fréquenter l'école puis soumis à la publicité pour payer leur éducation, se transforment en auditoire captif du marketing. Les écoles américaines font désormais figure de mines d'or pour les entreprises à la recherche de jeunes clients. « Découvrez votre propre source de revenus au portail des écoles », proposait une brochure lors d'une conférence sur le marketing en 1997. « Qu'il s'agisse d'élèves de cours préparatoire apprenant tout juste à lire ou d'adolescents désireux d'acheter leur première voiture, nous pouvons garantir que votre produit et votre société leur seront présentés dans le cadre traditionnel de la salle de classe. »

DD Marketing, avec ses bureaux de Colorado Springs et de Pueblo, s'est révélé comme l'un des plus importants négociateurs de contrats publicitaires pour les écoles du pays. Dan DeRose a commencé sa carrière dans le championnat de football de 2e division, où il était à la fois propriétaire d'une équipe et joueur à la fin des années 1980. En 1991, il devenait directeur sportif de l'université du sud du Colorado, à Pueblo. Il réussit dès la première année à récolter 250 000 dollars de subventions auprès d'entreprises privées pour les équipes de l'établissement. Ce furent bientôt des millions de dollars qui servirent à bâtir des installations sportives sur le campus. DeRose, qui excellait dans l'art d'obtenir de l'argent des grandes entreprises, fonda DD Marketing pour mettre ses talents au service des écoles et autres organisations sans but lucratif. Fabricants de boissons et de chaussures de sport finançaient depuis longtemps les programmes sportifs des universités ; au cours des années 1980, ils offrirent de remplacer leurs panneaux d'affichage. Dan DeRose entrevit des possibilités jusque-là inexploitées. Après avoir négocié son premier contrat forfaitaire à Colorado Springs en 1996, il partit travailler pour le district de Grapevine-Colleyville, au Texas. Celui-ci n'aurait jamais eu recours à la publicité, expliqua l'administrateur adjoint du *Houston Chronicle*, « s'il n'avait eu un besoin pressant de fonds ». DeRose se mit en quête de publicités non seulement pour les préaux, stades et autobus du district, mais également pour ses messageries vocales et les toits de ses établissements – afin que les passagers en provenance ou à destination de l'aéroport voisin de Dallas-Fort Worth puissent les voir depuis l'avion. « Vous êtes en communication avec la circonscription scolaire de Grapevine-Colleyville, fier partenaire de Dr. Pepper », annonçait un message. Malgré le scepticisme que ses idées folles éveillaient chez certains responsables du district, DeRose négocia en juin 1997 un contrat exclusif de 3,4 millions de dollars avec la société Dr. Pepper, dont le nom apparut bientôt sur les toits des écoles.

Dan DeRose affirme que son travail procure de l'argent à des écoles qui en ont terriblement besoin. Il obtient davantage d'argent des fabricants de boissons en les mettant en concurrence pour la signature de contrats d'exclusivité. « À Kansas City, ils touchaient 67 cents par élève, dit-il à un journaliste, maintenant ils touchent 27 dollars. » Les gros fabricants n'aiment pas DeRose et préfèrent ne pas traiter avec lui. Il considère leur hostilité comme une marque de réussite. Il ne pense pas que la publicité dans les écoles corrompt les enfants du pays et n'éprouve guère de tolérance pour ceux qui critiquent cette évolution. « Il y en a qui sont contre la pénicilline », déclarait-il au magazine *Fresno Bee*. Au cours des trois années qui ont suivi la signature de son premier et révolutionnaire contrat pour le district 11 de Colorado Springs, DeRose a négocié des accords pour le compte de 17 universités et 60 circonscriptions scolaires publiques du pays tout entier, de Greenville, en Caroline du Nord, à Newark, dans le New Jersey. Le contrat signé en 1997 avec un district de Derby, dans le Kansas, prévoyait l'ouverture d'un centre de ressources GeneratioNext Pepsi dans une école primaire. DeRose a déjà obtenu des fabricants de boissons plus de 200 millions de dollars de contrats pour les écoles et les universités. Il n'accepte pas d'argent avant la signature, mais facture aux écoles une commission comprise entre 25 % et 35 % du total des revenus du contrat.

Les trois plus importants fabricants de boissons du pays dépensent des sommes considérables pour augmenter la consommation des enfants américains. Coca-Cola, Pepsi et Cadbury-Schweppes (qui fabrique Dr. Pepper) contrôlent 90,3 % du marché américain, mais souffrent du déclin de leurs ventes en Asie. Les Américains boivent déjà environ 254 litres de boissons gazeuses ou sucrées – soit presque 600 canettes de 33 cl – par personne et par an. Coca-Cola prévoit d'augmenter la consommation de ses produits aux États-Unis d'au moins 25 % par an. Le marché des adultes stagne ; le moyen le plus facile d'atteindre cet objectif consiste donc à vendre davantage aux enfants. « Il est très important pour les commerciaux de réussir à influencer les élèves des écoles primaires, expliquait un article du numéro de janvier 1999 de *Beverage Industry* (« L'industrie des boissons »), car c'est l'âge où les enfants forment leurs goûts et leurs habitudes. » Les enfants de huit ans sont considérés comme des clients idéaux ; ils ont environ soixante-cinq ans de consommation devant eux. « Il est donc tout à fait logique d'entrer dans les écoles », concluait l'article du magazine spécialisé.

Les chaînes de fast-foods aussi ont tout intérêt à ce que les enfants boivent plus de boissons gazeuses. Les *nuggets* de poulet, hamburgers et autres plats vendus dans leurs restaurants dégagent les plus faibles marges, contrairement aux boissons. « Chez McDonald's, nous sommes très heureux, expliquait ainsi un haut responsable au *New York Times,* que les gens aiment boire en mangeant leurs sandwiches. » McDonald's est aujourd'hui le plus gros vendeur de Coca-Cola au monde. Les chaînes achètent du sirop de Coca-Cola 1 dollar le litre environ. Un Coca moyen vendu 1,29 dollar contient à peu près 9 cents de sirop. La petite futée derrière le comptoir vous suggérera de prendre un grand Coca pour seulement 1,49 dollar, c'est-à-dire 3 cents de sirop en plus – et 17 cents de bénéfice net supplémentaire pour McDonald's.

« Sucre liquide », une étude menée en 1999 par le Centre pour la science dans l'intérêt du public, décrit les principales victimes des récents efforts de marketing des industries de la boisson : les enfants. En 1978, un adolescent américain typique buvait environ 20 cl de boissons gazeuses sucrées par jour ; il en boit aujourd'hui presque le triple, dont il tire 9 % de sa ration calorique journalière. La consommation de boissons gazeuses sucrées des adolescentes a doublé dans le même temps, pour atteindre une moyenne quotidienne de 35 cl. Un nombre significatif de jeunes garçons boivent cinq canettes ou plus de boissons gazeuses par jour. Chaque canette contient l'équivalent de dix cuillers à café de sucre. Le Coca, le Pepsi, le Mountain Dew et le Dr. Pepper contiennent également de la caféine. Ces boissons qui apportent des calories inutiles ont remplacé des breuvages beaucoup plus nourrissants dans l'alimentation des Américains. La consommation excessive de boissons gazeuses pendant l'enfance peut entraîner un déficit en calcium et augmenter les risques de fractures des os. Il y a vingt ans, les adolescents buvaient deux fois plus de lait que de boissons gazeuses ; la proportion est aujourd'hui inversée. La consommation de sodas est devenue courante chez les bébés : environ un cinquième des enfants américains de un et deux ans en boivent. « Une des manœuvres de marketing les plus méprisables, rapporte Michael Jacobson, l'auteur de "Sucre liquide", inventées par Pepsi, Dr. Pepper et Seven-Up consiste à encourager la consommation de boissons gazeuses sucrées des bébés grâce à la vente de leur logo à Munchkin Bottling, un gros fabricant de biberons. » Une étude publiée en 1997 dans le *Journal de médecine dentaire pour enfants* révèle que de nombreux bébés boivent en effet des boissons gazeuses sucrées dans ces biberons.

Le marketing des grands fabricants de boissons gazeuses en direction des écoles s'est parfois heurté à une certaine opposition. Les administrateurs de San Francisco et de Seattle ont refusé toute publicité dans leurs écoles. « Il est de notre responsabilité de faire savoir que les écoles sont là pour servir les enfants, et non des intérêts commerciaux », a déclaré un membre de la Commission de l'enseignement de San Francisco. On a aussi assisté à des protestations individuelles. En mars 1998, 1 200 élèves du lycée Greenbrier d'Evans, en Georgie, étaient rassemblés sur le parking de leur établissement ; certains, qui allaient former le mot « COKE », portaient des vêtements rouges et blancs. C'était la journée « Coca et éducation » au lycée, et une dizaine de responsables de Coca-Cola s'étaient déplacés pour l'occasion. Le lycée Greenbrier espérait décrocher le prix de 500 dollars offert au meilleur plan de marketing des bons de réduction Coca-Cola. Les responsables de la compagnie avaient, dans le cadre de ces festivités, donné une conférence sur l'économie et aidé les élèves à préparer un gâteau au Coca-Cola. Un photographe, hissé dans une nacelle au-dessus du parking, s'apprêtait à immortaliser le « COKE » humain. Lorsqu'il commença à prendre des clichés, Mike Cameron – un élève de terminale qui se trouvait au milieu de la lettre C – exhiba soudain un T-shirt marqué Pepsi. Son geste de défi et son exclusion immédiate de l'école reçurent une publicité nationale. Le proviseur déclara que Mike Cameron aurait pu être exclu une semaine pour cette petite plaisanterie, mais le jeune garçon ne manqua qu'un seul jour de classe. « Pour moi, ce n'était pas une plaisanterie, affirma le lycéen au *Washington Post*. J'aime bien être différent. Je suis comme ça. »

La plupart des campagnes de publicité dans les écoles sont plus subtiles que la journée « Coca et éducation » du lycée Greenbrier. Le coût prohibitif des manuels scolaires a obligé des milliers de circonscriptions scolaires américaines à utiliser du matériel pédagogique sponsorisé par des entreprises. Une analyse menée en 1998 par l'Union des consommateurs a établi que 80 % de ce matériel donnait aux élèves des informations incomplètes ou faussées qui favorisaient les produits et les opinions du sponsor. Le programme Decision Earth de Procter & Gamble affirmait que la déforestation était en réalité bonne pour l'environnement ; si l'on en croit les livres du professeur distribués par la Fondation pour l'éducation de la compagnie Exxon, les énergies fossiles ne créent guère de problèmes écologiques et les sources d'énergie alternatives sont trop chères ; un guide publié grâce à la Fondation américaine du charbon faisait fi des dangers de l'effet de serre et n'hésitait pas à soutenir que « la terre pourrait bénéficier d'une augmentation de dioxyde de carbone ». L'Union des consommateurs a noté que le programme d'apprentissage de la lecture « Book It ! » sponsorisé par Pizza Hut – où chaque niveau de connaissance acquis par l'élève donne lieu à un cadeau – est « extrêmement commercial ». Vingt millions d'élèves du primaire ont participé à ce programme au cours de l'année scolaire 1999-2000, et Pizza Hut l'a récemment étendu à un million d'élèves de maternelle.

Lifetime Learning Systems est le plus gros éditeur et vendeur de matériel pédagogique sponsorisé par les entreprises. Le groupe affirme que ses publications sont utilisées chaque année par plus de 60 millions d'élèves. « Vous pouvez aujourd'hui pénétrer dans les salles de classe par l'intermédiaire de matériel pédagogique taillé sur mesure pour vos objectifs de marketing, promet le groupe aux entreprises clientes. Ce matériel fait de votre produit ou de votre point de vue le centre des discussions dans la classe [...] la pièce maîtresse d'un processus dynamique qui génère une prise de conscience à long terme et un changement d'attitude durable. » Les diminutions d'impôts qui handicapent les écoles américaines sont pain bénit pour des entreprises comme Exxon, Pizza Hut et McDonald's. L'argent qu'elles dépensent en matériel « pédagogique » est entièrement déductible de leurs impôts.

Les chaînes de fast-foods font de la publicité sur Channel One, le réseau de télévision commerciale dont les programmes sont regardés presque quotidiennement en classe par 8 millions d'élèves des collèges et lycées du pays – un public adolescent cinquante fois plus nombreux que les spectateurs de MTV. Elles passent des publicités sur Star Broadcasting, une compagnie du Minnesota qui diffuse le programme musical de la radio Top 40 dans les préaux, foyers des élèves et cafétérias des écoles. Elles font aussi la promotion de leurs produits grâce à la vente de déjeuners dans les cantines des écoles, consentie à marges réduites afin de fidéliser les jeunes clients. Au moins 20 circonscriptions scolaires des États-Unis ont leurs propres franchises Subway ; 1 500 circonscriptions supplémentaires ont conclu des contrats de livraison avec Subway, et 9 gèrent des sandwicheries Subway. Les produits Taco Bell sont vendus dans 4 500 cantines scolaires environ. On y trouve aussi Pizza Hut, Domino's et McDonald's. L'Association des services de cantine scolaire estime que 30 % environ des lycées publics des États-Unis proposent les produits des chaînes de fast-foods. Les écoles primaires de Fort Collins, dans le Colorado, servent des repas Pizza Hut, McDonald's et Subway à l'occasion de déjeuners spéciaux. « Nous essayons de ressembler aux restaurants fast-foods où ces jeunes aiment aller, a déclaré un administrateur interrogé par le Denver Post. Nous voulons montrer aux enfants que les repas scolaires sont super, que la cantine est super, que nous sommes "dans le coup", et pas une institution... »

Ces nouveaux partenariats avec les entreprises mettent souvent les autorités scolaires dans une position difficile. Ainsi, le contrat Coca-Cola négocié pour le district 11 de Colorado Springs par DD Marketing n'était pas aussi lucratif que prévu. Il spécifiait en effet des quotas de ventes annuels. Le district 11 devait vendre au moins 70 000 caisses de produits Coca-Cola par an pendant les trois premières années, sous peine de voir diminuer les versements du groupe. Or les écoles primaires, collèges et lycées de la circonscription n'écoulèrent que 21 000 caisses au cours de l'année scolaire 1997-1998. Cara DeGette, rédactrice de l'hebdomadaire *Colorado Springs Independent*, a réussi à se procurer une note adressée aux directeurs des établissements scolaires par John Bushey, un administrateur du district 11. Le 28 septembre 1998, au début de la nouvelle année scolaire, Bushey les avertissait que les ventes de boissons étaient au-dessous des prévisions et que les revenus des écoles pourraient en subir les conséquences. Il leur suggérait d'autoriser les élèves à apporter les produits Coca en classe ; de placer les distributeurs de boissons dans des endroits accessibles toute la journée. « Les recherches montrent que les achats sont étroitement liés à la disponibilité de ces machines, écrivait Bushey. Trouver le bon endroit, voilà l'essentiel. » Si les directeurs des écoles hésitaient à laisser les élèves boire du Coca-Cola pendant les cours, il leur recommandait de les laisser consommer les jus de fruits, thés et eaux minérales également vendues dans ces distributeurs. John Bushey avait apposé son nom en bas du mémorandum et signé « le gentilhomme du Coca ».

Bushey a quitté Colorado Springs pour la Floride en 2000. Il a été engagé comme principal du lycée de Celebration, une communauté gérée par la société Celebration, une filiale de Disney.

Gold Camp Road offre un panorama spectaculaire sur Colorado Springs. La vieille route vous conduit des limites de l'agglomération à Cripple Creek, bourgade jadis peuplée de chercheurs d'or et de vrais hors-la-loi, aujourd'hui poste avancé du jeu, avec ses casinos bourrés de bandits manchots et bondés d'excursionnistes venus d'Aurora. Les autocars de touristes arrivent à Cripple Creek par les pavés de la route 67. Gold Camp Road est un chemin de terre qui serpente sur les contreforts de Pikes Peak, une ancienne piste de convois pleine de virages en épingle à cheveux, sans garde-fous, surplombant de profonds ravins. Cela fait des années que les élèves du lycée de Cheyenne Mountain viennent y faire la fête le samedi soir après avoir garé leurs voitures aux endroits d'où la vue est belle. Quand la nuit est claire, les lumières de la ville semblent se confondre avec celles du ciel, comme si elles se reflétaient les unes dans les autres. Sur l'autoroute 25, les voitures et les camions qui roulent vers Denver au nord et Pueblo au sud sont de minuscules points blancs qui se déplacent lentement. Les lumières diminuent à mesure que la ville cède la place aux Grandes Plaines ; sur l'horizon, la terre paraît plus sombre que le ciel. La grande beauté de cette scène se fane au lever du soleil, lorsqu'on distingue clairement ce qui se passe en bas.

La traversée des quartiers de Colorado Springs s'apparente souvent à une percée dans des strates de roches sédimentaires qui donnent chacune un aperçu d'une période historique différente. Le centre-ville a conservé un esprit d'indépendance désuet. Si l'on excepte un Kinko's, une boulangerie Bruegger's Bagel, un Subway et quelques Starbuck, il n'y a aucune succursale de chaînes de grands magasins et pas un seul Gap en vue. Un mélange éclectique de commerces locaux s'aligne le long de Tejon Street, l'artère principale. La librairie Chinook, à l'extrémité nord-est, demeure aussi farouchement indépendante qu'on peut l'être – c'est le genre de librairie cultivée et civilisée contrainte à la fermeture dans le reste du pays. Un peu plus loin se trouve Michelle's, une boutique de crèmes glacées en activité depuis presque cinquante ans, et le coin de la rue est occupé par un magasin de vêtements de l'Ouest américain nommé Lori's qui habille les éleveurs du coin depuis 1932. Un charme rétro, impossible à produire à grande échelle, émane d'un vieux cinéma surnommé « Le Pic », rénové à grand renfort de néons. Pourtant, quand vous quittez le centre-ville en direction du nord-est, vous abordez un monde entièrement nouveau.

Le quartier nord de la ville, près de l'université du Colorado, abonde en vieilles maisons victoriennes et en bungalows du début du siècle. Viennent ensuite les maisons de style espagnol ou de pisé qui furent si populaires entre les deux guerres. On passe ensuite devant des maisons coloniales à étage et d'autres qui ressemblent à des ranches ; ce sont des constructions de petite taille, modestes et gaies.

Une fois sur Academy Boulevard, on plonge au milieu des signes bruts et tangibles des changements survenus au Colorado depuis ces vingt dernières années. D'immenses lotissements portant les noms d'Armoise, Champ d'été ou Corniche de Fairfax essaiment à perte de vue leurs milliers de maisons identiques – équivalent architectural du fast-food – qui envahissent la Prairie sans le moindre respect pour ses reliefs naturels, dressées au sommet des collines et sur les crêtes, proies idéales pour la foudre, cerclées de murets de brique et de portails, entourées de jeunes arbres rachitiques qui plient sous le vent. On dirait que ces maisons n'ont pas été construites par des maçons, mais produites à la chaîne par une machine géante et parachutées ici clés en main. On peut se perdre facilement dans ces nouveaux lotissements et errer pendant des heures de la Forêt du Nord à la Porte de la Lande, des Collines de Stetson aux Prairies de l'Antilope ou à la Corniche de la Chapelle sans jamais rien trouver qui permette de différencier ces maisons anonymes, à part leur numéro. Les rues s'interrompent sans avertissement et les trottoirs débouchent sur la prairie, arrêtés par de hautes herbes sauvages qui n'ont pas encore été transformées en pelouse.

Academy Boulevard est l'artère principale qui traverse du nord au sud le cœur de ces nouvelles étendues. Des bouquets de fast-foods surgissent à distance régulière ; les mêmes Burger King, Wendy's et McDonald's, Subway, Pizza Hut et Taco Bell apparaissent le long de la route, avec les mêmes bâtiments et la même signalisation, comme sur une cassette qui se déroulerait en boucle. On peut rouler pendant vingt minutes, passer devant un autre groupe de restaurants et se dire qu'on est revenu à son point de départ. À l'heure où les voitures avancent pare-chocs contre pare-chocs, lorsque le crépuscule baigne de ses lueurs la circulation dense, les trottoirs et les zones commerciales, alors que dans le lointain les montagnes s'obscurcissent momentanément, Academy Boulevard se transforme en copie conforme, mais en plus neuf, du Harbor Boulevard d'Anaheim. Il ressemble à d'innombrables artères commerciales du comté d'Orange – et la ressemblance n'est pas pure coïncidence.

La montagne de l'espace

Les nouveaux lotissements résidentiels de Colorado Springs ne se contentent pas de ressembler à ceux du sud de la Californie ; ils sont habités par des milliers de gens qui ont récemment quitté cet État. C'est tout un mode de vie, avec ses fondements économiques, qui a été transposé de la côte ouest aux Rocheuses. Colorado Springs est une des villes américaines qui connaissent le développement le plus rapide depuis le début des années 1990. Les montagnes, l'air pur, les grands espaces et le climat inhabituellement clément y attirent les citadins fatigués des problèmes de circulation, de criminalité et de pollution d'autres agglomérations. Un tiers environ des habitants de la ville y résident depuis moins de cinq ans. Colorado Springs représente à plus d'un titre ce que Los Angeles incarnait il y a cinquante ans – la Mecque d'une classe moyenne désabusée, le signe avant-coureur d'orientations culturelles, l'annonce d'un certain futur. La population de la région métropolitaine de Colorado Springs a plus que doublé depuis les années 1970, pour atteindre environ 500 000 habitants. La ville est l'exemple même du développement horizontal de moyenne densité. Denver a une population quatre fois plus importante, mais Colorado Springs s'étend sur une superficie plus grande.

Tout comme Los Angeles, Colorado Springs était une ville touristique un peu endormie au début du XXᵉ siècle, un refuge pour riches invalides et retraités entouré de ranches d'élevage. Rejetons des financiers de la côte est, aristocrates sans le sou et prospecteurs qui étaient tombés sur un filon à Cripple Creek avaient fait de ce « Petit Londres » leur terrain de prédilection. Les principales attractions de la ville étaient l'hôtel Broadmoor et le jardin des Dieux, un amas de formations rocheuses cyclopéennes. Le tourisme s'effondra pendant la Grande Dépression et les habitants quittèrent la ville, laissant inoccupés un cinquième de ses logements. Le déclenchement de la Seconde Guerre mondiale fut une occasion inespérée pour l'économie locale. Comme Los Angeles, Colorado Springs doit son développement aux dépenses militaires. L'ouverture de Camp Carson et de la base aérienne Peterson draina vers la région des milliers de soldats, un investissement direct en capital de 30 millions de dollars et une masse salariale de deux fois ce montant. Après la guerre, la position stratégique de Colorado Springs (au milieu du continent, hors de portée des bombardiers soviétiques), son climat favorable et les amitiés nouées entre hommes d'affaires locaux et officiers de l'armée de l'air à l'hôtel Broadmoor lui valurent une nouvelle série de bases militaires. Le commandement de la défense aérienne s'installa dans la ville en 1951, avant de s'enterrer dans les profondeurs du mont Cheyenne lorsqu'il devint le commandement aérospatial d'Amérique du Nord. Trois ans plus tard, l'armée de l'air choisissait un site de 800 hectares pour sa nouvelle école supérieure. Les effectifs des personnels de l'aviation et de l'armée de terre stationnés à Colorado Springs dépassèrent bientôt le nombre total d'habitants que comptait la ville avant-guerre.

Si l'économie locale est beaucoup plus diversifiée aujourd'hui, presque la moitié des emplois de Colorado Springs dépendent toujours des dépenses militaires. Au cours des années 1990, alors que des bases importantes fermaient dans le reste du pays, de nouvelles installations continuaient à s'ouvrir à Colorado Springs. Une grande partie du système de défense antimissiles Star Wars est conçu et testé à la base Schriever, à une vingtaine de kilomètres de la ville. La base aérienne Peterson abrite désormais l'une des unités les plus récentes et les plus modernes des États-Unis, le Commandement spatial. Elle lance, dirige et défend les satellites militaires américains. Elle teste, entretient et modernise les missiles balistiques du pays. Enfin, elle mène des recherches sur les armements futuristes qui pourront attaquer depuis l'espace satellites et avions ennemis, et même des cibles au sol. Les officiers du Commandement spatial pensent que les États-Unis livreront bientôt leur première guerre de l'espace. Lorsque ce jour viendra, Colorado Springs sera au cœur de l'action. La devise d'une unité locale de l'aviation promet l'avènement d'un nouveau genre de puissance de feu américaine : « Nous ferons mouche depuis l'espace. »

La présence de ces installations militaires sophistiquées a attiré de nombreux fournisseurs de l'armée présents en Californie. Kaman Services est arrivé en 1957. Hewlett-Packard a suivi en 1962. TRW, une société du sud de la Californie, a ouvert sa première succursale en 1968. Litton Data

Systems a déplacé un de ses départements de Van Nuys, en Californie, à Colorado Springs en 1976. Peu de temps après, Ford a vendu 4 hectares de terres dans le comté d'Orange et acheté 120 hectares à Colorado Springs avec le produit de la vente. La liste des fournisseurs de l'armée qui travaillent dans la ville est longue. Les réseaux de communications performants installés pour desservir ces compagnies et l'armée ont à leur tour attiré fabricants de puces informatiques, sociétés de télémarketing et créateurs de logiciels. La qualité de vie, le niveau de qualification de la main-d'œuvre et l'esprit travailleur de la population locale sont des atouts déterminants. Une publication de la chambre de commerce de Colorado Springs note que le taux de syndicalisation dans l'industrie privée est de 0,0 %. Colorado Springs se considère aujourd'hui comme une ville de pointe, la capitale technologique des Rocheuses. Les chefs d'entreprise assurent la promotion de la ville grâce à des surnoms comme « Silicon Mountain [1] » « Montagne de l'espace » et « Capitale de l'espace du monde libre ».

Nouvelles entreprises et résidents du sud de la Californie ont apporté avec eux de nouveaux types de comportements. R. C. Hoiles, propriétaire de l'*Orange County Register*, puis fondateur du groupe de presse Freedom Newspaper, acheta en 1946 le plus important quotidien de Colorado Springs, le *Gazette-Telegraph*. Hoiles était un conservateur, un champion de la concurrence et de la libre entreprise ; ses éditoriaux accusaient Herbert Hoover d'être trop à gauche. En 1980, le groupe Freedom Newspaper acheta le *Colorado Springs Sun*, seul concurrent du *Gazette-Telegraph* en ville, qui défendait des vues plus libérales. Il licencia tous les employés et ferma le journal.

En 1990, James Dobson décida de déplacer l'association religieuse Focus on the Family (Famille d'abord) du faubourg de Pomona, à Los Angeles, pour l'installer à Colorado Springs. Dobson, psychologue pour enfants et personnalité de la radio, est également l'auteur de *Dare to Discipline* (« Osez la discipline », 1970), un guide à l'usage des parents qui a connu un énorme succès. Il met les excès de la contre-culture des jeunes des années 1960 sur le compte de la faiblesse de leurs parents, conseille de fesser les enfants avec un « objet neutre » et affirme que les parents doivent transmettre deux messages fondamentaux aux jeunes enfants avant de les scolariser : « 1) Je t'aime, mon petit, plus que tu ne pourras jamais imaginer... 2) Parce que je t'aime tant, je dois t'apprendre à m'obéir. » Moins connue que la Majorité

---

1. Par allusion à la Silicon Valley, en Californie (NDT).

morale de Jerry Falwell et la Coalition chrétienne de Pat Robertson, Famille d'abord génère pourtant des revenus annuels beaucoup plus conséquents.

L'arrivée de Famille d'abord a attiré à Colorado Springs d'autres groupes chrétiens évangéliques. La ville a toujours été plus conservatrice que Denver, mais ce conservatisme s'exprimait habituellement par la philosophie du « vivre et laisser vivre » très répandue dans l'Ouest américain. Au début des années 1990, les mouvements religieux de Colorado Springs se sont déclarés contre le féminisme, l'homosexualité et la théorie de l'évolution de Darwin. La ville est devenue le siège d'une soixantaine d'organisations religieuses importantes ou douloureusement obscures. Membres et sympathisants de la Société biblique internationale, de l'Association des libraires chrétiens, de la Fraternité missionnaire mondiale de la radio, de Jeune vie, de la Fraternité des cow-boys chrétiens et de Monde chrétien SA, parmi d'autres, se sont installés à Colorado Springs.

De nos jours, plus un seul élu de Colorado Springs – ou du comté d'El Paso, la juridiction dont relève la ville – n'appartient au Parti démocrate. D'ailleurs, ce parti n'a présenté aucun candidat pour les élections au Congrès en 2000. Les changements politiques qui ont récemment affecté la ville ont également marqué, bien que dans une moindre mesure, la région des montagnes Rocheuses ouest. Il y a une génération, cette région était la plus libérale du pays. En 1972, tous les gouverneurs des huit États des montagnes – Arizona, Colorado, Montana, Nevada, Nouveau-Mexique, Wyoming, et même Idaho et Utah – étaient des démocrates. En 1998, tous les gouverneurs de ces États étaient républicains, comme les trois quarts des sénateurs de la région. Celle-ci est aujourd'hui un bastion républicain plus inexpugnable encore que le sud des États-Unis.

Comme à Colorado Springs, l'arrivée massive d'électeurs blancs de la classe moyenne venus de Californie a joué un rôle décisif dans le basculement à droite de la région des montagnes Rocheuses ouest. Au cours des années 1990, la Californie a perdu des habitants pour la première fois de son histoire. Entre 1990 et 1995, environ 1 million de personnes ont quitté la Californie, pour s'installer en majorité dans les États des montagnes. William H. Frey, ancien professeur de démographie à l'université du Michigan, a appelé cette migration le « nouvel exode des Blancs ». En 1998, pour la première fois depuis la ruée vers l'or, la part de la population blanche en Californie est passée sous la barre des 50 %. L'exode des Blancs a également modifié la donne politique en Californie ; la patrie de la révolution Reagan est devenue l'un des États les plus solidement démocratiques du pays.

Une grande partie des problèmes qui ont incité les familles blanches de la classe moyenne à quitter la Californie commencent à se poser aux États des Rocheuses. Au début des années 1990, la population du Colorado a augmenté de 100 000 personnes par an. Cependant, les investissements en équipements du gouvernement ne se sont pas accrus en conséquence – les électeurs du Colorado ont en effet voté en 1992 un décret imposant des limites très strictes à toute hausse des dépenses publiques. Cette mesure, inspirée par la Proposition 13 adoptée en Californie, était défendue par Douglas Bruce, grand propriétaire terrain de Colorado Springs récemment arrivé de Los Angeles. À la fin des années 1990, le Colorado pointait au 49e rang des États américains pour les dépenses consacrées à l'éducation, l'ensemble des casernes de pompiers y souffraient d'un manque chronique de personnel, et à Colorado Springs certains tronçons de l'autoroute 25 étaient engorgés par un nombre de véhicules trois fois supérieur à la capacité prévue. Dans le même temps, l'État disposait d'un surplus annuel d'environ 700 millions de dollars que la loi lui interdisait de dépenser pour résoudre un de ces problèmes. Le développement du Colorado Front Range n'atteint pas encore les proportions de l'extension tentaculaire de Los Angeles – dont un tiers de la superficie est désormais occupée par des autoroutes, des routes et des parkings – mais ce n'est sans doute qu'une question de temps.

Colorado Springs ressemble aujourd'hui à une ville dont l'identité fluctue sans se fixer encore. Certains résidants de longue date s'élèvent fermement contre l'extrémisme des nouveaux venus, et leurs voitures arborent des autocollants « Ne Californiquez pas le Colorado ». La ville est déchirée entre des visions totalement contradictoires de l'Amérique. On y trouve vingt-huit églises chrétiennes charismatiques et presque deux fois plus de prêteurs sur gages, une Librairie des Vignes du Seigneur et une Librairie du Premier Amendement pour adultes, une Association médicale et dentaire chrétienne et un salon de tatouages. Elle accueille un camp d'été chrétien dont le fondateur, David Noebel, a dénoncé les dangers du rock'n'roll dans un pamphlet intitulé *Le Communisme, l'hypnotisme et les Beatles*. Elle possède également un centre de loisirs pour homosexuels appelé Le Cache-Cache, qui sert de lieu de réunion à l'Association homosexuelle des rodéos. Le directeur d'une des écoles de la ville a récemment puni un groupe d'élèves de sixième coupables d'avoir lu un livre sur la sorcellerie et jeté des sorts. Colorado Springs a vu s'épanouir la déraison autrefois associée à Los Angeles – cette singulière énergie créatrice qui surgit aux endroits où s'élabore sciemment le futur, où l'on avance sur le fil ténu qui sépare le visionnaire du malade mental. Tout paraît possible en ce début de siècle. Le paysage culturel et physique de Colorado Springs est encore libre, en devenir.

Malgré le grand battage fait autour de l'aérospatiale, des biotechnologies, de l'informatique, des télécommunications et autres industries du futur, le plus gros employeur privé de Colorado Springs est l'industrie de la restauration. Elle s'y est développée beaucoup plus vite que la population. Le nombre des restaurants a été multiplié par 5 en trente ans, et celui des chaînes de restaurants par 10. En 1967, Colorado Springs comptait 20 restaurants appartenant à des chaînes. Aujourd'hui, on y dénombre 21 McDonald's.

Les chaînes de restauration rapide se nourrissent de l'extension de Colorado Springs, l'accélèrent et contribuent à définir sa physionomie. Elles érigent de gigantesques enseignes pour attirer les automobilistes et observent les voitures comme un prédateur surveille ses proies. Plus la circulation est dense, plus elles prospèrent ; elles construisent de nouveaux restaurants aux intersections qui pourraient connaître un trafic automobile plus important parce que le développement se fait dans leur direction, mais où l'immobilier reste abordable. Les fast-foods servent souvent de troupes de choc au développement : ils arrivent les premiers sur place et montrent le chemin. Certaines chaînes préfèrent suivre le chef : lorsqu'un nouveau McDonald's ouvre ses portes, d'autres fast-foods s'installent à proximité, en vertu de l'hypothèse que l'endroit doit être rentable.

En dépit des milliards dépensés en marketing et en campagnes de promotion, des publicités radio et télé, des efforts pour fidéliser leurs clients, les grandes chaînes doivent compter avec ce fait déstabilisant que plus de 70 % des visites à un fast-food sont « imprévisibles ». Les clients prennent souvent la décision de s'arrêter sur l'impulsion du moment, sans réfléchir. La grande majorité ne se met pas en route dans le but d'aller manger chez Burger King, Wendy's ou McDonald's. Souvent, ils n'ont même pas l'intention de s'arrêter pour manger – jusqu'à ce qu'ils voient une enseigne, un bâtiment familier, un M majuscule. Le fast-food, comme les journaux à la caisse des supermarchés, est un achat d'impulsion. S'ils veulent réussir, les fast-foods doivent être vus.

La société McDonald's est passée maître dans l'art de sélectionner l'emplacement de ses restaurants. Au début, Ray Kroc survolait en Cessna, pour repérer les écoles, les zones où il avait l'intention d'implanter de nouveaux établissements. McDonald's s'est ensuite servi d'hélicoptères pour évaluer les modes de croissance régionale, rechercher des terrains bon marché le long des routes et des autoroutes qui se trouveraient au centre des futures banlieues. Dans les années 1980, la chaîne est devenue l'un des plus gros acheteurs au monde de photographies par satellite commercialisées, qu'elle utilisait pour prévoir depuis l'espace les développements urbains à venir. McDonald's a ensuite mis au point un logiciel appelé Quintillion qui a automatisé son processus de sélection d'emplacements en combinant imagerie par satellite et cartes détaillées, renseignements démographiques, plans et informations sur les ventes des commerces existants. Chaînes de fast-food et magasins à succursales multiples utilisent aujourd'hui régulièrement des « systèmes d'information géographique » semblables à Quintillion. Un magazine de marketing a fait récemment observer que le logiciel développé par McDonald's permet aux entrepreneurs d'« espionner leurs clients avec un équipement digne de celui qui servait autrefois à mener la guerre froide ».

La société McDonald's a choisi Colorado Springs comme ville test pour d'autres types de technologies de la restauration, pour des logiciels et des appareils destinés à diminuer le coût de la main-d'œuvre et à servir encore plus vite. Steve Bigari, propriétaire de cinq McDonald's, m'a montré ces nouvelles machines dans son restaurant de Constitution Avenue. C'est un McDonald's postmoderne, aux formes arrondies, situé à l'extrémité est de la ville. Les voies de circulation du parking guident les voitures grâce à des capteurs automatiques enrobés dans l'asphalte. Des distributeurs de boissons robotisés sélectionnent les gobelets par taille et les remplissent de glace et de soda. Des machines fonctionnant avec des compresseurs au dioxyde de carbone distribuent des giclées uniformes de ketchup et de moutarde. Un appareil sophistiqué verse les frites congelées d'un seau en plastique blanc dans des paniers métalliques qu'il plonge dans l'huile bouillante ; il les sort quelques minutes plus tard et les secoue brièvement avant de les replonger jusqu'à cuisson parfaite, puis verse les frites, croustillantes et prêtes à servir, sous des lampes chauffantes. Dans la cuisine, des écrans de télévision transmettent instantanément les commandes des clients. De fait, c'est un logiciel très sophistiqué qui dirige la cuisine, assigne leur tâche aux employés pour une efficacité maximale et calcule les futures commandes sur la base du flux de clientèle du moment.

Bigari était cordial, accommodant, passionné par son travail et fier de ses nouvelles techniques. Il me dit que le nouveau logiciel apportait à la restauration rapide la philosophie de la production « *just in time* » (le « juste à temps ») chère à l'industrie automobile japonaise, une philosophie rebaptisée « Fait pour vous » par McDonald's. Pendant qu'il me montrait le fonctionnement d'un appareil après l'autre – dont un menu portable qui transmet les commandes par ondes radio –, un groupe d'ouvriers mettait la dernière main à un nouveau lotissement appelé les Collines de la Constitution. Les rues portaient des noms patriotiques et le ranch situé au bout de l'avenue était à vendre.

Tout pour le débit

Elisa Zamot se lève à cinq heures et quart tous les samedis matin. C'est un véritable effort, qui la laisse un peu sonnée avant qu'elle prenne sa douche. Ses petites sœurs Cookie et Sabrina dorment profondément dans leur lit. Elisa, douchée et coiffée, enfile son uniforme McDonald's à cinq heures et demie. Cette jolie jeune fille de seize ans, plutôt menue, aux yeux clairs et au teint basané, est prête pour une nouvelle journée de travail. Sa mère l'emmène souvent en voiture, mais Elisa fait parfois à pied, après avoir quitté la maison avant le lever du soleil, le kilomètre qui la sépare du restaurant. La modeste maison de ville de sa famille se trouve en bordure d'une grande route très passante, au sud de Colorado Springs, dans un quartier majoritairement ouvrier et défavorisé. Le bruit de la circulation et le vrombissement continu des voitures emplissent la maison pendant la journée. Mais à l'heure où Elisa part au travail, les rues sont calmes, le ciel encore sombre et aucune lumière ne brille dans les petites maisons et les appartements de location construits au bord de la route.

Quand Elisa arrive au McDonald's, le directeur déverrouille la porte pour la faire entrer. Parfois, le couple qui s'occupe du ménage termine à peine. Le plus souvent, Elisa et le directeur sont seuls dans le restaurant, planté au milieu d'un parking vide. Ils passent les deux premières heures à tout préparer. Ils allument les fours et les grils. Ils descendent chercher à la cave la nourriture et les fournitures nécessaires au service du matin. Ils prennent gobelets, boîtes et emballages en carton et sachets de condiments. Ils entrent dans la chambre froide pour y chercher le bacon, les crêpes et les roulés à la cannelle congelés. Ils sortent aussi les pommes de terre sautées, les biscuits et les McMuffins congelés. Ils ouvrent des cartons d'œufs brouillés et de jus d'orange en poudre. Ils montent toute la nourriture à la cuisine et s'affairent pour la préparer avant l'arrivée des premiers clients ; certains aliments décongèlent au micro-ondes, d'autres rôtissent sur le gril. Une fois cuits, ils sont transvasés et tenus au chaud dans des plats spéciaux.

Le restaurant ouvre à sept heures ; pendant à peu près une heure, Elisa et le directeur tiennent le fort et s'occupent de toutes les commandes. Puis l'endroit s'anime et d'autres employés arrivent. Elisa travaille derrière le comptoir. Elle prend les commandes et sert les clients, du petit déjeuner au déjeuner inclus. Lorsqu'elle rentre chez elle après sept heures debout derrière la caisse, ses pieds lui font mal. Elle est épuisée. Elle entre, s'affale sur le canapé du salon et allume la télé. Le lendemain, elle se lève de nouveau à cinq heures et quart et recommence le même train-train.

Tout le long d'Academy Boulevard, de South Nevada, de Circle Drive et de Woodman Road, des adolescents comme Elisa assurent le fonctionnement des fast-foods de Colorado Springs. Les cuisines de ces restaurants évoquent souvent une scène de *Bugsy Malone*, ce film dans lequel les acteurs sont des enfants qui jouent aux adultes. Aucune autre industrie des États-Unis n'emploie une main-d'œuvre aussi majoritairement adolescente. Les deux tiers environ des employés des fast-foods ont moins de vingt ans. Ces adolescents ouvrent souvent les établissements le matin, les ferment le soir et les font tourner à toute heure du jour. Directeurs et directeurs adjoints sortent parfois à peine de l'adolescence. Contrairement à la gymnastique de haut niveau – discipline dans laquelle les adolescents obtiennent de meilleurs résultats que les adultes –, le travail dans un fast-food ne nécessite pas obligatoirement la présence de jeunes employés. Au lieu de s'appuyer sur une main-d'œuvre restreinte, stable, bien payée et bien formée, l'industrie de la restauration rapide recherche les employés à temps partiel, sans formation, prêts à accepter un salaire de misère. Les adolescents sont des candidats parfaits, non seulement parce qu'ils reviennent moins cher que les adultes, mais parce que l'inexpérience de leur jeunesse les rend plus faciles à contrôler.

Les pratiques de l'industrie du fast-food en matière d'emploi trouvent leur origine dans les chaînes de montage adoptées par les industriels américains au début du XXᵉ siècle. L'historien des affaires Alfred D. Chandler a montré que l'aspect essentiel de ces systèmes de production de masse se trouvait dans leur taux de « débit » élevé. Le débit d'une usine est constitué par la vitesse et le volume de sa production – mesure plus beaucoup plus importante, d'après Chandler, que le nombre de ses ouvriers ou la valeur de ses machines. Une technologie innovante et une organisation performante peuvent permettre à un petit nombre de travailleurs de produire à bas prix d'énormes quantités de biens. Le débit implique d'augmenter la vitesse de montage, ce qui oblige à faire les choses plus vite afin de produire plus.

Bien qu'ils n'aient jamais rencontré le terme « débit » ou étudié le « management scientifique », les frères McDonald en avaient instinctivement compris les principes, mis en œuvre dans leur système de service ultra-rapide. Le mode de fonctionnement qu'ils ont élaboré a été largement repris et amélioré au cours des cinquante dernières années. La philosophie de la chaîne de montage en constitue toujours la clef de voûte. L'obsession du débit qui caractérise l'industrie du fast-food a modifié la façon de travailler de plusieurs millions d'Américains, transformé les cuisines de restaurants en petites usines et changé des aliments familiers en produits manufacturés.

Dans les Burger King, les palets de viande congelée disposés sur un tapis roulant sortent cuits à point de la rôtissoire au bout de 90 secondes. Les fours de Pizza Hut et Domino's sont également équipés de tapis roulants qui garantissent des temps de cuisson uniformisés. Les fours de McDonald's, avec leurs gros capots d'acier qui basculent et grillent les hamburgers des deux côtés à la fois, ressemblent aux machines à repasser d'une blanchisserie. Burgers, poulet, frites et beignets sont livrés congelés chez McDonald's. Milk-shakes et sodas sont à l'état de sirop. Dans les Taco Bell, la nourriture n'est pas préparée, mais « assemblée ». Les employés de la cuisine ne préparent pas le guacamole ; il arrive congelé d'une usine de Michoacan, au Mexique. La viande des tacos est livrée congelée et précuite sous vide dans des sachets en plastique. Les haricots déshydratés ressemblent à des corn-flakes tout bruns. La cuisson est plutôt simple. « On ajoute de l'eau dans tout, m'a dit un employé de Taco Bell. Il suffit d'ajouter de l'eau chaude. »

Si Richard et Mac McDonald ont introduit la division du travail dans la restauration, c'est un dirigeant de McDonald's nommé Fred Turner qui a créé un système de production d'une minutie peu commune. Turner a rédigé en 1958 un manuel opératoire et de formation long de soixante-dix pages qui spécifiait dans le détail la manière d'accomplir la moindre tâche. Les hamburgers devaient toujours être placés sur le gril en six rangées bien droites ; les frites devaient avoir exactement 0,7 cm d'épaisseur. Le manuel des opérations de McDonald's compte dix fois plus de pages aujourd'hui et pèse environ 2 kilos. Surnommé « la Bible » au sein de la société, il contient des instructions précises concernant l'utilisation des équipements, l'apparence de chaque plat du menu et la manière d'accueillir les clients. Les établissements qui ne respectent pas ces règles peuvent perdre leur franchise. Les consignes de cuisson ne figurent pas uniquement dans le manuel, mais sont souvent gravées sur les machines. Une cuisine de McDonald's est pleine de sonneries et de clignotants qui indiquent aux employés ce qu'ils doivent faire.

Au comptoir, des caisses enregistreuses informatisées élaborent leurs propres commandes. Dès qu'un client commande un produit, des voyants s'allument pour suggérer d'autres produits qui pourraient compléter le menu. Les employés du comptoir sont censés augmenter le montant des commandes en recommandant les produits promotionnels, en invitant le client à prendre un dessert et en insistant sur la logique financière qui rend intéressant l'achat d'une boisson d'un volume supérieur. Ils apprennent à le faire de manière amicale et enjouée. « Accueillez les clients avec un sourire et faites une première impression positive, suggère un manuel de formation de Burger King. Montrez-leur que vous êtes *contents de les voir*. N'oubliez pas de les regarder quand vous les saluez gaiement. »

La discipline stricte des fast-foods crée des produits standardisés. Elle augmente le débit. De plus, elle donne aux sociétés un pouvoir considérable sur leurs employés. « Lorsque la direction détermine exactement la manière dont chaque tâche doit être accomplie [...] et peut imposer ses règles de cadence, de production, de qualité et de technique, note le sociologue Robin Leidner, [elle] rend les travailleurs de plus en plus interchangeables. » La direction cesse de dépendre du talent ou de la compétence de ses employés – tout cela est inclus dans les machines et le système d'opérations. Les emplois ainsi déqualifiés peuvent être proposés à bas prix. La nécessité de garder un travailleur individuel diminue à proportion de la facilité avec laquelle il peut être remplacé.

Les adolescents fournissent à l'industrie du fast-food le gros de sa main-d'œuvre depuis fort longtemps. La croissance rapide de cette activité a coïncidé avec le baby-boom. Les adolescents étaient à beaucoup d'égards des candidats parfaits pour ces petits boulots mal payés. Comme la plupart habitaient chez leurs parents, ils pouvaient se permettre de travailler pour un salaire trop bas pour faire vivre un adulte ; en outre, leurs compétences limitées n'attiraient jusque-là que peu d'employeurs. Travailler dans un fast-food est devenu une sorte de rite de passage à l'américaine, un premier boulot vite abandonné pour passer à des choses meilleures. La flexibilité de l'emploi dans l'industrie du fast-food a également attiré des femmes au foyer forcées de s'assurer un revenu supplémentaire. Avec le déclin du nombre d'adolescents, les chaînes de fast-foods ont commencé à embaucher d'autres employés marginalisés : immigrants de fraîche date, personnes âgées et handicapés.

L'anglais est à présent la deuxième langue d'au moins un sixième des employés de restaurant du pays, et un tiers d'entre eux ne parlent pas du tout anglais. La proportion des employés qui ne savent pas parler anglais est plus importante encore dans le secteur du fast-food. Beaucoup d'entre eux ne connaissent que les noms des produits au menu ; ils parlent l'« anglais McDonald's ».

L'industrie du fast-food emploie aujourd'hui certains des membres les plus défavorisés de la société américaine. Elle enseigne souvent des compétences de base – arriver au travail à l'heure, par exemple – à des gens qui savent à peine lire, qui ont connu une vie chaotique ou ont été exclus de la société. Beaucoup de franchisés s'intéressent réellement au bien-être de leurs employés. Cependant, l'industrie du fast-food a adopté certaines positions par rapport aux problèmes de formation, de salaire minimum, de syndicats et de paiement des heures supplémentaires, et tout laisse à penser que l'altruisme n'a rien à voir avec les motifs qui lui font embaucher des jeunes, des pauvres et des handicapés.

L'art de la motivation

En 1999, les directeurs généraux de Burger King, de McDonald's et de Tricon Global Restaurants SA (propriétaire de Taco Bell, de Pizza Hut et de KFC), qui assistaient à une conférence sur l'équipement de la restauration, ont participé ensemble à un forum sur la pénurie de main-d'œuvre, la formation des employés, l'informatisation et les dernières innovations technologiques en matière de cuisine. Ces trois entreprises emploient aujourd'hui 3,5 millions de personnes dans le monde, gèrent 60 000 restaurants environ et ouvrent un nouveau restaurant fast-food toutes les deux heures. Leurs hauts responsables avaient mis de côté leurs rivalités après s'être rendu compte, au cours d'une réunion organisée la veille au soir, qu'ils se trouvaient en accord total sur les questions de main-d'œuvre. « Nous sommes parvenus à la conclusion que nous nous épaulons les uns les autres, expliqua Dave Brewer, un des vice-présidents de KFC. Nous soutenons en équipe cette industrie. » Parmi leurs objectifs communs essentiels figure la conception de nouveaux équipements culinaires permettant d'économiser sur l'argent consacré à la formation des employés. « Nous devons rendre l'équipement intuitif, le concevoir de telle sorte qu'il est plus facile de bien faire le travail que de le faire mal », conseillait Jerry Sus, ingénieur chargé des systèmes d'équipement chez McDonald's. « Plus il est facile à utiliser [pour l'employé], plus il nous est facile de ne pas le former. » John Reckert, directeur des opérations stratégiques, de la recherche et du développement de Burger King, se montrait optimiste quant aux avantages de cette nouvelle technologie. « Nous pouvons mettre au point un matériel qui ne fonctionne que d'une seule manière, déclarait-il. Les employés peuvent gâcher nos produits ou ralentir la cadence de multiples façons... Si l'équipement ne permet qu'une seule procédure, la formation nécessaire est minime. » « Au lieu de donner des instructions écrites au personnel, suggéra un autre intervenant, utilisez autant que possible des photographies des produits vendus au menu », et « s'il y a des instructions à donner, simplifiez-les au maximum, écrivez-les dans une langue accessible à des élèves de CM2, en anglais et en espagnol ». Tous les responsables se rangèrent à l'opinion que la « formation zéro », même impossible à atteindre, représentait l'idéal de l'industrie du fast-food.

Alors qu'elles dépensent tranquillement des sommes énormes en recherches et en technologie pour éviter de former leurs employés, les chaînes de fast-foods ont touché plusieurs centaines de millions de dollars de subventions gouvernementales pour « donner une qualification » à leur personnel. Grâce à des programmes fédéraux comme le crédit d'impôts pour la création d'emplois ciblés et à son successeur, le crédit d'impôts pour l'emploi, les chaînes obtiennent des réductions d'impôts qui vont jusqu'à 2 400 dollars par nouvel employé à bas salaire. Une enquête menée en 1996 par le ministère du Travail américain a conclu que 92 % de ces travailleurs auraient de toute manière été embauchés – les nouveaux emplois étaient des temps partiels qui les faisaient bénéficier d'un minimum de formation, sans aucun avantage. Ces programmes de subventions fédéraux étaient pourtant censés récompenser les entreprises qui donnaient une formation professionnelle aux démunis.

Le Conseil national des chaînes de restaurants et ses alliés au Congrès s'opposent avec acharnement à l'arrêt de ces subventions. Le crédit d'impôts pour l'emploi a été prorogé en 1999. Le programme a versé 385 millions de dollars de subventions l'année suivante. Il suffisait aux fast-foods d'employer une personne 400 heures au cours de l'année pour toucher l'argent de l'État – ou chaque fois qu'un employé les quittait pour être remplacé par un autre. De fait, les contribuables américains ont financé le taux élevé de renouvellement de personnel de cette industrie et offert aux entreprises des déductions fiscales pour employer des gens qui ne travaillent que quelques mois et ne reçoivent aucune formation. Le front constitué pour défendre le droit aux subventions s'appelle le Comité pour la création d'emplois. Son porte-parole, Bill Signer, a déclaré qu'il ne voyait aucun mal à utiliser les subventions de l'État pour créer des emplois mal payés, non qualifiés et à durée déterminée. Signer s'est efforcé de justifier la quantité infime de formation donnée à ces employés en ces termes : « Il faut d'abord qu'ils rampent avant d'apprendre à marcher. »

Les employés que l'industrie du fast-food veut faire ramper sont de loin le groupe le plus nombreux de travailleurs à bas salaire des États-Unis. Le pays compte environ 1 million de saisonniers agricoles et 3,5 millions d'employés de fast-food. Même s'il est beaucoup plus difficile de cueillir des fraises que de faire cuire un hamburger, ces activités sont aujourd'hui confiées à des gens plutôt jeunes, sans qualification, prêts à faire beaucoup d'heures pour un salaire de misère. Par ailleurs, le taux de renouvellement de ces deux secteurs est parmi les plus élevés de l'économie américaine. Celui de l'industrie du fast-food oscille entre 300 et 400 % par an. L'employé moyen démissionne ou est licencié au bout de trois à quatre mois.

L'industrie du fast-food verse le salaire minimum à une proportion plus élevée de ses employés que n'importe quelle autre industrie américaine. Un salaire minimum très bas fait donc partie des plans de fonctionnement de cette industrie depuis très longtemps. Entre 1968 et 1990, époque d'expansion la plus rapide des chaînes de fast-foods, la valeur réelle du salaire minimum a diminué d'environ 40 %. À la fin des années 1990, il restait 27 % au-dessous de sa valeur à la fin des années 1960. L'Association nationale de la restauration (NRA) s'est pourtant opposée avec véhémence à toute augmentation du salaire minimum, que ce soit au niveau fédéral ou local. Six grandes entreprises de restauration rapide – dont Jack in the Box, Wendy's, Chevy's et Red Lobster – ont défendu une loi qui prévoit d'autoriser les États à ne pas tenir compte du salaire minimum, ce qui équivaut dans la pratique à le supprimer au niveau fédéral. Pete Meersman, président de l'Association des restaurateurs du Colorado, prône la création d'un programme fédéral destiné à favoriser l'immigration de travailleurs étrangers pour l'industrie du fast-food.

Tandis que la valeur réelle des salaires payés aux employés des restaurants baissait au cours des trente dernières années, les gains des dirigeants d'entreprises de fast-food ont considérablement augmenté. Selon un sondage réalisé en 1997 par Nation's Restaurant Crew, leur salaire moyen tournait autour de 131 000 dollars par an, soit une augmentation de 20 % par rapport à l'année précédente. Le prix du hamburger augmenterait de 2 cents si le salaire minimum augmentait de 1 dollar.

En 1938, au plus fort de la Grande Dépression, le Congrès avait voté une loi pour empêcher les employeurs d'exploiter les travailleurs les plus vulnérables. La loi sur l'équité dans le travail instituait le premier salaire minimum. Elle imposait également des restrictions sur le travail des enfants. Enfin, elle prévoyait des heures supplémentaires pour les employés qui travaillaient plus de quarante heures par semaine. Ces heures supplémentaires devaient être payées au minimum une fois et demie le salaire horaire normal.

Aujourd'hui, peu d'employés de la restauration rapide ont droit aux heures supplémentaires – et ceux qui les touchent sont encore moins nombreux. Environ 90 % des employés de l'industrie du fast-food du pays touchent un salaire horaire, ne bénéficient d'aucun avantage et travaillent seulement quand on a besoin d'eux. Les membres des équipes de cuisine travaillent « à demande ». Ils restent plus longtemps en cas d'affluence. Si la clientèle se fait rare, on les renvoie plus tôt chez eux. Les gérants s'assurent dans la mesure du possible qu'aucun employé ne travaille quarante heures par semaine, ce qui leur évite de payer des heures supplémentaires. Un restaurant McDonald's ou Burger King typique emploie environ cinquante équipiers, qui travaillent en moyenne trente heures par semaine. Le fait d'employer des équipes nombreuses dans chaque restaurant, de les libérer dès que possible et de les faire travailler moins de quarante heures par semaine permet aux chaînes de réduire leurs frais de personnel au strict minimum.

Seuls une poignée d'employés touchent un salaire régulier. Un fast-food qui emploie cinquante équipiers compte quatre ou cinq responsables ou adjoints de direction. Ils gagnent environ 23 000 dollars par an et bénéficient d'une couverture sociale ainsi que d'une forme d'intéressement. Ils peuvent grimper les échelons de l'entreprise. Mais ils travaillent beaucoup, sans heures supplémentaires indemnisées – de cinquante à soixante-dix heures par semaine. Le taux de renouvellement des adjoints de direction est extrêmement élevé. Le travail ne permet guère la prise de décision autonome. Programmes informatiques, manuels de formation et équipement culinaire décident à peu près de tout ce qui doit être fait.

Les directeurs de fast-food peuvent embaucher des équipiers, les renvoyer et établir leur emploi du temps. Ils passent une grande partie de leur temps à les motiver. En l'absence de salaires intéressants et de sécurité de l'emploi, les chaînes tentent d'inculquer l'« esprit d'équipe » à leurs jeunes employés. On fait comprendre à ceux qui ne travaillent pas d'arrache-pied, arrivent en retard ou refusent de faire des heures supplémentaires non payées qu'ils rendent la vie plus dure à toute l'équipe en laissant tomber leurs amis et collègues. Il y a longtemps que la société McDonald's forme ses directeurs à l'« analyse transactionnelle », un ensemble de techniques psychologiques popularisées par le livre *I'm OK – You're OK* (1969). Une de ces techniques s'appelle le « *stroke* » – il s'agit d'une forme de renfort positif, de louange délibérée et de reconnaissance que beaucoup d'adolescents ne reçoivent pas dans leur famille. Cela permet de faire croire à un employé que l'on apprécie sincèrement sa contribution. Et cela revient beaucoup moins cher que d'augmenter les salaires ou de payer les heures supplémentaires.

Les chaînes de fast-foods récompensent souvent les directeurs qui limitent leurs frais de personnel au minimum, pratique qui aboutit à de multiples abus. En 1997, un tribunal de l'État de Washington a découvert que Taco Bell obligeait systématiquement ses employés à travailler sans pointer pour ne pas avoir à leur payer d'heures supplémentaires. Les primes des directeurs de restaurants Taco Bell dépendaient de leur capacité à réduire les frais de personnel. Ils montraient d'ailleurs une grande imagination en la matière. Les employés étaient obligés d'attendre les heures d'affluence pour commencer officiellement leur service, et de travailler gratuitement une fois leur service terminé. Ils nettoyaient le restaurant pendant leur temps libre. Ils touchaient parfois une compensation en nature, et non en espèces. La plupart des employés visés étaient des mineurs et des immigrants. Les deux parties parvinrent à un accord avant le jugement : Taco Bell accepta de verser plusieurs millions de dollars pour rattraper les salaires non payés, mais refusa d'admettre sa culpabilité. La société devait de l'argent à 16 000 employés ou anciens salariés. Ainsi Regina Jones, une jeune fille qui avait abandonné ses études, travaillait régulièrement soixante à soixante-dix heures par semaine alors que son salaire était basé sur quarante. Des poursuites contre Taco Bell sont actuellement en cours dans l'Oregon et en Californie.

Détecteur de mensonges

Après une année passée à travailler dans des restaurants Burger King, la sociologue Ester Reiter a conclu que l'« obéissance » est le trait de caractère le plus apprécié chez les employés des fast-foods. Dans d'autres industries de production de masse régies par la chaîne de montage, les syndicats ouvriers ont obtenu des salaires plus élevés, l'institution de procédures en cas de litige et le droit d'exprimer leur avis sur l'organisation du travail. Le taux de renouvellement du personnel, les emplois à temps partiel et le statut social marginal des équipiers ont rendu l'organisation des employés de la restauration rapide plus difficile. Quant aux chaînes, elles ont combattu les syndicats avec la même vigueur que les augmentations du salaire minimum.

La société McDonald's exige que ses franchisés suivent ses directives en ce qui concerne la préparation des aliments, les achats, la conception des restaurants mais aussi d'innombrables détails. Les spécifications de la société vont de la taille des tranches de cornichons à la circonférence des gobelets en carton. Cependant, elle adopte une remarquable politique du silence et du laisser-faire dès qu'il est question de rémunérations. Cela permet aux opérateurs de fixer les salaires en fonction du marché du travail local – et absout la société McDonald's de toute responsabilité officielle vis-à-vis des trois quarts de sa main-d'œuvre. La décentralisation des pratiques d'embauche a contribué à faire échouer les tentatives de syndicalisation des employés de la société. Pourtant, dès qu'un syndicat obtient le soutien des employés d'un restaurant particulier, la société McDonald's manifeste soudain un intérêt extraordinaire pour le bien-être affectif et financier de ceux qui y travaillent.

À la fin des années 1960 et au début des années 1970, les employés de McDonald's ont essayé de se syndiquer dans tout le pays. La société a réagi en élaborant des méthodes sophistiquées pour empêcher les syndicats de s'implanter dans ses restaurants. Une « équipe volante » de directeurs expérimentés était immédiatement envoyée dans le restaurant soupçonné d'activité syndicale. Elle avait des « conversations » apparemment informelles avec les employés mécontents. On les incitait à partager leurs sentiments. On les flattait et leur portait une grande attention. Plus important encore, on les encourageait à révéler les plans des syndicats et le nom de leurs sympathisants. Si les conversations ne donnaient aucun résultat concret, on passait des compliments à une approche plus directe.

En 1973, alors qu'un énergique mouvement de syndicalisation apparaissait à San Francisco, un groupe de jeunes employés de McDonald's affirma que certains directeurs les avaient soumis au détecteur de mensonges, interrogés sur les activités syndicales et menacés de renvoi s'ils refusaient de répondre. Les porte-parole de McDonald's reconnurent l'utilisation de détecteurs de mensonges, mais nièrent le recours à la coercition. Bryan Seale, inspecteur du travail de San Francisco, étudia attentivement de vieilles offres d'emploi passées par McDonald's et découvrit un paragraphe révélateur, imprimé tout en bas, en petits caractères. Les employés qui refusaient de se soumettre au détecteur de mensonges pouvaient être renvoyés. L'inspecteur ordonna l'arrêt de cette pratique, illégale en Californie. Il obligea également McDonald's à ne plus accepter les pourboires dans ses restaurants ; en effet, la société s'adjugeait les pourboires que les clients pensaient laisser aux équipiers.

La campagne de syndicalisation échoua à San Francisco, comme dans tous les autres McDonald's – à une exception près. Les employés du McDonald's de Mason City, dans l'Iowa, choisirent d'adhérer à l'Union des travailleurs de l'alimentaire et du commerce en 1971. Leur organisation ne dura que quatre ans. La société McDonald's n'oblige plus ses équipiers à se soumettre au détecteur de mensonges et enjoint à ses franchisés de respecter le droit du travail local. Certains hauts responsables continuent pourtant à venir d'Oak Brook, dans l'Illinois, à la moindre suspicion de mouvement syndical, même dans un restaurant situé à l'étranger. Conversations et avocats grassement payés s'avèrent des outils efficaces pour mettre un terme aux conflits. Les bons conseils de la société McDonald's ont aidé ses franchisés à faire échouer plusieurs centaines de tentatives de syndicalisation.

Malgré trente ans d'échecs, un groupe d'adolescents employés chez McDonald's essaie parfois de se syndiquer. En février 1997, les employés d'un restaurant McDonald's de Saint-Hubert, dans la banlieue de Montréal, demandèrent à adhérer au Syndicat des routiers. Plus des trois quarts des équipiers, décidés à fonder le seul syndicat McDonald's d'Amérique du Nord, prirent leur carte. Tom et Mike Cappelli, les directeurs du restaurant, employèrent quinze avocats – un pour quatre équipiers environ – et entamèrent des poursuites pour retarder la procédure d'enregistrement. Les dirigeants syndicaux protestèrent que tout retard servirait les intérêts de McDonald's, puisque le renouvellement du personnel du restaurant permettrait aux Cappelli d'embaucher des employés opposés au syndicat. Après un an de litige, la majorité des employés soutenait toujours le Syndicat des routiers. L'inspecteur du travail du Québec organisa une audience finale pour l'enregistrement du syndicat le 10 mars 1998.

Tom et Mike Cappelli fermèrent le restaurant de Saint-Hubert le 12 février, quelques semaines avant l'audience prévue. Les employés reçurent leur avis de licenciement le jeudi ; le McDonald's ferma le lendemain, un vendredi 13. Les représentants syndicaux étaient furieux. Clément Godbout, responsable de la Fédération du travail du Québec, accusa la société McDonald's d'avoir fermé le restaurant pour adresser un avertissement très clair aux autres employés canadiens. Il qualifia McDonald's d'« une des sociétés les plus antisyndicalistes de la planète ». La société McDonald's nia toute implication dans la décision. Tom et Mike Cappelli affirmèrent que le restaurant perdait de l'argent, alors qu'il était installé à cet endroit depuis dix-sept ans.

McDonald's possède environ 1 000 restaurants au Canada. Le risque de voir un McDonald's canadien faire faillite – calculé d'après le taux d'échecs depuis le début des années 1990 – est de 1 pour 300. « Quelqu'un a-t-il dit McSyndicat ? demanda un éditorial paru à cette époque. Pas si vous voulez garder votre McBoulot. »

Ce n'était pas la première fois qu'un restaurant McDonald's fermait brusquement au beau milieu d'un mouvement syndical. Au début des années 1970, les employés d'un McDonald's de Lansing, dans le Michigan, avaient réussi à former un syndicat. Tous les équipiers furent licenciés, le restaurant fermé, et un nouvel établissement construit au coin de la rue – les employés qui avaient adhéré au syndicat ne furent pas réembauchés. Ce genre de tactique fonctionne à merveille. À l'heure où j'écris ce livre, aucun des employés des quelque 15 000 McDonald's d'Amérique du Nord n'est représenté par un syndicat.

Protéger la jeunesse

Presque tous les fast-foods de Colorado Springs arborent une banderole ou un panneau portant l'inscription « On embauche ». Les chaînes de fast-foods, victimes de leur propre succès, perdent en effet leurs jeunes employés au profit d'une multitude d'autres entreprises. Les adolescents travaillent aujourd'hui à la réception des hôtels, font du marketing téléphonique ou vendent des chaussures de sport dans les centres commerciaux. Le taux de chômage très bas de Colorado Springs ne permet plus de trouver des employés à bas salaire. Dans le même temps, la concurrence entre restaurants fast-foods s'exacerbe. Cela fait des années que les chaînes ouvrent un établissement après l'autre, tandis que de nouveaux venus tâchent également d'occuper le terrain. Carl's Junior s'est installé à Colorado Springs par l'intermédiaire de restaurants indépendants et de points de vente dans les stations-service Texaco. Lorsqu'un fast-food ferme ses portes, un autre ouvre souvent au même endroit, comme une armée investit le bastion pris à l'ennemi. On ne hisse pas un nouveau drapeau, mais une nouvelle enseigne en plastique.

Les franchisés locaux n'ont aucun moyen de réduire leurs frais fixes : crédit-bail, droits de franchise et achats dépendent de fournisseurs habilités par la maison mère. Ils gardent cependant un certain contrôle sur les salaires, qu'ils s'efforcent de maintenir aussi bas que possible. La structure du travail dans le secteur de la restauration rapide exige un afflux continu de personnel jeune et non qualifié. Pourtant, les besoins immédiats des chaînes sont incompatibles avec les besoins à long terme des adolescents.

Le lycée de Cheyenne Mountain, bâti en altitude, jouit d'une vue imprenable sur la ville ; les élèves qui travaillent dans des fast-foods sont rares. La plupart sont blancs et appartiennent à un milieu aisé. En été, les garçons travaillent souvent comme caddies dans un club de golf ou comme maîtres nageurs à la piscine. Les filles font du baby-sitting à l'hôtel Broadmoor. Les lycéens qui travaillent pendant l'année scolaire trouvent plutôt à s'embaucher au centre commercial ; les filles vendent des vêtements chez

Gap ou Limited, les garçons des articles de sport chez Athlete's Foot. Ce genre d'emploi leur permet de bénéficier de réductions sur leurs propres achats et de passer un peu de temps avec leurs amis quand ces derniers viennent faire leurs courses. Le salaire est souvent moins important que le statut social lié au travail. Les emplois d'hôtesse dans une chaîne de restaurants chic – Carriba's, TGI Friday's ou Outback Steackhouse – ont la cote. Les fast-foods, en revanche, sont tout en bas de l'échelle.

Jane Trogdon est conseillère d'éducation au lycée Harrison, à Colorado Springs. L'établissement passe pour « sensible ». Cette réputation n'est pas entièrement méritée ; sans doute lui est-elle restée parce qu'il accueille beaucoup d'adolescents issus de milieux défavorisés. Une bonne partie des élèves travaillent dans des fast-foods. Environ 60 % d'entre eux viennent de familles à bas revenus. Dans cette ville où les minorités sont relativement peu représentées, seuls 40 % des élèves de Harrison sont blancs. Le lycée occupe un bâtiment moderne et bien entretenu au sud de la ville, en bordure de l'autoroute 25. Les voitures passent en trombe à ras des fenêtres de certaines salles de classe. De l'autre côté de l'autoroute, un nouveau complexe cinématographique de vingt-quatre salles invite à l'école buissonnière.

Les professeurs hésitent à venir enseigner au lycée Harrison, et certains n'y font pas long feu. Jane Trogdon est là depuis l'ouverture, en 1967. En trente ans, elle a noté des changements considérables chez les lycéens. Harrison a toujours été du mauvais côté de la barrière, mais les jeunes d'aujourd'hui semblent plus pauvres que jamais. Même dans les familles à bas revenus, la mère restait au foyer pour s'occuper des enfants. De nos jours, il n'y a plus personne à la maison et les deux parents doivent travailler, souvent dans deux ou trois emplois différents, pour joindre les deux bouts. Beaucoup d'élèves se retrouvent seuls dès la petite enfance. Les parents comptent de plus en plus sur l'école et les enseignants pour inculquer le sens de la discipline et montrer la bonne voie à leurs enfants. Les professeurs font ce qu'ils peuvent malgré le manque de respect général, et parfois les menaces, des élèves. Jane Trogdon s'inquiète du nombre de jeunes qui vont directement du lycée au travail, essentiellement dans des fast-foods, à la fin des cours. Elle s'inquiète également du nombre d'heures qu'ils y passent.

Si certains élèves du lycée Harrison travaillent dans des fast-foods pour aider leur famille, la plupart espèrent s'acheter une voiture. L'étendue des faubourgs de Colorado Springs rend la possession d'un véhicule presque obligatoire. Or crédits et assurances atteignent facilement 300 dollars par mois. De plus en plus de jeunes travaillent pour acheter leur voiture et ne participent plus aux activités culturelles et sportives extrascolaires. Ils travaillent tard le soir, négligent leurs devoirs et arrivent épuisés au lycée. Dans le Colorado, les jeunes peuvent quitter l'école à seize ans. Ceux qui travaillent dans le « monde réel », gagnent de l'argent et n'ont aucun mal à trouver un emploi dans les chaînes de fast-foods ou de magasins et dans les entreprises de télémarketing locales sont souvent tentés d'abandonner leurs études. Il y a trente ans, les entreprises ne recherchaient pas aussi assidûment les adolescents. Le lycée Harrison compte environ 400 élèves de dernière année. La moitié d'entre eux obtiennent leur diplôme de fin d'études ; seuls une cinquantaine continuent à l'université.

Jane Trogdon est arrivée à Harrison en pleine guerre du Vietnam ; des bagarres féroces opposaient élèves aux cheveux longs et fils de militaires. Aujourd'hui, elle sent une profonde apathie dans l'établissement. L'agitation du passé a été remplacée par une anomie morose. « Je vois beaucoup d'adolescents terriblement déprimés, affirme-t-elle. Je n'en ai jamais vu autant dans cet état, ni aussi jeunes. »

L'analyse qu'elle fait des adolescents et de leurs emplois extrascolaires est corroborée par un rapport publié par l'Académie nationale des sciences en 1998, intitulé *Protéger la jeunesse au travail*. Ce rapport conclut que les nombreuses heures consacrées au travail par beaucoup d'adolescents américains mettent réellement en danger leurs futurs succès universitaires et financiers. De nombreuses études ont montré que les jeunes qui travaillent vingt heures par semaine tirent généralement profit de leur expérience et acquièrent un sentiment de responsabilité personnelle et d'estime de soi. À l'inverse, ceux qui travaillent davantage sont beaucoup plus exposés aux problèmes d'abus de stupéfiants et à la délinquance. Il est facile d'expliquer les effets négatifs de l'excès de travail : les jeunes qui travaillent ne sont ni à l'école ni à la maison. Un emploi ennuyeux ou sans intérêt, un embrigadement trop poussé peuvent faire naître une aversion durable pour le travail. Toutes ces tendances se retrouvent principalement parmi les jeunes défavorisés. L'Académie nationale des sciences, tout en insistant sur les bienfaits du travail à dose modérée, souligne que les considérations à court terme limitent l'éventail des possibilités offertes à plusieurs millions de jeunes Américains.

Elisa Zamot est élève au lycée Harrison. Elle travaille chez McDonald's non seulement le week-end, mais également deux jours par semaine après l'école. Elle passe en tout de trente à trente-cinq heures au restaurant. Elle gagne le salaire minimum. Carlos et Cynthia, ses parents, sont aimants mais stricts. Ils sont portoricains et viennent de Lakewood, dans le New Jersey.

Ils s'assurent qu'Elisa fait ses devoirs et ne l'autorisent pas à rentrer après minuit. De toute manière, Elisa est trop fatiguée pour se coucher tard. L'autocar de ramassage passe à six heures du matin et les cours commencent à sept heures.

Elisa voulait travailler chez McDonald's depuis son plus jeune âge – souhait partagé par beaucoup d'employés que j'ai rencontrés à Colorado Springs. À présent, elle déteste son travail et ne pense qu'à démissionner. Elle s'occupe de la caisse et doit constamment subir les grossièretés et les récriminations des clients. La plupart méprisent les employés des fast-foods et se croient autorisés à les traiter sans le moindre respect. La douce Elisa doit supporter les hurlements d'étrangers rendus furieux par l'attente ou la découverte d'erreurs dans leur commande. Une femme âgée lui a déjà jeté son hamburger à la figure parce qu'il contenait de la moutarde. Elisa espère trouver un travail chez Wal-Mart ou dans un magasin de vêtements, c'est-à-dire n'importe où sauf dans un fast-food. Une de ses amies travaille pour FutureCall, la plus grosse entreprise de télémarketing de Colorado Springs, qui recrute volontiers des adolescents. Elle y effectue quarante heures par semaine en plus de ses cours au lycée Harrison. Le salaire est mirifique, mais le travail a l'air déplaisant. Les entreprises américaines de marketing téléphonique ont poussé à des extrêmes inédits l'embrigadement au travail inauguré par les chaînes de fast-foods.

« Il est temps de gagner du blé ! » annonce une offre d'emploi de FutureCall : « Un gros paquet ! » Et de promettre un salaire de 10 à 15 dollars de l'heure pour les employés qui travaillent plus de quarante heures par semaine. L'amie d'Elisa a seize ans. Après l'école, elle reste jusqu'à dix heures du soir devant l'écran de son ordinateur, dans les bureaux de FutureCall sur North Academy Boulevard. L'ordinateur téléphone automatiquement à des abonnés répartis dans tout le pays. Quand l'un d'eux décroche, son nom clignote sur l'écran à côté des offres que le « représentant en téléservices » (TSR) de FutureCall est censé lui faire pour le compte de sociétés de cartes bancaires, d'opérateurs de téléphone et de détaillants. Les TSR ne doivent jamais laisser quelqu'un refuser une offre sans lui opposer d'arguments. L'écran de l'ordinateur suggère toute une gamme de « réfutations » possibles. Les TSR font environ quinze « présentations » par heure, essayant de pousser leur interlocuteur à l'achat en invoquant une « réfutation » après l'autre pour que celui-ci ne leur raccroche pas au nez. Neuf personnes sur dix refusent les offres, mais celle qui accepte rend tout cet acharnement rentable. Des contremaîtres arpentent les rangées de centaines de cabines identiques, donnent des encouragements, écoutent les appels, suggèrent des arguments et s'assurent qu'aucun adolescent ne fait ses devoirs au lieu de travailler. La discipline qui règne à FutureCall est encore plus rigoureuse que chez McDonald's.

Après son diplôme, Elisa espère aller étudier à Princeton. Elle économise la plus grande partie de son argent pour acheter une voiture et dépense le reste en vêtements, chaussures et restauration scolaire. Beaucoup d'élèves de Harrison dépensent tout ce qu'ils gagnent en travaillant dans les fast-foods. Ils achètent des agendas électroniques, des téléphones portables et des vêtements de marque. En ce moment, Tommy Hilfiger et FUBU sont à la mode, mais Calvin Klein est ringard. C'est le règne de la culture hip-hop, des marques de la côte ouest filtrées par Compton et L.A.

Au cours de mes entretiens avec les lycéens du coin, j'ai entendu des tas d'histoires de jeunes de quinze ans qui travaillent douze heures d'affilée dans les restaurants fast-foods ou d'adolescents plus âgés dont le service se termine bien après minuit. La loi sur l'équité au travail limite le travail des moins de seize ans à trois heures par jour les jours d'école et l'interdit après sept heures du soir. La législation de l'État du Colorado limite le travail des moins de dix-huit ans à huit heures par jour et interdit la manipulation d'appareils potentiellement dangereux. Si j'en crois les jeunes que j'ai rencontrés, les infractions à ces lois sont assez courantes dans les fast-foods de Colorado Springs. George, ancien employé de Taco Bell, m'a dit qu'il aidait parfois à fermer le restaurant à deux ou trois heures du matin. Il avait seize ans à l'époque. Robie, seize ans, employé chez Burger King, travaille régulièrement dix heures d'affilée. Tommy, dix-sept ans, équipier chez McDonald's, se vante de sa compétence au coupe-tomates électrique, un appareil qui devrait lui être interdit. « Je suis une sorte de spécialiste de cette foutue machine, affirme-t-il, parce que je suis le seul capable de la faire marcher. » Il se sert également de la friteuse, ce qui constitue une autre infraction au Code du travail. Aucun de ces adolescents n'a été obligé de violer la loi ; au contraire, on dirait qu'ils ne demandent que cela.

La plupart des lycéens que j'ai rencontrés aimaient bien travailler dans les fast-foods. S'ils se plaignaient de l'ennui et de la monotonie du travail, ils étaient contents de gagner de l'argent, d'échapper à l'école et à leurs parents, de retrouver leurs copains au travail et de tirer au flanc autant qu'ils le pouvaient. Ils n'appréciaient pas le travail à la caisse ou au contact des clients. La cuisine avait leur préférence, car ils pouvaient y discuter avec leurs copains et faire les imbéciles. Les batailles de nourriture n'étaient pas rares. Les nouveaux, les employés sur le départ ou ceux qui étaient impopulaires servaient souvent de cible aux jets de crème aigre et de guacamole dans un restaurant Taco Bell. « Ce type qui s'appelle Leo, il a senti le gua-camole pendant un mois », fanfaronnait un des attaquants.

La personnalité du directeur d'un établissement de fast-food détermine dans une grande mesure le caractère agréable ou déplaisant du travail dans son restaurant. Les bons directeurs créent un sentiment de fierté et une atmosphère dynamique. Ils autorisent les changements d'emploi du temps et encouragent les jeunes à faire leurs devoirs. D'autres se comportent de manière arbitraire, harcèlent les employés, les réprimandent et exigent d'eux des choses déraisonnables. Ils sont eux-mêmes responsables des taux élevés de renouvellement de personnel. Une directrice adjointe d'un McDonald's de Colorado Springs amenait tous les jours au travail sa fille de cinq ans, dont elle confiait la garde aux équipiers. C'était une mère célibataire. Certains équipiers aimaient bien garder la petite fille, d'autres non ; tous trouvaient difficile de la surveiller pendant des heures tandis qu'elle jouait dans la cuisine pleine d'animation, au milieu du personnel du comptoir ou des clients installés dans la salle, à côté de la statue grandeur nature de Ronald McDonald.

Aucun des employés de fast-food rencontrés à Colorado Springs ne parlait de se syndiquer. L'idée ne leur est probablement jamais venue à l'esprit. Quand ces jeunes n'aiment pas les conditions de travail ou le directeur, ils démissionnent. Ils trouvent du travail dans un autre restaurant et le cycle continue, ininterrompu.

La réalité derrière le travail

Les accidents du travail sont environ deux fois plus nombreux chez les ado-lescents que chez les adultes. Plus de 200 000 adolescents, qui n'ont souvent aucune formation, se blessent au travail chaque année. Les accidents les plus fréquents dans les fast-foods sont les chutes, les foulures et les brûlures. L'expansion de l'industrie de la restauration rapide a aussi coïncidé avec l'augmentation de la violence sur les lieux de travail aux États-Unis. Quatre à cinq employés de fast-food sont tués chaque mois pendant leur travail, généralement au cours d'une attaque à main armée. Si la plupart de ces attaques ne se terminent pas en bain de sang, le niveau de violence crimi-nelle dans ce secteur économique est étonnamment élevé. En 1998, le nom-bre d'employés de restaurant tués sur leur lieu de travail était supérieur au nombre d'officiers de police tués en service.

Les fast-foods américains attirent davantage les voleurs que les petits commerces, les stations-service ou les banques. Les transactions d'autres détaillants s'effectuent souvent par carte de crédit, mais les fast-foods perçoivent essentiellement du liquide. Alors que les chaînes de supermarchés se sont efforcées de réduire la quantité d'argent de leurs caisses (dans les magasins 7-Eleven, le montant moyen d'un vol représente une perte d'environ 37 dollars), celles des fast-foods contiennent souvent plusieurs milliers de dollars. Stations-service et banques abritent leurs employés derrière des vitrages pare-balles, mais cette mesure de sécurité serait impossible à mettre en œuvre dans la plupart des fast-foods. Par ailleurs, les caractéristiques qui rendent ces restaurants si pratiques – la proximité de croisements et de bretelles d'autoroutes et même les guichets de leurs drive-in – facilitent également la fuite.

L'attaque d'un fast-food se produit de préférence aux moments où les équipiers sont peu nombreux : tôt le matin, avant l'arrivée des premiers clients, ou tard dans la nuit, lorsque l'établissement ferme. La fermeture est souvent assurée bien après minuit par un ou deux jeunes équipiers de seize ans et un directeur adjoint de vingt. Les voleurs les enferment le plus souvent à la cave, dans la chambre froide. Ils vident le coffre-fort et les caisses avant de s'enfuir en voiture.

Ce sont les mêmes groupes démographiques – les jeunes et les démunis – qui travaillent dans les fast-foods et qui se rendent coupables d'une grande partie de la violence criminelle dans le pays. Selon les études effectuées par la profession, environ deux tiers des vols dans les fast-foods impliquent des employés, anciens ou en poste. Bas salaires, renouvellement fréquent du personnel et abondance d'argent liquide dans les restaurants s'associent souvent pour pousser au crime. Une enquête menée en 1999 par le Conseil national de sécurité des services de restauration, une association fondée par les grandes chaînes, a montré que la moitié des employés de restaurants se livraient à des vols d'argent ou de matériel – sans compter les vols de nourriture. En moyenne, un employé vole environ 218 dollars par an ; les nouveaux employés presque 100 dollars de plus. Les études de Jerald Greenberg, professeur de management à l'université de l'Ohio et expert en criminalité sur les lieux de travail, ont démontré que les employés traités avec dignité et respect sont moins susceptibles de voler leur employeur. « Cela tombe peut-être sous le sens, explique-t-il, mais la pratique est manifestement tout autre. » La colère qui provoque la plupart des larcins ou le désir de se venger d'un employeur jugé abusif peuvent aller jusqu'au vol à main armée. Les directeurs de restaurant sont les victimes habituelles, mais pas exclusives, des délits commis dans les fast-foods. Lors d'une attaque récente, le responsable de jour d'un McDonald's de Moorpark, en Californie, a reconnu l'homme masqué qui vidait le coffre-fort. C'était le responsable de nuit.

Au milieu des années 1990, l'Inspection du travail (OSHA) a tenté de recommander une série de mesures pour empêcher la violence dans les restaurants et les commerces ouverts la nuit. L'initiative de l'OSHA venait surtout du fait que l'homicide était devenu la première cause d'accidents du travail chez les femmes. Ces mesures n'avaient rien d'obligatoire et semblaient relativement inoffensives. L'OSHA conseillait par exemple aux détaillants ouverts la nuit d'augmenter la visibilité à l'intérieur de leurs boutiques et de prévoir un éclairage suffisant de leurs parkings. L'Association nationale de la restauration (NRA), parmi d'autres groupes industriels, réagit promptement : elle s'assura le concours d'une centaine de députés qui s'opposèrent à toute directive venant de l'OSHA. Une enquête du *Los Angeles Times* révéla que beaucoup de ces députés avaient récemment accepté des contributions de la NRA et de l'Association nationale des petits commerçants. « Qui pourrait s'opposer à des propositions destinées à protéger la vie des femmes au travail ? demandait Joseph Dear, ancien directeur de l'OSHA, à un journaliste du *Times*. Les sociétés qui emploient ces femmes. »

L'industrie de la restauration a continué à combattre non seulement les mesures contre la violence sur les lieux de travail, mais toute application des règles de l'OSHA. En 1997, lors d'un « sommet » sur la violence, les responsables des principales chaînes de restaurants ont affirmé que les recommandations de l'OSHA risquaient de servir les plaignants impliqués dans des poursuites pour ce genre de délit, qu'elles étaient donc absolument inutiles et qu'il n'était pas nécessaire de fournir au gouvernement des statistiques « potentiellement préjudiciables » sur les vols. Le groupe a conclu que l'OSHA devrait se contenter d'un rôle d'information et de chambre d'enregistrement, sans pouvoir d'imposer des amendes ou des mesures de sécurité. L'un des adversaires les plus acharnés de l'OSHA au Congrès est Jay Dickey, un républicain de l'Arkansas qui possédait autrefois deux restaurants Taco Bell. En janvier 1999, le Conseil national des chaînes de restaurants a participé à la constitution d'un nouveau groupe de pression opposé aux règlements de l'OSHA. L'organisation se nomme Alliance pour la sécurité sur les lieux de travail.

Les grandes chaînes de restauration ont tenté de réduire la violence criminelle en dépensant des millions de dollars en nouvelles mesures de sécurité – caméras de surveillance, sirènes, coffres-forts à fermeture automatique, alarmes anti-intrusion et éclairage supplémentaire. Pourtant, même les restaurants les mieux protégés restent vulnérables. En avril 2000, le

Burger King de la base aérienne Offut, au Nebraska, a été attaqué par deux hommes armés et cagoulés, vêtus de T-shirts Burger King bordeaux. Ils se sont enfuis avec plus de 7 000 dollars. Joseph A. Kinney, président de l'Institut national de la sécurité au travail, estime que l'industrie du fast-food doit modifier de façon radicale ses relations avec ses employés. Augmentation des salaires et implication réelle aux côtés du personnel feront plus pour diminuer la criminalité que tous les investissements en caméras cachées. « Aucune autre industrie américaine, note Kinney, n'est aussi souvent volée par ses propres employés. »

Les jeunes employés de fast-food que j'ai rencontrés à Colorado Springs n'étaient guère conscients des dangers qu'ils couraient à travailler tôt le matin ou tard le soir. Jose, en revanche, ne se faisait aucune illusion. Directeur adjoint à dix-neuf ans, l'air malicieux, Jose transportait et revendait de la drogue dans un autre État avant de venir travailler chez McDonald's. Il avait assisté au meurtre de plusieurs amis proches. Certains membres de sa famille étaient en prison pour des délits liés à la drogue. Jose avait laissé tomber tout cela ; cet emploi chez McDonald's appartenait à sa nouvelle vie ; le travail de directeur adjoint lui plaisait, car il lui semblait facile. Cependant, il ne se fiait pas à McDonald's pour sa sécurité personnelle. Les caméras de surveillance de son restaurant avaient été installées au moment de l'opération Teeny Beany Babies. « Bon sang, les gens ne pensaient qu'à piquer ces trucs, dit-il. Il fallait les avoir à l'œil. » Jose compte souvent la recette et ferme le restaurant au milieu de la nuit. Il n'a pas de port d'arme, mais ne se sépare jamais de son pistolet ; d'autres employés sont aussi armés. Jose n'a pas peur de ce qui pourrait arriver si un voleur armé entrait un soir dans le restaurant. « Tout ce qu'il peut me faire, déclare-t-il de sang froid, je peux le lui faire aussi. »

Le meurtre de cinq employés d'un restaurant Wendy's de Queens, à New York, a été largement couvert par les médias en mai 2000. Il s'agissait d'assassinats odieux, l'un des meurtriers était un ancien employé et l'affaire s'est déroulée dans la capitale médiatique du pays. Mais criminalité et fast-food sont devenus tellement présents dans la société américaine que leur fréquente association passe généralement inaperçue. Quelques semaines avant le massacre de Queens, deux anciens employés d'un Wendy's de South Bend, dans l'Indiana, ont été condamnés pour le meurtre de deux collègues pendant une attaque qui avait rapporté 1 400 dollars. Un peu plus tôt cette année-là, deux anciens employés d'un Wendy's d'Anchorage, en Alaska, étaient condamnés pour le meurtre du responsable de nuit du restaurant. Plusieurs centaines de fast-foods sont dévalisés chaque semaine. Le FBI ne fait pas de statistiques nationales sur les vols à main armée dans les restaurants, et la profession refuse de révéler quoi que ce soit. Pourtant, les articles des journaux locaux donnent une bonne idée de ce genre de criminalité.

Voici pour ces dernières années : des voleurs armés attaquent dix-neuf restaurants McDonald's et Burger King situés au bord de l'autoroute 85, en Virginie et en Caroline du Nord. L'ancien cuisinier d'un Shoney's de Nashville, dans le Tennessee, devient le tueur en série des fast-foods, avec l'assassinat de deux employés d'un Captain D's, trois d'un McDonald's et deux d'un Baskin Robbins, dont on retrouvera ensuite les corps dans un parc national. Un doyen de l'université du Sud-Texas est tué par balles dans sa voiture lors de l'attaque d'un drive-in KFC, à Houston. Le directeur du McDonald's d'un Wal-Mart de Durham, en Caroline du Nord, est tué par deux voleurs armés et masqués. Une fillette de neuf ans est tuée lors d'un échange de coups de feu entre un voleur et un officier de police en congé qui attendait d'être servi dans un McDonald's de Barstow, en Californie. Le directeur d'un McDonald's de Sacramento, en Californie, est tué au cours d'un vol à main armée ; il avait reconnu l'un des voleurs, un ancien employé ; ce directeur, âgé de vingt et un ans, venait d'entrer en fonction le jour même. L'ancien employé d'un McDonald's de Vallejo, en Californie, mécontent de ne pas avoir obtenu un nouveau poste, tire sur trois femmes qui travaillaient dans le restaurant ; l'une des femmes succombe à ses blessures tandis que l'homme quitte le restaurant en riant. À Colorado Springs, un ancien employé d'un Chuck E. Cheese's est condamné pour meurtre avec préméditation pour la véritable exécution de trois jeunes équipières et d'une directrice. L'affaire s'est déroulée à Aurora, dans le Colorado, à l'heure de la fermeture. Les policiers dépêchés sur les lieux ont découvert une scène macabre. Les corps gisaient dans le restaurant désert ; tout autour, les alarmes hurlaient, des jouets électriques clignotaient et un aspirateur allumé vrombissait tandis que les animaux mécaniques des restaurants Chuck E. Cheese's continuaient à jouer leurs chansons enfantines.

Un travail amusant

Le thème de la 38e Conférence annuelle des opérateurs de restauration multiunités, qui s'est tenue à Los Angeles il y a quelques années, était : « Le facteur humain : la seule différence. » La plupart des 1 400 personnes présentes étaient directeurs et responsables de chaînes de restaurants. La salle de bal de l'hôtel Plaza Century était pleine d'hommes et de femmes en tenue de soirée, qui constituaient un groupe prospère dont les membres n'avaient certainement pas fait griller un hamburger ou passé la serpillière depuis belle lurette. Les ateliers de travail portaient des titres du genre : « Dualité des marques : études de cas sur le terrain » et « Marketing segmenté : le bon message pour le bon marché », ou encore « Sur les rangs et au bon endroit : nouvelles dimensions dans la sélection des emplacements ». Des récompenses étaient attribuées aux meilleures publicités radio et télé. Des restaurants étaient intronisés dans le *Fine Dining Hall of Fame*. Les chaînes rivalisaient pour le titre d'opérateur de l'année. Les sociétés de distribution alimentaire présentaient leurs nouveautés : sauces, garnitures, condiments, fours perfectionnés, antiparasites dernier cri. Le principal sujet de conversation des ateliers organisés, des couloirs et du bar de l'hôtel portait sur la difficulté de recruter des employés à moindres frais dans une économie américaine où le chômage avait atteint son taux le plus bas depuis vingt-quatre ans.

James C. Doherty, à l'époque rédacteur en chef du *Nation's Restaurant News*, donna une conférence sur la nécessaire adaptation de l'industrie de la restauration, qui devait cesser de s'appuyer sur une main-d'œuvre mal payée et un taux élevé de rotation du personnel pour promouvoir une politique du travail susceptible de favoriser les carrières à long terme dans le secteur. Comment, demanda Doherty, les employés pourraient-ils chercher à faire carrière dans une branche qui leur verse le salaire minimum et ne leur accorde aucune protection sociale ? Ses suggestions furent poliment applaudies.

Le discours de David Novak, président de Tricon Global Restaurants, donna le ton de la conférence. Sa société gère plus de restaurants qu'aucune autre au monde – 30 000 Pizza Hut, Taco Bell et KFC. Novak, ancien directeur de publicité au visage poupin, à l'élocution décidée d'un chantre de la motivation, séduisit totalement son auditoire. Il parla des efforts que faisait sa compagnie pour reconnaître ses employés, des paroles d'encouragement, des prix, des poivrons et des poulets en plastique offerts en guise de récompense. Il pensait que le meilleur moyen de motiver les gens était de les amuser. « Que les cyniques choisissent un autre secteur d'activité », déclara-t-il. Les cadeaux destinés aux employés éveillaient des sentiments d'estime et de fierté, leur montraient que la direction s'intéressait à eux, et ne coûtaient pas cher. « Nous voulons être une grande société pour ceux qui la font », annonça Novak. D'autres orateurs parlèrent du travail en équipe, des responsabilités confiées aux employés et de la manière de rendre tout cela « amusant ».

Les sentiments réels des directeurs et responsables présents se manifestèrent clairement au cours de la table ronde. Norman Brinker – une légende de la profession, fondateur de Bennigan's et de Steack and Ale, propriétaire actuel de Chili's et généreux donateur du Parti républicain parla dans un langage simple, direct et sans platitudes. « J'entrevois l'émergence de syndicats », prévint-il les participants. Cette idée lui faisait « froid dans le dos ». Il demanda à tous de verser plus d'argent aux groupes de pression de l'industrie. « Quand je pense que [le sénateur] Kennedy veut à toute force que le salaire minimum passe à 7,25 dollars ! continua-t-il. Ce sera amusant, vous ne croyez pas ? Elle me plaît, cette idée. Oui, vraiment – que je sois damné ! » La foule hurla de rire en applaudissant l'appel aux armes de Brinker contre les syndicats et le gouvernement, qui remettait dans leur contexte les belles phrases sur le travail en équipe.

La Buick Lesabre 1983 de Matthew Kabong glisse le long des rues sombres de Pueblo, Colorado, à la recherche d'un village de caravanes appelé Meadowbrook. Deux pizzas Little Caesars et un sachet de Crazy Bread sont posés sur le siège arrière. « Bienvenue dans mon bureau », me dit-il en se penchant vers la radio qui joue un rhythm'n'blues plein de douceur. Kabong est né au Nigeria et a grandi à Atlanta, en Georgie. Il étudie l'ingénierie électrique dans une faculté locale et livre des pizzas quatre ou cinq nuits par semaine. Il gagne le salaire minimum, plus 1 dollar par livraison et les pourboires. Il se fait environ 50 dollars quand la nuit est bonne. Nous longeons des quartiers entiers d'humbles petites maisons blanchies à la chaux, vieilles de plusieurs dizaines d'années ; des camionnettes sont garées dans les allées, des jouets d'enfants jonchent les pelouses. Pueblo est la ville située le plus au sud de la chaîne du Front Range ; bien que 60 kilomètres la séparent de Colorado Springs, elle est depuis toujours un monde à part, ouvrier et sud-américain, une ville de sidérurgie qui n'a jamais été aussi chic que Boulder, aussi dynamique que Denver ni aussi aristocratique que Colorado Springs. Personne n'a jamais construit de terrain de polo à Pueblo, et les snobs du Nord la surnomment « le trou du cul du Colorado ».

Nous trouvons Meadowbrook après un coin de rue. Toutes les caravanes se ressemblent, bien alignées et un peu abîmées sur les bords. Kabong gare sa voiture, coupe la radio et éteint les phares, et de la rue monte une impression soudaine de désert obscur. Un chien aboie, la porte d'une caravane proche s'entrouvre et un rai de lumière déborde sur le gravier de l'allée. Une fillette de sept ans environ, aux cheveux blonds, accueille avec un sourire ce grand Nigérian qui apporte les pizzas, lui tend 15 dollars, prend les cartons et lui dit de garder la monnaie. On bouge dans la caravane derrière elle, on aperçoit un bref instant la vie de quelqu'un d'autre, une cuisine bien propre, les ombres mouvantes d'une télévision. La porte se referme et Kabong retourne à la Buick, son bureau, sous l'immensité d'un ciel plein d'étoiles. Il serre dans sa poche un pourboire de 1,76 dollar, le plus gros de cette nuit.

Le large fossé qui sépare Colorado Springs de Pueblo – une vieille séparation sociale, culturelle, politique et économique – commence à se combler. On sent l'amorce du changement dans l'air quand on parcourt en voiture les rues de Pueblo. Dans les années 1980, le taux de chômage de la ville atteignait 12 % et la construction stagnait. Aujourd'hui, pas un mois ne passe sans qu'on inaugure des routes aux abords du centre commercial, de nouveaux cinémas, un Applebee's, un Olive Garden, un Home Depot, un grand Marriott. Les lotissements s'étendent le long de l'autoroute I-25 à partir du sud de Colorado Springs, et les élevages cèdent un à un la place à des rues bordées de maisons de style ranch. La croissance n'a pas encore atteint Pueblo ; la ville semble fin prête à devenir un peu plus pareille aux autres.

Le Little Caesars où travaille Kabong se trouve dans le quartier de Belmont, en face d'un Dunkin'Donuts, près du campus de l'université du sud du Colorado. Le petit bâtiment carré a abrité autrefois un Dairy Bar, puis un Godfather's Pizza. Dans la salle du restaurant, une demi-douzaine de tables en formica marron, des murs de brique rouge, un distributeur de chewing-gums près du comptoir, du lino marron et blanc sur le sol. L'endroit, bien que propre, n'a pas été rénové depuis longtemps. Les clients qui s'arrêtent pour acheter une pizza sont des étudiants, des ouvriers ordinaires, des familles nombreuses, des pauvres gens. Les pizzas Little Caesars, aussi grosses que bon marché, suffisent parfois à plus d'un repas.

Dans la cuisine, cinq équipiers garnissent les pizzas, les enfournent, servent les boissons et prennent les commandes au téléphone. Julio, un gamin de dix-neuf ans déjà père de deux enfants, fait glisser une pizza sur le tapis roulant du vieux four Blodgett. Il gagne 6,50 dollars de l'heure. Le travail lui plaît. Little Caesars et les autres chaînes de pizzerias disposent de fours automatisés, mais les pizzas sont encore préparées à la main. Elles ne sortent pas simplement du congélateur. Scott, un autre livreur, attend sa prochaine commande. Il porte un T-shirt jaune Little Caesars qui proclame : « Voyez les choses en grand ! » Il travaille pour rembourser ses prêts étudiants et la dette de 4 000 dollars contractée pour acheter une Jeep modèle

1988. Inscrit à l'université du sud du Colorado, il pense faire son droit pour intégrer le FBI. Dave Feamster, le propriétaire du restaurant, discute avec ses employés latinos et ses clients – il semble à la fois parfaitement à son aise et complètement déplacé derrière le comptoir.

Feamster est issu d'un milieu ouvrier ; il est né et a grandi à Detroit. Il a commencé très jeune à jouer au hockey, et c'est en qualité de hockeyeur qu'il a obtenu une bourse d'études à l'université de Colorado Springs. Les Black Hawks de Chicago l'ont recruté quand il était en dernière année. Feamster a terminé ses études de commerce et commencé à jouer en NHL, la Ligue nationale de hockey. Le rêve d'enfance du jeune défenseur devenait réalité. Les Black Hawks se sont qualifiés pour la phase finale du champion-nat pendant ses trois premières années dans l'équipe et Feamster a pu jouer contre certaines de ses idoles, comme Wayne Gretzky et Mark Messier. Cer-tes, il n'était pas une vedette, mais il adorait jouer, gagnait bien sa vie et voyageait d'un bout à l'autre du pays ; ce n'était pas si mal pour un fils d'ouvrier de Detroit.

Le 14 mars 1984, un joueur des Minnesota North Stars nommé Paul Holmgren le heurta par-derrière au cours d'un match. Feamster, qui ne l'avait pas vu venir, alla valdinguer tête la première dans la rambarde. Un peu sonné, il finit tout de même le match. Plus tard, sous la douche, il ressentit une douleur dans le dos. Il passa une radio qui révéla une fracture de fatigue à la base de la colonne vertébrale. Feamster porta un corset pen-dant trois mois. L'os brisé ne guérissait pas. Quand il reprit l'entraînement à l'automne suivant, il sentit que quelque chose n'allait pas. Les Black Hawks voulaient le faire jouer, mais le médecin de l'hôpital de Mayo qui l'examina lui dit : « Si vous étiez mon fils, je vous conseillerais de trouver un autre travail ; changez de voie. » Feamster passait des heures au gymnase à ren-forcer les muscles de son dos. Il partageait un appartement avec deux joueurs de l'équipe. Ils prenaient le petit déjeuner ensemble tous les matins, puis ses amis le quittaient pour l'entraînement et Feamster se retrouvait seul, assis à la table de la cuisine.

Les Black Hawks ne prirent même pas la peine de lui dire au revoir ou de lui souhaiter bonne chance. Ils ne l'invitèrent pas à leur fête de Noël. Ils payèrent ce qu'ils lui devaient par contrat, et ce fut tout. Il perdit un an à traîner sans but. Malgré son diplôme, il ne connaissait rien au commerce car il avait passé la majeure partie de ses études à jouer au hockey. Il s'ins-crivit à une formation d'agent de voyages. Il était le seul homme dans une classe de jeunes filles de dix-huit ou dix-neuf ans. Au bout de trois semaines, son professeur demanda à le voir après les cours. Elle le reçut dans son bureau et lui dit : « Qu'est-ce que vous faites ici ? Vous avez l'air d'un type intelligent. Ce n'est pas pour vous. » Il abandonna le jour même et passa plusieurs heures à rouler au hasard en écoutant des chansons de Bruce Springsteen et en se demandant quoi faire de sa vie.

Lors d'une réunion d'anciens élèves de l'université de Colorado Springs, un vieil ami lui suggéra de prendre une franchise Little Caesars. Enfant, Feamster avait joué au hockey à Detroit avec les fils de Mike Ilitch, le fondateur de la société. Mais cela le gênait d'appeler la famille Ilitch pour lui demander de l'aide. Son ami téléphona pour lui. Quelques semaines plus tard, Feamster faisait la plonge et préparait des pizzas dans les restaurants Little Caesars de Chicago et de Denver. On était bien loin de la NHL. Avant d'obtenir le droit d'acheter une franchise, il devait passer plusieurs mois à apprendre le moindre aspect du travail. Payé 300 dollars la semaine, il suivit la même formation que tous les autres directeurs adjoints. Au début, il se demandait si c'était une bonne idée. La franchise coûtait 15 000 dollars, presque tout ce qui lui restait en banque.

La dévotion à une nouvelle foi

Devenir franchisé, c'est à la fois démarrer sa propre entreprise et travailler pour quelqu'un d'autre. Un accord de franchise est donc une étrange association qui permet aux deux parties en présence de gagner de l'argent en limitant leurs risques. Le franchiseur veut développer une société existante sans dépenser ses propres fonds. Le franchisé veut créer sa propre affaire sans se lancer tout seul et tout risquer sur une idée neuve. Le premier apporte une marque, un projet commercial, son savoir-faire et l'accès à des équipements et des fournitures. Le second avance l'argent et fait le travail. Cette relation implique un certain nombre de tensions. Le franchiseur abandonne un peu de son contrôle en cessant de superviser chaque opération ; le franchisé sacrifie beaucoup de son indépendance en acceptant d'obéir aux règles de la société. Tout le monde est content lorsque les bénéfices rentrent, mais l'arrangement dégénère souvent en lutte inégale pour le pouvoir si les affaires vont mal. Le franchiseur gagne presque toujours.

Les accords de franchise existent sous une forme ou une autre depuis le XIXe siècle. En 1898, comme la compagnie General Motors manquait du capital suffisant pour engager des vendeurs, elle céda des franchises à des concessionnaires potentiels auxquels elle accorda l'exclusivité des droits sur certains territoires. Les franchises étaient un moyen ingénieux de développer une société qui se lançait dans une nouvelle industrie. « D'habitude, c'est l'entreprise qui paie les vendeurs, mais dans ce cas c'étaient les vendeurs qui payaient l'entreprise », explique l'historien Stan Luxenberg. Les industries de l'automobile, de la boisson, de l'essence et des motels se sont ainsi appuyées sur les franchises pour assurer une grande part de leur croissance initiale. Mais c'est l'industrie du fast-food qui a fait du franchisage un modèle bientôt imité par toutes les chaînes de détail des États-Unis.

Les nouvelles chaînes de fast-foods ont pu se développer rapidement grâce aux espérances et à l'argent des petits investisseurs. Les fondateurs de ces chaînes, anciens étudiants et propriétaires de drive-in qui ne disposaient pas de « solides » références, n'avaient guère la possibilité de recourir aux méthodes traditionnelles pour trouver des capitaux. Les banques hésitaient à investir dans cette nouvelle industrie ; Wall Street ne faisait pas exception. Dunkin'Donuts et Kentucky Fried Chicken furent parmi les premières à vendre des franchises. Mais c'est McDonald's qui perfectionna les nouvelles techniques de franchisage, assurant son développement tout en conservant un contrôle strict sur tous les produits.

McDonald's doit son succès notamment à la patience de Ray Kroc. D'autres chaînes exigeaient des paiements élevés, cédaient des droits couvrant des territoires entiers et gagnaient de l'argent par la vente directe de leurs produits à leurs franchisés. Kroc n'obéissait pas à la cupidité ; le montant initial des franchises McDonald's n'était que de 950 dollars. Kroc s'intéressait plus à la vente qu'aux détails financiers, à l'expansion de McDonald's qu'à l'argent facile. De fait, au cours des années 1950, les franchisés gagnaient souvent plus que le fondateur de la société.

Après avoir vendu la majorité des premières franchises aux membres de son club, Kroc décida de recruter des gens qui exploiteraient leur propre restaurant plutôt que de riches hommes d'affaires pour qui McDonald's ne représentait qu'un investissement de plus. Comme d'autres apôtres charismatiques de nouvelles fois, Kroc demandait à ses franchisés d'abandonner leur ancienne vie pour se dévouer corps et âme à McDonald's. Afin de mettre à l'épreuve leur volonté d'engagement, il leur proposait souvent un restaurant éloigné de leur domicile et leur interdisait d'entreprendre d'autres activités. Les nouveaux franchisés devaient repartir de zéro, avec un seul restaurant McDonald's. Ceux qui enfreignaient ou négligeaient les directives de Kroc n'avaient jamais la possibilité d'acheter un deuxième restaurant. Cette attitude dictatoriale n'empêchait pas Kroc de prêter une grande attention aux idées et aux réclamations de ses franchisés. Ronald McDonald, le Big Mac, l'Egg McMuffin et le Filet-O-Fish ont tous été inventés par des franchisés locaux. Kroc était un personnage paternaliste et stimulant, toujours à la recherche de gens dotés de « bon sens », de « tripes » et de « résistance » et « durs à la tâche ». Nul besoin « d'aptitudes ou d'intelligence extraordinaires » pour devenir un franchisé prospère, notait Ray Kroc. Il demandait essentiellement de la loyauté et une dévotion totale – en retour, il promettait la richesse.

Pendant que Kroc parcourait le pays en prêchant la bonne parole McDonald's et en vendant de nouvelles franchises, Harry J. Sonneborn, son partenaire en affaires, élaborait une stratégie ingénieuse pour assurer le succès financier de la chaîne et garder le contrôle des franchisés. Au lieu de gagner de l'argent par l'intermédiaire de redevances élevées ou de la fourniture de ses produits, la société McDonald's devint le propriétaire de presque tous ses franchisés américains. Elle acheta des terrains qu'elle leur loua avec une majoration d'au moins 40 %. Le non-respect des règles McDonald's équivalait à une violation des termes du bail, ce qui pouvait provoquer l'expulsion du franchisé. Les loyers additionnels étaient calculés d'après le chiffre d'affaires annuel des restaurants. Cette nouvelle stratégie de franchisage s'avéra extrêmement profitable pour McDonald's. « La base de notre activité n'est pas la restauration, expliqua un jour Sonneborn à un groupe d'investisseurs de Wall Street, exprimant une vision peu sentimentale de McDonald's que Kroc ne partagea jamais. Nous sommes dans l'immobilier. Nous vendons des hamburgers à 15 cents uniquement parce c'est la source de revenus la plus susceptible de permettre à nos locataires de payer leur loyer. »

Dans les années 1960 et 1970, McDonald's, à l'instar de Microsoft pendant les années 1990, fit quantité de nouveaux millionnaires. Quand les temps étaient encore difficiles et l'argent rare, Ray Kroc payait sa secrétaire en actions. June Martino se trouva ainsi à la tête de 10 % du capital de McDonald's, qui lui assurèrent par la suite une retraite confortable dans une propriété de Palm Beach. La richesse de la secrétaire de Kroc dépassait de loin celle des frères McDonald, qui abandonnèrent leur part de 0,5 % des revenus annuels de la chaîne en 1961. La vente leur rapporta à chacun 1 million de dollars net. Si Richard et Mac McDonald avaient conservé leurs titres au lieu de les vendre à Ray Kroc, ils en auraient tiré un revenu annuel supérieur à 180 millions de dollars.

Les rapports entre Ray Kroc et les McDonald furent houleux dès le départ. Kroc détestait les deux frères qui restaient chez eux à profiter du fruit de son travail – « pendant que j'en bavais, suant et soufflant comme un galérien ». Leur accord initial donnait aux McDonald le droit de s'opposer à tout changement du mode de fonctionnement de la chaîne. Les deux frères conservèrent la mainmise sur tous les restaurants qui portaient leur nom jusqu'en 1961, au grand dam de Kroc. Il dut emprunter 2,7 millions de dollars pour racheter leurs droits ; Sonneborn trouva le financement auprès d'un petit groupe d'investisseurs institutionnels rassemblés derrière l'université de Princeton. Les frères McDonald insistèrent pour garder leur restaurant de San Bernardino, où était née la chaîne. « J'ai fini par ouvrir un McDonald's juste en face de leur établissement, qu'ils avaient rebaptisé The Big M, note fièrement Kroc dans ses mémoires, et je les ai acculés à la faillite. »

Le succès énorme de McDonald's inspira des imitations non seulement dans l'industrie du fast-food, mais dans tout le commerce de détail américain. Le franchisage s'avéra un moyen lucratif d'établir de nouvelles sociétés dans tous les secteurs, depuis les pièces détachées de voitures (Meineke Discount Mufflers) jusqu'aux méthodes de régime (Jenny Craig International). Certaines chaînes se sont développées par l'intermédiaire de boutiques franchisées ; d'autres par des magasins possédés en propre ; McDonald's a utilisé les deux. Le type de financement choisi pour assurer l'expansion d'une société s'est révélé moins important à long terme que d'autres aspects du modèle McDonald's : l'accent mis sur la simplicité et l'uniformité, la possibilité de reproduire le même environnement dans de multiples endroits. En 1969, Donald et Doris Fisher décidaient d'ouvrir à San Francisco une boutique qui vendrait des blue-jeans de la même manière que McDonald's, Burger King et KFC vendaient de la nourriture. Ils visaient le marché des jeunes et choisirent un nom qui plairait aux adolescents de la contre-culture, marginaux créés par le *gap*, le « fossé des générations ». Trente ans plus tard, leur société possède plus de 1 700 magasins Gap, GapKids et BabyGap aux États-Unis. Parmi d'autres innovations, ils ont changé le marketing des vêtements pour enfants en adaptant la mode des adultes pour les petits et même les bébés.

Avec la multiplication des chaînes et des franchises aux États-Unis, le consommateur qui passe en voiture dans une zone commerciale pourrait se croire dans le rayon d'un supermarché. Au lieu de prendre un produit sur un rayon, il s'arrête dans une voie d'accès. L'architecture qui caractérise chaque chaîne s'est transformée en emballage aussi strictement protégé par les lois du copyright que les lignes d'une boîte de savon. La société McDonald's a amorcé le processus de standardisation des commerces américains en contrôlant de manière rigoureuse l'apparence intérieure et extérieure de ses établissements. À la fin des années 1960, McDonald's entreprit d'abattre les restaurants dessinés par Richard McDonald, avec leurs toits pentus surmontés d'une arche dorée. Les nouveaux restaurants avaient des murs de brique et des toits mansardés. Inquiète de la réaction de ses clients face à ces changements, la société McDonald's engagea Louis Cheskin – éminent psychologue et consultant en design – pour faciliter la transition. Il se prononça contre la suppression des arches dorées, censées jouer un rôle éminemment freudien dans l'inconscient des consommateurs. Selon Cheskin, elles ressemblaient à deux seins opulents, « les seins de maman McDonald ». Perdre l'attraction de ce symbolisme universel, et en même temps complètement américain, était absurde. La société suivit les conseils de Cheskin et conserva les arches dorées pour former le M de McDonald's.

Libre entreprise et subventions fédérales

Une franchise Burger King ou Carl's Jr. coûte aujourd'hui 1,5 million de dollars ; il faut environ un tiers de cette somme pour ouvrir un restaurant McDonald's (puisque la société possède ou loue les lieux). Les franchises de chaînes moins connues – Augie's, Buddy's Bar-B-Q, Happy Joe's Pizza & Ice Cream Parlor, The Chicken Shack, Gumby Pizza, Hot-Dog on a Stick ou Tippy's Taco House – reviennent parfois à 50 000 dollars à peine. Les franchisés optent souvent pour la sécurité d'une grande chaîne ; d'autres préfèrent investir dans des entreprises plus récentes et plus petites, dans l'espoir que des chaînes telles que Buck's Pizza ou K-Bob's Steackhouse sont les McDonald's de demain.

Les partisans du franchisage le considèrent depuis longtemps comme le moyen le plus sûr de se lancer dans les affaires. L'Association internationale de la franchise (IFA), une organisation professionnelle soutenue par les grandes chaînes, publie depuis des années des statistiques « prouvant » que les franchisés réussissent mieux que les entrepreneurs indépendants. En 1998, un sondage de l'IFA affirmait que 92 % des franchisés se disaient « prospères ». Ce sondage se basait sur un échantillon plutôt limité : les franchisés toujours en activité. Ceux qui avaient fait faillite n'avaient évidemment pas été interrogés. Timothy Bates, professeur d'économie à l'université Wayne State, pense que l'IFA surévalue les avantages du franchisage. L'étude qu'il a menée pour une banque de prêt fédérale a montré que 38,1 % des franchisés échouent au cours des quatre à cinq premières années. Le taux d'échec des nouvelles entreprises indépendantes pendant la même période est inférieur de 6,2 %. D'après une autre étude, les trois quarts des sociétés américaines qui ont commencé à vendre des franchises en 1983 avaient cessé leur activité en 1993. « Il semble donc, affirme Bates, que l'emploi lié à une franchise implique des taux d'échec plus élevés et des profits inférieurs à ceux de l'entreprise indépendante. »

Les conflits entre franchiseurs et franchisés se multiplient depuis ces dernières années. Le marché américain du fast-food est de plus en plus saturé et des restaurants appartenant à la même chaîne s'installent souvent à proximité les uns des autres. Les franchisés s'opposent farouchement à cette pratique, qu'ils qualifient d'« empiètement ». En effet, leurs ventes diminuent lorsqu'un établissement de la même chaîne ouvre près de chez eux, attirant leur clientèle. Cependant, la plupart des franchiseurs tirent leurs bénéfices de redevances basées sur le total des ventes – or des restaurants plus nombreux signifient généralement plus de ventes. En 1978, le Congrès a voté la première législation fédérale destinée à réguler le franchisage. Certaines chaînes fonctionnaient à cette époque selon un schéma pyramidal. Elles sous-estimaient les risques potentiels, facturaient des droits considérables et escroquaient à hauteur de millions de dollars les petits investisseurs. Le ministère du Commerce (FTC) oblige désormais les chaînes à fournir des informations détaillées sur leurs règles aux futurs franchisés. Ces contrats font souvent plusieurs centaines de pages imprimées en tout petits caractères.

Si la loi fédérale prévoit une information complète avant la vente, elle ne réglemente pas la façon dont les franchises seront gérées par la suite. Une fois leur contrat signé, les franchisés se retrouvent seuls. Ils doivent obéir aux directives de leur société, mais ne sont pas couverts par les lois qui protègent les salariés. Ils doivent apporter le capital nécessaire sans bénéficier de la protection des lois sur les entreprises indépendantes. Ils doivent acheter leurs propres fournitures mais ne peuvent faire appel aux lois qui protègent les consommateurs. Une chaîne de fast-foods peut en toute légalité bénéficier d'un rabais de ses fournisseurs et ouvrir un nouveau restaurant à côté d'un de ses franchisés, qu'elle peut d'ailleurs expulser sans raison ou compensation.

D'après Susan Kezios, présidente de l'Association américaine de franchisage, les contrats proposés par les chaînes de fast-foods obligent souvent les franchisés à renoncer à leur droit légal d'engager des poursuites ; à n'acheter qu'auprès des fournisseurs habilités, quel que soit le prix ; à accepter la résiliation du contrat sans conditions, si la chaîne l'exige, au risque de perdre la totalité de leur investissement. Les franchisés hésitent parfois à critiquer leur chaîne en public de crainte de se voir refuser l'ouverture de restaurants supplémentaires, le renouvellement de leur contrat lorsqu'il expire au bout de vingt ans ou de s'exposer à la résiliation immédiate d'un contrat existant. La société Ralston-Purina a déjà résilié en bloc les contrats de 642 franchisés Jack in the Box sur simple préavis de trente jours. Un groupe de franchisés McDonald's, mécontents de l'empiètement de la société sur leur territoire, a formé une association appelée Membres du consortium, SA. Ce groupe publie des déclarations par l'intermédiaire de Richard Adams, un ancien franchisé, car ses membres ne souhaitent pas révéler leur nom.

Les chaînes de fast-foods sont régulièrement poursuivies en justice par des franchisés à cause de problèmes d'empiètement, des prix exorbitants demandés par les fournisseurs, de faillites et de résiliations litigieuses. Au cours des années 1990, Subway a été impliqué dans plus de conflits que n'importe quelle autre chaîne – plus que l'ensemble des Burger King, KFC, McDonald's, Pizza Hut, Taco Bell et Wendy's confondus. Dean Sager, ancien économiste à la commission des petites entreprises du Congrès américain, affirme que Subway est « la pire » franchise du pays. « Subway est le plus grave problème du franchisage, déclarait-il au magazine *Fortune* en 1998 ; cette société illustre tous les abus imaginables. »

Subway a été fondé en 1965 par Frederick DeLuca, qui avait emprunté 1 000 dollars à un ami de sa famille pour ouvrir une baraque à sandwiches à Bridgeport, dans le Connecticut. Avec ses 1 500 restaurants, Subway est aujourd'hui en deuxième position sur le marché, derrière McDonald's ; la chaîne ouvre une centaine de nouveaux restaurants par an. DeLuca est déterminé à bâtir la plus grande chaîne de fast-foods du monde. Une grande partie des plaintes concernant Subway viennent de son système inhabituel de recrutement des franchisés. La chaîne vend ses nouvelles franchises par l'intermédiaire d'« agents de développement ». Elle ne leur verse pas de salaire ; ce sont des entrepreneurs techniquement indépendants, dont les revenus sont en grande partie liés au nombre de Subway qui ouvrent sur leur territoire. Ils touchent la moitié des droits de franchise payés par les nouvelles recrues, un tiers des redevances annuelles et un tiers de la « prime de transfert » lors de la revente d'un restaurant. Les agents qui n'atteignent pas leur objectif mensuel de ventes sont parfois obligés de rembourser le manque à gagner à la compagnie. Soumis à une pression constante, ils doivent ouvrir de nouveaux Subway sans tenir compte des conséquences de leur multiplication sur ceux qui opèrent à proximité. Selon une enquête menée en 1995 par le *Financial Post*, un journal canadien, le système de Subway semble « conçu autant pour vendre des franchises que des sandwiches ».

L'ouverture d'un nouveau restaurant Subway revient à 100 000 dollars, soit l'investissement le plus modique exigé par les grandes chaînes de fast-foods. La redevance annuelle – 8 % du total des revenus – est une des plus élevées. Un haut responsable de Subway a reconnu que 90 % des nouveaux franchisés de la chaîne signent sans doute leur contrat sans le lire et sans tenir compte des recommandations de la FTC. De 30 % à 50 % des nouveaux franchisés de Subway sont des immigrants ne parlant pas couramment l'anglais. Pour gagner décemment leur vie, ils doivent souvent travailler de soixante à soixante-dix heures par semaine et acheter plus d'un Subway.

Howard Coble, un député républicain conservateur de Caroline du Nord, a présenté en novembre 1999 un projet de loi destiné à imposer aux franchiseurs les principes fondamentaux qui régissent déjà les opérations d'autres sociétés américaines. Il entendait par exemple obliger les chaînes de franchiseurs à agir « de bonne foi », un concept fondamental du Code du commerce des États-Unis. La loi prévoyait de limiter l'empiètement, d'exiger un « motif valable » pour toute résiliation de contrat, d'autoriser les franchisés à former leurs propres associations et à faire leurs achats auprès de divers fournisseurs, enfin de leur donner le droit de poursuivre les franchiseurs en justice devant une cour fédérale. « Nous ne voulons pénaliser personne, déclara Coble avant de présenter son plan de réforme. Nous essayons simplement de mettre un peu d'ordre dans un secteur de notre économie en plein développement, qui risque d'échapper à tout contrôle. » L'Iowa a adopté des règles de franchisage similaires en 1992, et Burger King et McDonald's n'ont pas quitté cet État pour autant. Il n'en reste pas moins que l'IFA et les chaînes de fast-foods s'opposent catégoriquement au projet de loi de Coble. L'IFA s'est assuré les services d'Allen Coffey Jr., ancien avocat général de la commission judiciaire de la Chambre, et d'Andy Ireland, un ancien député républicain qui siégeait à la Commission des petites entreprises, pour empêcher l'adoption de lois fédérales plus strictes sur le franchisage. Pendant son mandat, Ireland avait critiqué les franchisés qui demandaient des réformes, ces « pleurnichards » qui préféraient faire appel au gouvernement plutôt que d'assumer la responsabilité de leurs erreurs.

Le Congrès consacra plusieurs séances au projet de loi de Coble en 1999 ; l'IFA affirma ensuite dans un communiqué de presse qu'une réglementation fédérale du franchisage représenterait une interférence avec « les négociations contractuelles de la libre entreprise » et nuirait gravement à l'un des secteurs les plus essentiels et les plus dynamiques de l'économie américaine. « Les petites entreprises et le franchisage réussissent en s'appuyant sur des solutions de marché », déclara Don DeBolt, président de l'IFA. Malgré son opposition publique à toute ingérence du gouvernement dans le fonctionnement du marché, l'IFA soutient depuis fort longtemps les programmes qui permettent aux chaînes de fast-foods de se développer grâce à des prêts aidés gouvernementaux.

L'industrie du fast-food recourt depuis plus de trente ans à l'aide de l'Agence pour la petite entreprise (SBA) pour financer de nouveaux restaurants – cet organe fédéral créé pour stimuler la petite entreprise indépendante est donc devenu l'instrument de sa liquidation. Une étude de la Cour des comptes générale a découvert que la SBA a garanti 18 000 emprunts destinés à l'achat de franchises entre 1967 et 1979 ; de nouveaux Burger King et McDonald's, parmi d'autres, ont donc bénéficié de ses prêts bonifiés. Dix pour cent de ces emprunteurs se sont trouvés en cessation de paiement. Au cours de la même période, ce fut le cas de seulement 4 % des entreprises indépendantes financées par les prêts de la SBA. Celle-ci a garanti treize emprunts de franchisés Burger King à New York ; onze d'entre eux ont été incapables de les rembourser. Une enquête du Congrès a découvert que la chaîne « faisait des expériences », utilisant des prêts gouvernementaux pour ouvrir des restaurants dans des emplacements marginaux. Burger King n'a pas perdu d'argent quand ces établissements ont fermé. Les contribuables américains avaient couvert les droits de franchise, payé les bâtiments, le terrain, l'équipement et les fournitures.

Selon une étude récente de la Fondation du patrimoine, la SBA continue à fournir gratuitement du capital pour les investissements des plus grosses entreprises du pays. En 1996, elle a garanti presque 1 milliard de dollars de prêts à de nouveaux franchisés. La majorité de ces prêts est allée à l'industrie du fast-food. Presque 600 nouveaux établissements représentant 52 chaînes nationales de fast-food ont ouvert en 1996 grâce à des prêts aidés étatiques. La chaîne qui a le plus bénéficié de ces aides est Subway. Sur les 755 nouveaux Subway ouverts cette année-là, 109 dépendaient du gouvernement américain pour leur financement.

Le monde au-delà de Pueblo

Le contrat de franchise signé par Dave Feamster en 1984 lui accordait l'exclusivité des droits d'ouverture de restaurants Little Caesars dans la région de Pueblo. En plus de l'achat de la franchise, il dut s'engager à verser 5 % de ses revenus annuels à la compagnie et 4 % supplémentaires pour les frais de publicité. La plupart des franchisés Little Caesars doivent apporter le capital nécessaire à l'achat ou à la construction de leur propre restaurant. Comme

Feamster n'avait pas d'argent, la compagnie lui en prêta. Avant même d'avoir vendu une seule pizza, Feamster avait 200 000 dollars de dettes.

Malgré ses quatre années d'études à l'université de Colorado Springs, qui se trouve à moins d'une heure de route, Feamster n'avait jamais mis les pieds à Pueblo. Il loua une petite maison proche de son restaurant, dans un quartier comptant de nombreux ouvriers de la sidérurgie. C'était dans ce genre de quartier qu'il avait grandi. Il pensait y rester quelques mois, mit toute son énergie dans son entreprise et pour finir vécut là six ans. Il ouvrait le restaurant tous les matins, le fermait tous les soirs, préparait les pizzas, les livrait, balayait, s'occupait de tout ce qui devait être fait. Il compensait son manque d'expérience par un contact facile avec les gens, aussi différents soient-ils. Un jour, une cliente âgée lui téléphona pour se plaindre de la qualité d'une pizza ; Feamster l'écouta patiemment et l'engagea aussitôt pour traiter les réclamations futures.

Il lui a fallu trois ans pour rembourser ses dettes initiales. Aujourd'hui, il est propriétaire de cinq Little Caesars, quatre à Pueblo et un dans la ville voisine de Lamar. Son chiffre d'affaires annuel est de 2,5 millions de dollars. Il vit modestement, malgré ses moyens. Quand je me suis rendu dans un restaurant de Colorado Springs ouvert par une chaîne de pizzerias concurrente, la compagnie a fait venir un juriste de New York pour m'accompagner partout. Feamster m'a permis d'interroger ses employés en privé et m'a laissé entièrement libre de mettre mon nez dans ses affaires. Il disait qu'il n'avait rien à cacher. Mais son petit bureau du restaurant de Belmont était un parfait fouillis jonché de piles de vieux classeurs. Alors que ses concurrents utilisent des logiciels perfectionnés qui affichent instantanément les commandes des clients sur des moniteurs installés dans la cuisine, les restaurants de Feamster en sont restés à l'ère du stylo à bille et des reçus en papier jaune.

Feamster s'est installé durablement à Pueblo. La famille de sa femme, une institutrice, y est établie depuis cinq générations. Il passe une grande partie de son temps libre à faire du bénévolat, apparemment pas pour la publicité. Il donne de l'argent aux œuvres de bienfaisance locales et se rend dans les écoles pour des conférences. Il paie une partie des frais de scolarité de ses employés réguliers si leurs notes sont honorables. Il a récemment aidé à créer la première équipe scolaire de hockey de la ville, qui attire les joueurs de tous les environs. Feamster a acheté les tenues et l'équipement, et il fait office d'entraîneur adjoint. La majorité des joueurs sont de jeunes Latinos issus du genre de milieu qui n'a pas derrière lui une longue et glorieuse tradition de sports de glace. L'équipe joue régulièrement contre les lycées de Colorado Springs, dont les programmes de hockey existent depuis long-temps. Les hockeyeurs de Pueblo sont parvenus en finale de leur champion-nat deux fois en trois saisons.

Malgré la quantité de travail abattue, le succès futur de l'entreprise de Feamster n'est pas garanti. Little Caesars est la quatrième chaîne de pizzerias du pays, mais elle perd des parts de marché depuis 1992. Plusieurs centaines de restaurants Little Caesars ont déjà fermé. De nombreux franchisés, mécontents de la direction de la chaîne, ont constitué une association indé-pendante. Certains n'ont pas versé leur contribution aux frais communs de publicité. Feamster reste fidèle à la famille Ilitch et à la compagnie qui lui a donné sa chance, mais il s'inquiète de la réduction des dépenses publicitai-res. L'arrivée récente de Papa John's à Pueblo le tracasse davantage. Papa John's, avec trente nouveaux restaurants par mois, est actuellement la plus dynamique chaîne de pizzerias des États-Unis. L'ouverture de son premier établissement à Pueblo date de l'automne 1998 ; trois autres ont suivi l'année d'après.

Le sort des restaurants de Dave Feamster dépend désormais de la qua-lité du service de ses employés. Rachel Vasquez, la directrice du restaurant de Belmont, fait de son mieux pour motiver les équipiers. Elle travaille pour Feamster depuis 1988. Elle avait alors seize ans et personne ne voulait l'embaucher. L'année suivante, elle a pu s'acheter une voiture avec ses éco-nomies. Elle gagne à présent 22 000 dollars par an pour des semaines de travail de cinquante heures. Elle touche également une assurance maladie et Feamster verse chaque année quelques milliers de dollars pour sa retraite. Rachel a rencontré son mari dans ce Little Caesars en 1991, alors qu'elle était directrice adjointe et lui stagiaire. « Nous faisions plus que de simples pizzas », dit-elle en riant. Son mari travaille maintenant pour une compa-gnie de matériel industriel. Ils ont deux jeunes enfants, gardés par une de leurs grands-mères pendant que Rachel travaille. Celle-ci s'est aménagé un petit bureau derrière la cuisine, dans un placard de rangement. Il y a une table noire, une chaise, une armoire de classement toute déglinguée, une liste de numéros de téléphone d'employés scotchée à une boîte et un panon-ceau « Souriez ».

Sept heures, un mardi matin : quatorze employés de Feamster ont rendez-vous devant le restaurant de Belmont. Feamster s'est procuré des billets pour assister à une manifestation baptisée Succès au palais des sports McNichols, à Denver. Une douzaine d'invités, dont Henry Kissinger, Barbara Bush et l'ancien Premier ministre britannique John Major se succéderont à la tribune de huit heures et quart du matin à six heures du soir. La manifestation est sponsorisée par le groupe Peter Lowe International, qui s'intitule « le spécialiste du succès ». Les billets ont coûté 90 dollars chacun. Feamster a loué un minibus et donné leur journée à ces employés. Il ne sait pas exactement à quoi s'attendre, mais il espère leur faire vivre une journée mémorable. L'occasion semble trop bonne pour être manquée. Feamster veut que ses jeunes employés se rendent compte « qu'il y a un monde là-bas, un monde qui existe en dehors des quartiers sud de Pueblo ».

Le parking du palais des sports est complet. Tous les billets ont été vendus depuis des jours. Des hommes et des femmes garent leur voiture et se dirigent d'un pas vif vers le bâtiment. L'air vibre d'attente et d'impatience. On ne voit pas souvent à Denver des personnages publics de cette envergure. La salle du palais des sports est pleine – 18 000 spectateurs, presque tous blancs, élégants et prospères – mais pas autant qu'ils le voudraient. Ces gens veulent plus. Ce sont des représentants de commerce, des sous-directeurs, des franchisés. Dans les halls et les couloirs où l'on achète en temps normal des hot-dogs et des casquettes des Nuggets de Denver, d'autres produits sont à vendre : *L'Annuaire du succès de Peter Lowe*, pour 19,95 dollars *et Les Meilleures Ventes américaines sur* CD-Rom, pour 375 dollars ; Zig Ziglar propose ses *Secrets pour conclure une vente* (collection de douze cassettes) pour 120 dollars et *Tout sur Zig* (cinquante-sept cassettes, quatre livres et onze cassettes vidéo) au prix exceptionnel de 995 dollars en cette journée de prix spécial séminaire.

Peter Lowe organise ces manifestations à grande échelle depuis 1991. Ce « spécialiste du succès » de quarante-deux ans est basé à Tampa, en Floride. Ses parents, missionnaires anglicans, abandonnèrent le confort de leur vie bourgeoise à Vancouver pour œuvrer au milieu des pauvres. Lowe est né au Pakistan et a fréquenté l'école Woodstock de Mussoorie, en Inde, avant de choisir une autre voie. Il a vendu des ordinateurs jusqu'en 1984, date à laquelle il a organisé son premier « séminaire du succès ». L'apparition de Ronald Reagan lors d'une de ces manifestations a encouragé d'autres personnalités à appuyer le travail de Peter Lowe. Il les paie de 30 000 à 60 000 dollars pour une intervention d'environ une demi-heure. Parmi ceux qui ont récemment rejoint Peter Lowe à la tribune figurent : George Bush, Oliver North, Barbara Walters, William Bennett, Colin Powell, Charlton Heston, le Dr. Joyce Brothers et Mario Cuomo.

Rachel Vasquez a du mal à croire qu'elle est assise au milieu de gens qui sont propriétaires de leurs entreprises, de directeurs en costume et cravate. Les employés de Little Caesars ont des places à quelques mètres de la scène. Ils n'ont jamais rien vu de tel. Malgré la taille gigantesque de la salle, on dirait que ces quatorze employés de fast-food peuvent presque toucher les orateurs célèbres qui se succèdent sur le podium.

« Vous êtes l'élite de l'Amérique, affirme Brian Tracy, auteur de *La Psychologie de la vente*. Dites-vous : "Je m'aime ! Je m'aime ! Je m'aime !" » Vient ensuite Henry Kissinger, qui raconte quelques anecdotes de politique étrangère. Tamara, la séduisante femme de Peter Lowe, entraîne alors l'auditoire dans un concours de danse ; le gagnant remporte un voyage à Disneyland. Quatre concurrents montent sur scène, on lance plusieurs dizaines de ballons de plage dans la foule, la sono hurle *Surfin'usa*, des Beach Boys, et 18 000 personnes se mettent à danser. Arrive ensuite Barbara Bush sur la musique de *Fanfare for the Common Man*, son sourire projeté sur deux écrans géants. Elle raconte une histoire qui commence par « Nous recevions toute la bande à Kennebunkport... »

Peter Lowe monte sur scène sous une pétarade de feux d'artifice et une pluie de confettis multicolores. C'est un homme mince, aux cheveux roux, vêtu d'un costume croisé gris. Il conseille à l'auditoire d'être gai, de s'entraîner au courage, de se nourrir d'optimisme et de ne jamais laisser tomber. Il recommande sa série de cassettes, *À propos du succès*, en vente sur place, qui promettent chaque mois un entretien avec « une des personnes au succès le plus remarquable de notre époque ». Après une courte pause, il révèle enfin l'élément indispensable pour connaître le succès : « Seigneur Jésus, j'ai besoin de Toi. » Il demande à la foule de prier : « Je veux que Tu viennes dans ma vie et que Tu me pardonnes ce que j'ai fait. »

Lowe a rompu avec le christianisme de ses parents, une foi qui paraît aujourd'hui totalement désuète. Les doux n'hériteront plus de la terre ; ce sont les fonceurs qui mettront la main dessus, et sur tout ce qui va avec. Le Christ qui aimait la compagnie des pauvres, des malades, des humbles, des lépreux et des prostituées, n'avait de toute évidence aucune disposition pour le marketing. Transfiguré, il est devenu entrepreneur moderne et meilleur vendeur toutes catégories de tous les temps ; parti de rien, il a bâti une multinationale. Lowe parle du salut. Mais le culte de la vente et de la célébrité transpire dans ses écrits, sa liste d'invités, ses émissions radio et ses séminaires. « Ne prospectez pas au hasard, prêche-t-il dans son *Annuaire du succès de Peter Lowe* à 19,95 dollars. Fixez-vous pour objectif de rencontrer des gens importants. Imaginez ce que vous allez leur dire. Préparez des questions à leur poser... Quand vous voulez entrer en relation avec une personne importante, soyez prêt à lui faire une réflexion perspicace qui lui montrera que vous n'ignorez rien de ses succès... Tout le monde aime recevoir des cadeaux. Il est difficile de résister ou de garder ses distances si l'on vient de recevoir un beau cadeau... Adoptez l'attitude d'une vedette... Souriez. Un sourire dit aux gens que vous les aimez, que vous vous intéressez à eux. C'est un message bien séduisant à faire passer ! » Tels sont les enseignements de son évangile, telle est la bonne nouvelle qui remplit les palais des sports et fait vendre des cassettes.

Les haut-parleurs jouent le thème des *Chariots de feu* tandis que Peter Lowe pousse sur scène le fauteuil de Christopher Reeves. La foule applaudit à tout rompre. Le beau visage de Reeves est encadré de cheveux gris assez longs. Derrière son pull bleu, le tube d'un respirateur est relié à une boîte carrée fixée sur le fauteuil. Reeves raconte ce qu'il ressentait, couché sur un lit d'hôpital à deux heures du matin, seul et incapable de bouger, sûr que la lumière du jour ne poindrait jamais. Sa voix est forte et claire, mais il doit s'arrêter pour reprendre son souffle au bout de quelques mots. Il remercie l'auditoire de son soutien et avoue que sa réaction chaleureuse est une des raisons pour lesquelles il assiste à ces manifestations ; cela l'aide à garder le moral. Il fait don de ses honoraires à la recherche sur la moelle épinière.

« J'ai dû quitter le monde physique », déclare Reeves. Le silence tombe dans la salle ; on n'entend plus aucun bruit lorsque Reeves s'interrompt. « À vingt-quatre ans, je gagnais des millions de dollars, continue-t-il. J'étais plutôt content de moi... J'étais égoïste et je négligeais ma famille... Depuis mon accident, j'ai compris... que le succès est quelque chose de très différent. » Dans la foule, certains commencent à pleurer. « Je vois des gens qui atteignent ces buts conventionnels, dit-il d'une voix douce et égale. Rien de tout cela n'a d'importance. »

Ses paroles sapent toutes les inepties débitées au cours des dernières heures, avec calme et précision. Il y a dans l'assistance, aussi avide de promotion soit-elle, 18 000 personnes qui savent au plus profond de leur cœur que ce que Reeves vient de dire est vrai – n'est que trop vrai. Leurs nouveaux projets, les plans qu'ils ont dressés pour vendre, subdiviser et franchiser leur ascension à n'importe quel prix, l'esprit qui règne aujourd'hui dans le Colorado, tout cela s'évanouit dans l'instant. Sur les gradins, des hommes et des femmes s'essuient les yeux, émus non seulement par les épreuves traversées par cet homme célèbre, mais par la prise de conscience soudaine du vide de leur vie, d'un manque qui les ronge.

On pousse le fauteuil de Reeves hors de la scène et Jack Groppel, l'orateur suivant, surgit presque aussitôt ; il saisit le micro et demande : « Dites-moi, les amis, avez-vous déjà suivi un régime ? »

2. De la viande et des pommes de terre

On arrive à l'usine J. R. Simplot d'Aberdeen, dans l'Idaho, après avoir traversé Aberdeen (2 000 habitants, une demi-douzaine de magasins dans la rue principale) en direction du nord. On tourne à droite au Tiger Hut, une vieille baraque à hamburgers qui porte le nom de l'équipe d'un lycée du coin et on traverse la voie ferrée où les wagons de marchandises reçoivent leur chargement de betteraves à sucre ; l'usine se trouve 400 mètres plus loin. On sent une odeur de pommes de terre en train de cuire. L'usine Simplot est un bâtiment bas et carré, propre et net. Le parking des employés est plein de camionnettes et un grand drapeau américain flotte devant les installations. Aberdeen se trouve au centre du comté de Bingham, où l'on cultive plus de pommes de terre que dans tous les autres comtés de l'État. L'usine de frites Simplot tourne 24 heures sur 24, 310 jours par an. C'est une petite unité industrielle construite à la fin des années 1950. Elle transforme environ un demi-million de kilos de pommes de terre par jour.

À l'intérieur du bâtiment, un labyrinthe de tapis roulants rouges entrecroisés passe dans des machines qui lavent, trient, épluchent, tranchent, font blanchir, sécher et frire des pommes de terre avant de les surgeler. Des ouvriers en blouse blanche, coiffés de calots, s'assurent que tout fonctionne bien, surveillent les écrans de contrôle et vérifient l'aspect des frites. Des flots de pommes de terre émincées sortent des machines. Il règne une ambiance à la fois humble et joyeuse qui rappelle l'époque d'Eisenhower, comme si un rêve de progrès technologique et de vie meilleure grâce aux aliments congelés s'était réalisé. L'entreprise tout entière est dominée par l'esprit d'un homme : John Richard Simplot, le roi de la pomme de terre américain, dont l'énergie et le goût du risque apparemment inépuisables ont permis la construction d'un empire de la frite. Simplot, de loin la personnalité la plus marquante d'un des États les plus conservateurs du pays, illustre les contradictions qui ont guidé le développement économique de l'Ouest américain, ce mélange étonnant d'individualisme brut et de dépendance par rapport aux terres et aux ressources de l'État. Sur le portrait accroché au-dessus du bureau de la réception de l'usine d'Aberdeen, J. R. Simplot arbore le sourire malin du parieur qui vient de gagner gros.

Simplot est né en 1909. Un an plus tard, sa famille quitta Dubuque, dans l'Iowa, pour s'installer dans l'Idaho. Grâce au projet de grands travaux sur la rivière Snake, on pouvait transformer le désert du sud de l'Idaho en terres fertiles avec un système d'irrigation qui, financé par le gouvernement américain, ne coûtait pas cher. Le père de Simplot devint propriétaire d'une terre accordée à titre gratuit qu'il défricha avec un rail en acier tiré par deux couples de chevaux. Simplot grandit à la ferme, où il travaillait dur. Il se révolta contre l'autorité de son père, abandonna l'école à quinze ans et quitta sa famille. Il trouva du travail dans un entrepôt de pommes de terre à Declo, dans l'Idaho. Il triait les pommes de terre avec une « trieuse-secoueuse », un outil à main, et travaillait de neuf à dix heures par jour pour 30 cents de l'heure. Dans la pension où il louait une chambre, Simplot rencontra un groupe d'instituteurs qui n'étaient pas payés en argent liquide, mais en titres portant intérêt. Il les leur acheta 50 cents le dollar et les revendit 90 à une banque locale. Avec ses bénéfices, Simplot acheta une carabine, un vieux camion et 600 porcs à 1 dollar par tête. Il construisit un four en plein désert, le bourra d'armoise, tua des chevaux sauvages, les dépouilla et vendit leur peau 2 dollars chacune, fit cuire leur viande et en nourrit ses porcs pendant l'hiver. Au printemps, il les vendit 12,50 dollars par tête et se fit cultivateur de pommes de terre ; il avait seize ans.

Dans les années 1920, l'industrie de la pomme de terre de l'Idaho en était à ses débuts. L'altitude, les journées chaudes et les nuits fraîches, la terre légère et volcanique, l'abondance d'eau pour l'irrigation faisaient de cet État l'endroit idéal pour cultiver la pomme de terre Russet Burbank. Simplot loua 6 hectares, acheta du matériel agricole et un couple de chevaux. Il apprit à cultiver les pommes de terre auprès de Lindsay Magot, son propriétaire, qui obtenait des récoltes magnifiques en plantant des graines fraîches chaque année. En 1928, Simplot et Magot achetèrent une trieuse électrique ; l'invention était remarquable. Simplot commença à trier des pommes de terre pour ses amis et voisins, mais Magot voulait garder ce nouvel appareil pour lui seul. Les deux hommes se battirent pour la machine avant d'accepter de tirer à pile ou face pour savoir à qui elle appartiendrait. J. R. Simplot l'emporta ; il prit la trieuse, vendit tout son matériel agricole et démarra sa propre affaire dans une cave à pommes de terre de Declo. Il parcourait les campagnes de l'Idaho, branchait la machine rudimentaire dans la prise électrique la plus proche et triait les pommes de terre des fermiers. Il se mit rapidement à vendre et acheter des pommes de terre, à ouvrir des entrepôts et à nouer des liens avec les courtiers de tout le pays. Quand J. R. Simplot avait besoin de bois pour un nouvel entrepôt, il descendait à Yellowstone avec ses hommes et abattait quelques arbres. En dix ans, Simplot était devenu le plus gros négociant en pommes de terre de l'Ouest ; il possédait trente-trois entrepôts en Oregon et dans l'Idaho.

Simplot s'occupait également d'oignons. En 1941, il se demanda pourquoi la société Burbank, installée en Californie, lui commandait autant d'oignons. Il se rendit en Californie et suivit un des camions de la société jusqu'à un verger de pruniers de Vacillement, où Burbank se servait des séchoirs à prunes pour fabriquer des oignons déshydratés. Simplot acheta immédiatement une machine à six tunnels de séchage et installa sa propre usine de déshydratation à Caldwell, dans l'Idaho. L'usine ouvrit le 8 octobre 1941. Deux mois plus tard, les États-Unis entraient en guerre et Simplot se mit à vendre des oignons déshydratés à l'armée américaine. Les termes du contrat étaient extrêmement satisfaisants. La poudre d'oignons déshydratés, se rappela-t-il par la suite, était comme « de la poussière d'or ».

La société de déshydratation J. R. Simplot perfectionna bientôt une nouvelle méthode de séchage des pommes de terre et devint l'un des principaux fournisseurs de l'armée américaine pour l'alimentation. L'usine de Caldwell avait 100 ouvriers en 1942, et 1 200 en 1944. Elle devint la plus grande usine de déshydratation du monde. J. R. Simplot investit les bénéfices de ses ventes à l'armée dans des cultures de pommes de terre et des ranches d'élevage, des usines d'engrais, des scieries et des mines, dont une énorme exploitation de phosphate sur la réserve indienne de Fort Hall. À la fin de la Seconde Guerre mondiale, Simplot cultivait ses propres pommes de terre, les fertilisait avec son propre phosphate, les transformait dans ses propres usines, les expédiait en caisses de bois fabriquées dans ses propres scieries et donnait les épluchures à son bétail. Il avait trente-six ans.

Après la guerre, Simplot paria que l'alimentation surgelée envahirait les repas du futur et investit beaucoup dans cette technologie. Clarence Birdseye avait déposé un certain nombre de brevets de surgélation dans les années 1920. Mais la vente de ses nouveaux produits souffrait, entre autres, de la rareté des congélateurs dans les épiceries américaines, et plus encore dans les familles. Les ventes de réfrigérateurs, congélateurs et autres appareils ménagers décollèrent après la Seconde Guerre mondiale. Les années 1950 virent « l'âge d'or de l'alimentation industrielle », pour reprendre l'expression de l'historien Harvey Levenstein ; ce furent dix ans d'innovations fantastiques qui promettaient de simplifier la vie des ménagères américaines : jus d'orange congelé, plateaux-télé congelés, Cheese Whiz, salades Jell-O, Marshmallow Jet-Puffed, Miracle Whip. La pénurie de la Dépression céda la place à une abondance de nouveaux aliments sur les rayons des supermarchés de banlieue. Les campagnes de publicité les faisaient paraître meilleurs que les produits frais, plus modernes et adaptés à l'ère spatiale. D'après Levenstein, de nombreux restaurants exposaient fièrement leurs soupes en boîtes et une chaîne appelée Tad's 30 Varieties of Meals proposait des dîners surgelés que les clients faisaient réchauffer dans des micro-ondes installés à côté de leur table.

Les réfrigérateurs d'après-guerre possédaient des compartiments congélateurs et J. R. Simplot se demanda quels aliments les ménagères voudraient y conserver. Il rassembla une équipe de chimistes dirigés par Ray Dunlap, qu'il chargea de mettre au point un produit au potentiel apparemment fabuleux : la frite surgelée. Les Américains mangeaient plus de frites que jamais et la Russet Burbank, avec sa grande taille et son pourcentage d'amidon élevé, semblait la pomme de terre à frire idéale. Simplot voulait créer une frite surgelée bon marché aussi délicieuse que les frites fraîches. La recette parisienne des pommes frites était parvenue aux États-Unis en 1802, grâce à Thomas Jefferson, mais les frites ne se répandirent dans le pays que dans les années 1920. Avant cette époque, les Américains mangeaient leurs pommes de terre bouillies, en purée ou au four. Les frites furent popularisées dans le pays par les vétérans de la Première Guerre mondiale, qui les avaient appréciées en Europe et par les restaurants drive-in qui apparurent dans les années 1930 et 1940. On pouvait les servir sans couteau ni fourchette et les manger facilement au volant. Seulement, leur préparation était extrêmement longue. Les chimistes de Simplot testèrent diverses méthodes de production industrielle de frites et connurent un certain nombre d'échecs, apprenant par l'expérience comment les frites peuvent couler au fond de la friteuse avant d'y brûler. Un jour, Dunlap entra dans le bureau de Simplot avec des frites congelées qui venaient d'être réchauffées. Simplot les goûta, comprit que les problèmes de production avaient été résolus et dit : « C'est sacrément bon. »

J. R. Simplot commença à vendre des frites surgelées en 1953. Au départ, les ventes furent décevantes. Bien que précuites et prêtes à être réchauffées au four, les frites étaient bien meilleures quand on les plongeait dans l'huile, ce qui limitait leur intérêt pour les ménagères affairées. Simplot devait trouver des clients institutionnels, des propriétaires de restaurant qui comprendraient l'énorme gain de travail représenté par ses frites surgelées.

« La frite [était...] presque sacro-sainte pour moi, écrit Kroc dans ses mémoires, et sa préparation un rituel qui devait être religieusement suivi. » Le succès du restaurant de Richard et Mac McDonald devait autant à la qualité de leurs frites qu'au goût de leurs hamburgers. Les frères McDonald avaient mis au point un système sophistiqué pour cuire des frites croustillantes, qui fut ensuite repris et amélioré par la chaîne de restauration. McDonald's faisait frire des pommes de terre Russet Burbank finement émincées dans des friteuses spéciales qui chauffaient l'huile à une température supérieure à 105 degrés. Avec le développement de la chaîne, il devenait de plus en plus difficile – et d'autant plus important – de maintenir la consistance et la qualité des frites. J. R. Simplot rencontra Ray Kroc en 1965. L'idée de passer aux frites surgelées plut à Kroc, qui y vit le moyen d'assurer l'uniformité en diminuant les frais de personnel. McDonald's achetait localement ses pommes de terre auprès de 175 fournisseurs différents, et ses équipiers passaient beaucoup de temps à éplucher et à émincer. Simplot proposa de construire une usine consacrée exclusivement à la fabrication des frites McDonald's. Kroc accepta d'essayer les frites de Simplot, mais sans s'engager à long terme. Une poignée de mains scella le marché.

McDonald's commença à vendre les frites surgelées de Simplot l'année suivante. Les clients ne remarquèrent aucune différence. Quant au prix de revient réduit dû à l'utilisation d'un produit surgelé, il faisait des frites l'un des plats les plus rentables du menu – beaucoup plus rentable que les hamburgers. Simplot devint rapidement le principal fournisseur de McDonald's. À l'époque, la chaîne possédait 725 restaurants aux États-Unis ; dix ans plus tard, elle en comptait plus de 3 000. Simplot vendait ses frites à d'autres chaînes de restauration ; il contribua ainsi à accélérer la croissance de l'industrie du fast-food et à modifier les habitudes alimentaires du pays. Les Américains consomment depuis longtemps plus de pommes de terre que tout autre aliment, à l'exception des laitages et de la farine de blé. En 1960, un Américain moyen mangeait environ 40 kilos de pommes de terre fraîches et 2 kilos de frites surgelées par an. Aujourd'hui, il mange environ 25 kilos de pommes de terre fraîches – et plus de 15 kilos de frites surgelées. Quatre-vingt-dix pour cent de ces frites sont achetées dans un fast-food. De fait, les frites sont devenues le produit de restauration le plus vendu des États-Unis.

J. R. Simplot, qui abandonna l'école à quinze ans, est aujourd'hui l'un des hommes les plus riches des États-Unis. La compagnie qui lui appartient cultive et transforme maïs, petits pois, brocolis, avocats et carottes, en plus des pommes de terre ; elle élève du bétail et en transforme la viande ; elle produit et distribue des engrais ; elle exploite des mines de phosphate et de silice ; elle produit du pétrole, de l'éthanol et du gaz naturel. En 1980, Simplot a financé à hauteur de 1 million de dollars la petite entreprise de deux ingénieurs qui travaillaient dans le sous-sol d'un cabinet de dentiste à Boise, dans l'Idaho. Vingt ans plus tard, son investissement dans Micron Technology – fabricant de puces informatiques et plus gros employeur de l'Idaho – valait 1,5 milliard de dollars. Simplot est également l'un des plus importants propriétaires terriens du pays. « J'ai été un bouseux toute ma vie », m'a-t-il dit en riant. Encore adolescent, il avait emprunté de l'argent pour acheter 730 hectares situés au bord de la rivière Snake. Sa compagnie détient aujourd'hui 35 000 hectares de terres cultivables irriguées et Simplot possède à titre personnel deux fois cette superficie en pâturages. Une grande partie du centre-ville de Boise lui appartient, ainsi qu'une grosse demeure qui domine la ville, à flanc de colline. On y voit flotter un immense drapeau américain au sommet d'un mât haut de dix étages. Outre ce qu'il possède déjà, Simplot loue plus de 800 000 hectares de terres au gouvernement fédéral. Son ranch zx, au sud de l'Oregon – large de 30 kilomètres et long de 80 – est le plus grand des États-Unis. Simplot contrôle un ensemble de terres plus vaste que l'État du Delaware.

Bien que multimilliardaire, Simplot est un homme simple et sans prétention. Il porte des bottes de cow-boy et des jeans, mange chez McDonald's et conduit lui-même sa voiture, une Lincoln Continental dont les plaques d'immatriculation annoncent « M. PATATE ». Il n'éprouve guère d'intérêt pour les choses abstraites, considère la religion comme une espèce de « charabia » et décrit son empire de la pomme de terre avec pragmatisme : « C'est gros et c'est réel, c'est pas de la foutaise. » Simplot a levé le pied ces derniers temps. Il a abandonné l'équitation après une mauvaise chute, à l'âge de quatre-vingts ans ; en 1999, il a fêté son quatre-vingt-dixième anniversaire et renoncé au ski. S'il n'est plus président de la compagnie depuis 1994, il continue à acheter des terres et à prospecter pour de nouvelles usines. « Bon sang, p'tit gars, je ne suis qu'un vieux fermier qui a eu de la chance, m'a dit Simplot quand je lui ai demandé le secret de sa réussite. La seule chose intelligente que j'ai faite, retenez bien ça : 99 % des gens auraient vendu après leurs premiers 25 ou 30 millions. Pas moi. J'ai tenu le coup. »

L'union fait la force

La production de frites surgelées est devenue extrêmement compétitive. Si la société J. R. Simplot fournit la majorité des frites vendues par McDonald's aux États-Unis, elle n'arrive qu'en troisième position sur le marché derrière deux autres compagnies : Lamb Weston, le plus gros producteur d'aliments frits du pays, et McCain, une société canadienne devenue numéro deux après le rachat d'Ore-Ida en 1997. Simplot, Lamb Weston et McCain contrôlent environ 80 % du marché américain des frites surgelées depuis l'élimination ou le rachat de leurs rivaux moins puissants. Les trois géants de la frite se livrent une lutte sans merci pour les contrats juteux des chaînes de fast-foods. Les frites sont un produit de base fabriqué en grosse quantité et à marge réduite. Une différence de prix de quelques centimes peut coûter un contrat capital. Cette situation fait les beaux jours des chaînes de fast-foods qui ont réduit leurs frais généraux et fait de la vente de frites une activité encore plus lucrative. Les attaques lancées en 1997 par Burger King contre la suprématie de la frite McDonald's, appuyées par une campagne de publicité de 70 millions de dollars, étaient en grande partie motivées par les énormes bénéfices liés à la vente de frites. Les chaînes de fast-foods achètent les frites surgelées 30 cents la livre, les réchauffent dans l'huile et les revendent 6 dollars.

La production de pommes de terre de l'Idaho a dépassé celle du Maine à la fin des années 1950, grâce à la naissance de l'industrie de la frite et aux gains de productivité des fermiers de l'Idaho. Depuis 1980, le tonnage de pommes de terre cultivées dans cet État a presque doublé tandis que le rendement moyen par are augmentait de près de 30 %. Mais les fabuleux bénéfices de la vente de frites ne se répercutent pas jusqu'aux cultivateurs. Paul Patterson, professeur d'économie agricole à l'université de l'Idaho, qualifie le marché actuel de la pomme de terre d'« oligopsone » – un petit nombre d'acheteurs y exerce le pouvoir sur un grand nombre de vendeurs. Les géants de l'industrie s'efforcent constamment de faire baisser les prix proposés aux producteurs de pommes de terre. Les gains de productivité ont entraîné une baisse supplémentaire, détournant les bénéfices au profit des industriels et des chaînes de fast-foods. Sur 1,50 dollar dépensé pour l'achat d'une grande portion de frites dans un fast-food, 2 cents environ vont au fermier qui a cultivé les pommes de terre.

Les cultivateurs de pommes de terre de l'Idaho subissent aujourd'hui des pressions extrêmes – ils doivent s'agrandir, ou changer de métier. S'ils accroissent la taille de leurs exploitations, leur revenu total augmente et leur permet d'investir davantage ; par contre, les risques augmentent à proportion. Le matériel dernier cri de récolte des pommes de terre – de magnifiques machines rouge vif fabriquées en Idaho par la société Spudnik – peut coûter des centaines de milliers de dollars. La culture de pommes de terre dans le comté de Bingham revient à 1 500 dollars les 40 ares. Le producteur moyen, qui plante environ 160 hectares, enregistre un déficit d'un demi-million de dollars avant même d'avoir vendu une seule pomme de terre. Pour se maintenir à flot, il doit toucher 5 dollars pour 50 kilos de pommes de terre. Pendant la saison 1996-1997, les prix sont descendus jusqu'à 1,50 dollar. Cette année fut un désastre, peut-être le pire de l'histoire, pour les cultivateurs de pommes de terre de l'Idaho. Une récolte record dans tout le pays et des importations massives en provenance du Canada provoquèrent un énorme surplus. Pour beaucoup de fermiers, il aurait mieux valu les laisser pourrir dans les champs plutôt que les vendre à vil prix. Mais ce n'était pas une bonne solution : les pommes de terre pourries peuvent être nocives pour les sols. Les prix ont un peu remonté, mais leur niveau reste inhabituellement bas. Le revenu annuel d'un fermier de l'Idaho dépend à présent de la météo, du marché mondial et des caprices des grands industriels. « La seule chose que je contrôle vraiment, m'a dit un de ces cultivateurs, c'est l'heure à laquelle je me lève le matin. »

L'Idaho a perdu la moitié de ses cultivateurs de pommes de terre en vingt-cinq ans. Au cours de la même période, la superficie des terres consacrées à cette culture a augmenté. Les fermes familiales sont remplacées par des exploitations industrielles qui s'étendent sur plusieurs milliers d'hectares. Ces immenses fermes sont administrativement divisées en petites propriétés et les fermiers chassés de leurs terres sont souvent embauchés pour les diriger. La répartition de la propriété terrienne dans l'Ouest américain ressemble de plus en plus à celle des campagnes anglaises. « Nous avons parcouru un cercle complet, explique Paul Patterson. On rencontre de plus en plus souvent deux classes sociales dans l'Idaho rural : les gens qui exploitent les fermes et ceux qui en sont propriétaires. »

Le siège des Cultivateurs de pommes de terre de l'Idaho (PGI) est un petit bureau situé dans une zone commerciale, à deux pas du musée de la Pomme de terre de Blackfoot. Le PGI est une organisation à but non lucratif qui fournit des informations sur l'état du marché et aide les cultivateurs à négocier leurs contrats avec les fabricants. Bert Moulton travaille depuis longtemps pour le PGI ; c'est un homme de haute taille, aux cheveux coupés en brosse, qui ressemble à un républicain à la mode Goldwater mais parle comme un populiste à l'ancienne. Il pense que la constitution d'une coopérative chargée de coordonner les ventes et les niveaux de production est sans doute le dernier espoir des cultivateurs de pommes de terre de l'Idaho. La plupart des fermiers vivent encore dans des endroits où seuls un ou deux industriels achètent des pommes de terre – assez bizarrement, ils ne viennent jamais faire leurs offres le même jour. « Légalement, ils ne sont pas censés se concerter, explique Moulton. Mais nous savons qu'ils le font. » Il n'y a pas si longtemps, les grandes industries de la frite appartenaient à des gens qui avaient conservé des liens étroits avec la communauté. J. R. Simplot jouissait de la plus grande considération parmi les fermiers de l'Idaho ; il se disait toujours prêt à les aider à surmonter une mauvaise passe. Moulton affirme que ces sociétés sont désormais dirigées par des étrangers à la région, « des diplômés de Harvard qui ne savent pas si les pommes de terre poussent sur les arbres ou dans la terre ». Les multinationales de l'agroalimentaire possèdent des usines de frites dans un grand nombre de régions ; elles déplacent constamment la production pour profiter des prix les plus bas. La prospérité économique des fermiers ou des communautés locales ne tient aucune place dans leurs calculs.

Il y a quelques années, le PGI a tenté de s'allier officiellement à ses homologues de l'Oregon et de l'État de Washington afin de rassembler les trois États qui sont les plus gros producteurs de pommes de terre du pays. Cette union a été sabotée par un des gros industriels, après signature de contrats lucratifs avec un groupe influent de cultivateurs. Moulton pense que les fermiers de l'Idaho l'ont bien cherché. Longtemps considérés comme les aristocrates de l'Idaho rural, les producteurs de pommes de terre restent farouchement indépendants et refusent de s'unir. « Certains poussent l'indépendance jusqu'à la pauvreté, dit-il. Il reste environ 1 100 cultivateurs de pommes de terre en Idaho – à peine de quoi remplir l'auditorium d'un lycée. La moitié d'entre eux appartiennent au PGI, mais l'organisation a besoin d'un nombre au moins égal aux trois quarts pour pouvoir négocier en position de force. Les "partenariats" actuellement proposés par les industriels prévoient la fourniture des graines et le financement de la récolte ; voilà qui devrait dissiper les illusions sur l'indépendance des cultivateurs. Si les producteurs de pommes de terre ne s'unissent pas, conclut Bert Moulton en guise d'avertissement, ils finiront tous métayers. »

L'attitude des producteurs de pommes de terre de l'Idaho trahit souvent un type de raisonnement fallacieux, décrit dans la plupart des manuels d'économie. L'« erreur de composition » est logique – elle consiste à croire que ce qui est bon pour un individu restera bon quand d'autres feront la même chose. Ainsi, le spectateur d'un concert aura une meilleure vue de la scène s'il se tient debout. Mais si tous les spectateurs se lèvent, personne ne verra mieux. Depuis la fin de la Seconde Guerre mondiale, les cultivateurs américains ont été poussés à adopter l'une après l'autre les nouvelles technologies, dans l'espoir d'améliorer leurs rendements, de réduire leurs frais et de faire mieux que leurs voisins. En épousant ce modèle d'agriculture industrielle – qui se concentre sur le niveau de consommation et de production, encourage la spécialisation des récoltes et s'appuie sur l'utilisation des engrais chimiques, pesticides, fongicides et autres herbicides, sur les récoltes précoces et l'irrigation – les fermiers américains sont devenus les plus productifs de la planète. Cependant, chaque augmentation de productivité en a chassé davantage de leurs terres. Ceux qui restent dépendent des compagnies qui contrôlent la consommation et des industriels qui achètent la production. William Heffernan, professeur de sociologie rurale à l'université du Missouri, compare l'économie agricole américaine à un sablier. En haut, 2 millions d'éleveurs et de cultivateurs ; en bas, 275 millions de consommateurs ; dans l'étranglement du milieu, une dizaine de multinationales qui tirent profit de chaque transaction.

La conception des produits alimentaires

Clients, concurrents et même critiques gastronomiques apprécient depuis longtemps le goût des frites McDonald's. Leur goût particulier ne vient ni de la variété de pommes de terre achetée par McDonald's, ni de la technologie utilisée pour leur transformation, ni de l'équipement culinaire qui les cuit. D'autres chaînes achètent leurs frites chez les mêmes fournisseurs, utilisent des Russet Burbank et disposent de friteuses similaires dans leurs cuisines. Le goût d'une frite dépend essentiellement de l'huile de cuisson. Pendant plusieurs dizaines d'années, McDonald's a fait cuire ses frites dans un mélange de 7 % d'huile de coton et de 93 % de graisse de bœuf. Les frites y gagnaient un arôme unique – et plus de graisse de bœuf saturée par livre qu'un hamburger.

Confrontée à un concert de critiques portant sur la quantité de cholestérol de ses frites, la société McDonald's est passée à l'huile végétale pure en 1990. Ce changement représentait un défi considérable : comment faire des frites au subtil goût de bœuf sans les cuire dans le suif ? Un simple coup d'œil aux ingrédients utilisés actuellement pour la préparation des frites McDonald's renseigne sur la façon dont le problème a été résolu. À la fin de la liste, on trouve cette expression apparemment inoffensive, malgré son aura de mystère : « arôme naturel ». Cet ingrédient contribue à expliquer non seulement pourquoi les frites ont si bon goût, mais également pourquoi la nourriture servie dans les fast-foods – de fait, la plupart des aliments aujourd'hui consommés par les Américains – a du goût.

Ouvrez votre réfrigérateur, votre congélateur, vos placards de cuisine, et regardez les étiquettes de vos produits. Vous trouverez « arôme naturel » ou « arôme artificiel » dans chaque liste d'ingrédients ou presque. Ces deux grandes catégories d'arômes ont beaucoup en commun. Ce sont des additifs fabriqués par l'homme, qui donnent du goût à la plupart des aliments industriels. Si le premier achat d'un aliment dépend parfois de son emballage ou de son apparence, les achats suivants sont déterminés par son goût. Environ 90 % du budget alimentation des Américains passe en aliments fabriqués industriellement. Mais les techniques de conservation, de congélation et de déshydratation utilisées pour traiter les aliments en détruisent presque entièrement le goût. Une gigantesque industrie chargée de rendre leur goût à ce genre de produits s'est développée aux États-Unis depuis la fin de la Seconde Guerre mondiale. L'industrie du fast-food n'existerait pas sans celle des arômes. Or, si le nom des grandes chaînes américaines de fast-food et de leurs produits phares sont devenus célèbres dans le monde entier et font désormais partie de notre culture populaire, très peu de gens sont capables de citer le nom des sociétés qui fabriquent le goût du fast-food.

L'industrie des arômes est d'une discrétion extrême. Ses chefs de file ne divulguent ni la formule exacte des divers composants aromatiques, ni l'identité de leurs clients. Ils estiment que le secret est essentiel à la préservation de la réputation des marques les plus appréciées. Naturellement, les chaînes de fast-foods veulent faire croire à leurs clients que l'arôme de leurs plats naît dans les cuisines de leurs restaurants, et non dans de lointaines usines appartenant à d'autres sociétés.

Les autoroutes de l'échangeur du New Jersey traversent le cœur de l'industrie des arômes, un couloir industriel ponctué de raffineries et d'usines chimiques. International Flavors & Fragrances (IFF), la plus grosse entreprise mondiale du secteur, possède une usine à proximité de la sortie 8A vers Dayton, dans le New Jersey ; l'usine Givaudan, société qui occupe le deuxième rang mondial, se trouve à East Hanover. Haarman & Reimer, le plus gros fabricant d'arômes allemand, est installé à Teterboro, comme Takasago, son équivalent japonais. Flavor Dynamics a une usine à South Plainfield ; Frutarom est à North Bergen ; Elan Chemical à Newark. Plusieurs dizaines de compagnies fabriquent des arômes dans le couloir qui relie Teaneck à South Brunswick. De fait, la région produit environ les deux tiers des aromatisants vendus aux États-Unis.

L'usine IFF de Dayton est un énorme bâtiment bleu pâle flanqué d'un complexe de bureaux moderne. Elle se trouve dans un parc industriel, près d'une usine de plastique BASF, d'une unité de production Jolly French Toast, et d'une troisième qui fabrique les cosmétiques Liz Claiborne. Des dizaines de semi-remorques étaient garés le long des quais de chargement l'après-midi de ma visite, et un filet de vapeur s'échappait de la cheminée. Avant de pénétrer dans l'usine, j'ai dû signer une clause de confidentialité qui m'interdisait de révéler le nom des marques dont les produits contiennent des arômes fabriqués par IFF. L'endroit m'a rappelé la chocolaterie de Willy Wonka[1]. Des odeurs merveilleuses flottaient dans les couloirs, des hommes et des femmes en blouse blanche bien propre vaquaient joyeusement à leurs occupations, des centaines de petits flacons de verre ornaient les tables et les étagères des laboratoires. Ces flacons contenaient de puissantes mais fragiles essences chimiques, protégées de la lumière par du verre fumé et des capsules de plastique hermétiquement scellées. Les termes chimiques compliqués inscrits sur les petites étiquettes blanches m'étaient aussi obscurs que le latin médiéval. C'étaient les noms étranges de produits qui allaient être mélangés, versés et transformés en substances nouvelles, comme des potions magiques.

On ne m'invita pas dans les ateliers de production, où je risquais de découvrir des secrets de la profession. Au lieu de cela, on me fit faire le tour des laboratoires et cuisines pilotes, où sont testés et ajustés les arômes de marques bien connues et où sont créés des arômes entièrement nouveaux. Le laboratoire « petits salés » élabore l'arôme des chips de pommes de terre et de maïs, des pains, des biscuits d'apéritif, des céréales du petit déjeuner et de la nourriture pour animaux domestiques. Le labo confiserie met au point les arômes des crèmes glacées, des biscuits sucrés, des bonbons, des pâtes dentifrices, des bains de bouche et des antiacides. Où qu'il se porte, mon regard tombait sur des produits célèbres et vantés par de nombreuses publicités posés sur les bureaux et les tables. Le laboratoire des boissons est plein de liquides aux couleurs vives dans des bouteilles transparentes. Il crée l'arôme des boissons sucrées à succès, des boissons pour les sportifs, des thés glacés et des boissons à base de vin, des jus de fruits 100 % naturels, des boissons biologiques au soja, des bières et des alcools de malt. Dans une cuisine pilote, j'ai vu un technicien fringant, la quarantaine élégante, en cravate et blouse blanche, décorer soigneusement une fournée de biscuits avec un glaçage blanc et des grains de sucre rose et blanc. Dans une autre

---

1. Dans *Charlie et la chocolaterie*, de Roald Dahl (NDT).

cuisine, il y avait un four à pizza, un gril, une machine à milk-shakes et une friteuse identiques à ceux que j'avais vus derrière le comptoir d'innombrables restaurants fast-foods.

IFF, plus gros fabricant d'arômes du monde, est également responsable de l'odeur de six des dix parfums les plus vendus aux États-Unis, dont Beautiful d'Estée Lauder, Happy de Clinique, Trésor de Lancôme et Eternity de Calvin Klein. Il fabrique aussi l'odeur de produits ménagers tels que déodorants, liquides vaisselle, bains moussants, shampoings, cires et encaustiques. Tous ces arômes sont élaborés grâce aux mêmes procédés de base : la manipulation de molécules chimiques volatiles, qui permet de créer une odeur particulière. La science qui se cache derrière votre mousse à raser est la même que celle qui détermine l'arôme de votre plateau-télé.

L'arôme d'un aliment peut conditionner jusqu'à 90 % de son goût. Les scientifiques pensent aujourd'hui que l'homme a acquis le sens du goût pour éviter d'être empoisonné. Les plantes comestibles ont en général un goût sucré ; celles qui sont vénéneuses, un goût amer. Le goût est donc censé nous aider à établir une distinction entre les aliments qui sont bons pour nous et ceux qui ne le sont pas. Les papilles gustatives de notre langue sont capables de détecter une demi-douzaine de goûts fondamentaux, notamment le sucré, l'acide, l'amer, le salé, l'astringent et l'*umami* (un goût découvert par les chercheurs japonais, une impression de délice et de plénitude provoquée par les acides aminés d'aliments tels que coquillages, champignons, pommes de terre et algues). Mais les papilles gustatives n'offrent qu'un moyen limité de détection par rapport au système olfactif, qui peut percevoir plusieurs milliers d'arômes chimiques différents. De fait, l'« arôme » est avant tout celui des gaz diffusés par les produits chimiques que vous venez de mettre en bouche.

Boire, sucer ou mâcher une substance permet d'en dégager les gaz volatils. Ils sortent de la bouche pour s'élever dans les narines ou empruntent le passage qui se trouve à l'arrière de la cavité buccale, vers une fine couche de cellules nerveuses appelée épithélium olfactif, située à la base du nez, juste entre les deux yeux. Le cerveau associe les signaux olfactifs complexes de l'épithélium aux signaux gustatifs simples de la langue, assigne un arôme à ce que vous avez en bouche et décide si vous avez envie de le manger.

Les bébés aiment le sucré et rejettent l'amer ; nous le savons parce que des chercheurs ont frotté divers arômes dans la bouche de bébés avant d'enregistrer la réaction de leur visage. Les préférences alimentaires, comme la personnalité, se forment au cours des premières années de la vie, par un processus de socialisation. Les petits enfants peuvent apprendre à apprécier la nourriture épicée, les fades aliments biologiques ou le fast-food, en fonction de ce que mange leur entourage. Le sens de l'odorat humain n'est pas entièrement connu ; il peut varier en fonction d'attentes et de facteurs psychologiques. La couleur d'un aliment peut déterminer la perception de son goût. Le cerveau filtre la grande majorité des arômes chimiques qui nous entourent, se concentre sur certains et néglige les autres. Les gens peuvent s'habituer aux bonnes ou aux mauvaises odeurs ; ils cessent de remarquer ce qui leur paraissait envahissant. Arômes et mémoire sont inextricablement liés. Une odeur peut soudain évoquer un moment oublié depuis longtemps. Le goût des aliments de notre enfance laisse apparemment en nous une trace indélébile et nous y revenons souvent à l'âge adulte, sans toujours savoir pourquoi. Ces « aliments de confort » deviennent une source de plaisir rassurant, notion que les chaînes de fast-foods travaillent à promouvoir. Le souvenir des Happy Meal de l'enfance peut se traduire en visites fréquentes chez McDonald's à l'âge adulte, comme celles des « utilisateurs assidus » de la chaîne, ces clients qui viennent y manger quatre à cinq fois par semaine.

La quête du goût a joué le rôle d'une force importante, bien que rarement étudiée, dans l'histoire de l'homme. Des empires ont été bâtis, des terres inexplorées traversées, de grandes religions et philosophies transformées à tout jamais, par le commerce des épices. En 1492, Christophe Colomb a pris la mer pour trouver la route des épices. L'influence de l'arôme sur le marché mondial n'a pas diminué à notre époque. L'expansion et le déclin d'empires industriels – fabricants de boissons, de salés, chaînes de fast-foods – sont souvent liés au goût de leurs produits.

L'industrie des additifs est apparue au milieu du XIXᵉ siècle, lorsque la production des aliments manufacturés a décollé. Les premiers industriels ont découvert la nécessité d'ajouter des aromatisants et se sont tournés vers les entreprises de parfumerie qui avaient une longue expérience des huiles essentielles et des essences volatiles. Les grandes maisons britanniques, françaises et néerlandaises produisirent la majorité des premiers composés aromatiques. Au début du XXᵉ siècle, la puissante industrie chimique allemande prit la direction technologique de la production des aromatisants. L'histoire veut qu'un chercheur allemand ait découvert par accident l'anthranilate de méthyle, l'un des premiers arômes artificiels, en mélangeant des produits chimiques ; son laboratoire fut soudain envahi par une suave odeur de raisin. Après la Seconde Guerre mondiale, une grande partie de l'industrie des parfums a quitté l'Europe pour les États-Unis, où elle s'est installée à New York, près du quartier de l'habillement et des maisons de couture. L'industrie des arômes a suivi dans le New Jersey, qui lui offrait plus d'espace pour ses usines. Jusque dans les années 1950, les additifs aromatiques artificiels étaient essentiellement utilisés dans les produits cuits, les bonbons et les boissons sucrées. L'invention du chromatographe à gaz et du spectromètre de masse – des machines capables de détecter des niveaux minimes de gaz volatils – augmenta considérablement le nombre de saveurs qu'il était possible de synthétiser. Dès le milieu des années 1960, l'industrie américaine des arômes produisait des composés qui donnaient leur goût aux Pop Tart, Bac-O, Tab, Tang, Filet-O-Fish et autres aliments nouveaux.

L'industrie américaine des arômes dégage actuellement des revenus annuels de 1,4 milliard de dollars environ. On estime que 10 000 nouveaux produits alimentaires industriels sont lancés chaque année aux États-Unis. Presque tous contiennent des additifs aromatiques. Neuf produits nouveaux sur dix sont un échec commercial. Les dernières innovations en matière d'arômes et les réajustements de l'industrie paraissent dans des publications spécialisées telles que *Food Chemical News*, *Food Engineering*, *Chemical Market Reporter* et *Food Product Design* (« Nouvelles de la chimie alimentaire », « Ingénierie alimentaire », « Chronique du marché de la chimie » et « Conception des produits alimentaires »). La croissance d'IFF reflète celle de tout le secteur des arômes. IFF a été fondée en 1958 par la fusion de deux petites sociétés. Ses revenus annuels ont été multipliés par 15 depuis le début des années 1970, et elle possède des unités de production dans vingt pays différents.

La qualité que le consommateur recherche avant tout dans un aliment, sa saveur, existe en quantité infinitésimale impossible à mesurer en termes culinaires traditionnels, tels que gramme ou cuiller à thé. Les spectromètres, chromatographes et analyseurs de vapeurs actuels sont capables de détecter des arômes chimiques dans une proportion de 10^{-9}, et de fournir ainsi la carte détaillée des composés aromatiques d'un aliment. Cependant, le nez humain reste plus sensible que n'importe quelle machine. Il peut détecter des arômes dans une proportion de 10^{-11} – soit 0,000000000003 %. Les arômes complexes comme ceux du café ou de la viande grillée sont composés de gaz volatils émanant de quelque 1 000 molécules chimiques différentes. L'arôme de fraise résulte de l'interaction d'au moins 350 molécules présentes en quantités infimes. Celle qui donne sa saveur dominante au poivron peut être perçue à hauteur de 10^{-10} ; une goutte suffit à aromatiser cinq piscines de taille moyenne. Les additifs aromatisants arrivent généralement en dernière (ou avant-dernière) position sur la liste des ingrédients d'un aliment produit industriellement (les exhausteurs chimiques de couleur sont fréquemment utilisés en quantités plus infimes encore). Voilà pourquoi la saveur d'un aliment coûte souvent moins cher que son emballage. Les boissons sucrées contiennent plus d'additifs aromatisants que la plupart des produits. Les arômes d'une canette de Coca coûtent environ 0,5 cent.

La Food and Drug Administration (FDA) n'oblige pas les industriels des arômes à révéler les ingrédients de leurs additifs du moment que tous les composés chimiques sont déclarés GRAS (généralement considérés comme sains) par cet organe gouvernemental. Ce manque de clarté permet aux sociétés de garder leurs formules secrètes. Il dissimule également le fait que les composés aromatiques contiennent parfois plus d'ingrédients que les aliments auxquels ils donnent leur saveur. L'omniprésente formule « arôme artificiel de fraise » ne révèle rien de l'ingéniosité chimique et de la virtuosité technique qui donnent le goût de fraise à un aliment extrêmement manufacturé.

Un arôme artificiel de fraise typique, celui d'un milk-shake Burger King, par exemple, contient les ingrédients suivants : acétate d'amyle, butyrate d'amyle, valérate d'amyle, anéthol, formate d'anisyle, acétate de benzyle, isobutyrate de benzyle, acide butyrique, isobutyrate de cinnamyle, valérate de cinnamyle, huile essentielle de cognac, diacétyle, kétone de dipropyle, acétate d'éthyle, amylkétone d'éthyle, butyrate d'éthyle, cinnamate d'éthyle, heptanoate d'éthyle, heptylate d'éthyle, lactate d'éthyle, méthylphénylglycidate d'éthyle, nitrate d'éthyle, propionate d'éthyle, valérate d'éthyle, héliotropine, hydroxyphényle-2-butanone (solution à 10 % dans l'alcool), ionone, anthranilate d'isobutyle, butyrate d'isobutyle, huile essentielle de citron, maltol, méthylacétophénone-4, anthranilate de méthyle, benzoate de méthyle, cinnamate de méthyle, carbonate d'heptine de méthyle, kétone de naphtyle de méthyle, salicylate de méthyle, huile essentielle de menthe, huile essentielle de néroli, néroline, isobutyrate de néryle, beurre d'orris, alcool de phénétyle, rose, éther de rhum, indécalactone, vanilline et solvant.

Si les arômes émanent souvent d'un mélange de nombreux composés chimiques volatils, un seul d'entre eux donne souvent l'arôme dominant. Il suffit de le sentir isolément pour reconnaître l'arôme d'un aliment. Le butyrate d'éthyle-2-méthyle, par exemple, sent exactement comme une pomme. La saveur des aliments industriels d'aujourd'hui est souvent neutre : les composés chimiques que vous ajoutez leur donneront un goût spécifique. Un peu de péridykeltone de méthyle-2 permet d'obtenir un goût de pop-corn, un peu d'hydroxybutanoate d'éthyle-3 un goût de guimauve. Les possibilités sont pratiquement illimitées. Sans affecter leur aspect ou leur valeur nutritionnelle, on peut ajouter aux aliments industriels des arômes chimiques tels que l'héxanal (odeur d'herbe coupée) ou l'acide butanoïque de méthyle-3 (odeur corporelle).

Les arômes artificiels ont vécu leurs plus beaux jours pendant les années 1960. Certes, ces versions synthétiques des composés aromatiques manquent de subtilité, mais elles n'en avaient pas besoin étant donné la nature de la majorité des aliments industriels. Les industriels de l'alimentaire s'efforcent d'utiliser uniquement des « arômes naturels » depuis vingt ans. Selon les règles de la FDA (Food and Drug Administration), ces derniers doivent être entièrement dérivés de sources naturelles – herbes, épices, fruits, légumes, bœuf, poulet, levures, écorces, racines, etc. Les consommateurs préfèrent que les étiquettes de leurs produits mentionnent des arômes naturels, qui ont la réputation d'être plus sains. Pourtant, la distinction entre arômes naturels et artificiels, parfois arbitraire et absurde, se fonde plus sur le procédé de fabrication de l'arôme que sur son contenu réel. « Un arôme naturel, affirme Terry Acree, professeur de sciences de l'alimentation à l'université Cornell, est un arôme fabriqué avec une technologie obsolète. » Arômes naturels et artificiels contiennent parfois les mêmes composés chimiques, produits par des méthodes différentes. Ainsi, l'acétate d'amyle donne la note dominante de l'arôme de banane. Distillé avec un solvant à partir de bananes, l'acétate d'amyle est un arôme naturel. Produit par un mélange de vinaigre et d'alcool d'amyle catalysé à l'acide sulfurique, c'est un arôme artificiel. Tous deux ont la même odeur et la même saveur. La mention « arôme naturel » figure parmi les ingrédients de tous les produits, des yaourts bio à la fraise Stonyfield Farm à la sauce épicée pour tacos de Taco Bell.

Un arôme naturel n'est pas nécessairement plus pur ou meilleur pour la santé qu'un arôme artificiel. L'arôme d'amande (benzaldéhyde) dérivé de sources naturelles, noyaux de pêches ou d'abricots par exemple, contient des traces de cyanide d'hydrogène, un poison mortel. Le benzaldéhyde obtenu par un autre procédé – en mélangeant de l'huile de girofle et de l'arôme de banane, ou acétate d'amyle, ne contient pas de cyanide. La loi en fait pourtant un arôme artificiel, et il se vend beaucoup moins cher. Arômes naturels et artificiels sont fabriqués dans les mêmes usines chimiques, des endroits que peu de gens associeraient à l'idée de Mère Nature. Pour qualifier ces arômes de « naturels », il faut une grande flexibilité dans l'usage de la langue et une bonne dose d'ironie.

La petite élite de scientifiques qui créent la plupart des arômes présents dans les aliments aujourd'hui consommés aux États-Unis se nomme les « aromatiseurs ». Leur travail fait appel à un certain nombre de disciplines :

biologie, psychologie, physiologie et chimie organique. Un aromatiseur est un chimiste doté d'un nez affûté et d'une sensibilité poétique. Les arômes naissent du mélange de quantités infimes de nombreux composés chimiques différents ; ce procédé gouverné par des principes scientifiques exige également beaucoup d'art. À une époque où arômes délicats, saveurs subtiles et micro-ondes ne font pas nécessairement bon ménage, le travail de l'aromatiseur consiste à susciter une illusion à propos des aliments industriels et, pour reprendre les termes de la littérature d'une de ces sociétés, à gagner « la sympathie du consommateur ». Les aromatiseurs que j'ai rencontrés étaient charmants, cosmopolites et pleins d'ironie. Ils étaient également, en accord avec les exigences de leur profession, discrets ; le genre d'hommes de science qui, non contents d'apprécier le bon vin, peuvent citer tous les composés chimiques qui donnent à chaque cépage son arôme unique. L'un d'eux comparait son travail à la composition musicale. Un composé aromatique bien fait possède une « note verticale » suivie d'un « contrepoint » et d'un « dessin horizontal », étapes qui relèvent à chaque fois d'un composé chimique différent. La saveur d'un aliment peut être radicalement modifiée par des changements infimes dans le mélange aromatique. « Avec les odeurs, une petite dose suffit largement. »

Afin de donner un goût adéquat à un aliment fabriqué industriellement, l'aromatiseur doit toujours prendre en compte la « sensation buccale » de cet aliment – l'association unique de textures et d'interactions chimiques qui affectent la perception de la saveur. Cette sensation peut être ajustée par l'utilisation de graisses, gommes, amidons, émulsifiants et stabilisants divers. On peut analyser avec précision les composés chimiques d'un arôme, mais il est beaucoup plus difficile d'évaluer la sensation buccale. Comment quantifier le croustillant d'une frite ? Les techniciens de l'alimentation poursuivent actuellement des recherches en rhéologie, une branche de la physique qui étudie la déformation et l'écoulement de la matière. Un certain nombre de sociétés commercialisent des appareils perfectionnés qui tentent de mesurer la sensation buccale. L'analyseur de texture TA. XT2i, fabriqué par la société Texture Technologies, fait des calculs basés sur des données fournies par 250 sondes différentes. En fait, c'est une sorte de bouche mécanique. L'appareil mesure les plus importantes propriétés rhéologiques d'un aliment – volume, frottement, point de rupture, densité, croustillant, dureté, collant, mollesse, élasticité, souplesse, glissant, soyeux, douceur, humidité, fondant, pâteux, détente et viscosité.

Certains des progrès les plus importants accomplis dans le domaine de la fabrication des arômes concernent actuellement le champ de la biotechnologie. Les arômes complexes sont fabriqués par fermentation, réactions enzymatiques, cultures fongiques et tissulaires. Tous les arômes créés grâce à ces méthodes – y compris ceux qui sont synthétisés par des moisissures – sont considérés comme des arômes naturels par la FDA. Les nouveaux procédés enzymatiques permettent d'obtenir des arômes de produits laitiers extrêmement réalistes. Une société propose non seulement un arôme de beurre, mais toute une gamme comprenant beurre frais crémeux, beurre fromager, beurre laitier, beurre salé fondu et beurre superconcentré, sous forme de liquide ou de poudre. Le développement de nouvelles techniques de fermentation, ainsi que l'arrivée de nouveaux procédés de chauffage des mélanges de sucres et d'acides aminés ont entraîné la création d'arômes de viande beaucoup plus réalistes. La société McDonald's refuse de révéler l'origine exacte de l'arôme naturel ajouté à ses frites. Cependant, pour répondre aux investigations du *Vegetarian Journal*, McDonald's a admis que ses frites tirent certains de leurs arômes caractéristiques de « produits d'origine animale ».

L'arôme d'autres aliments de fast-food bien connus provient de sources inattendues. Le sandwich grillé au poulet de Wendy's, par exemple, contient des extraits de bœuf. Le pain au blanc de poulet grillé de Burger King contient un « arôme naturel de fumée ». Une entreprise appelée Red Arrow Products Company est spécialiste en arôme de fumée, que l'on ajoute aux sauces barbecue et aux préparations carnées industrielles. Red Arrow fabrique de l'arôme naturel de fumée en faisant brûler de la sciure et en récupérant les molécules chimiques répandues dans l'air. La fumée est emprisonnée dans l'eau et embouteillée pour que d'autres sociétés puissent vendre de la nourriture que l'on croirait cuite au feu de bois.

Brian Grainger m'a fait goûter un échantillon d'arômes fabriqués par IFF dans une salle de réunion. Le test était très étrange ; il n'y avait aucune nourriture à goûter. Grainger, éminent aromatiseur de la société, est un chimiste aux manières douces, aux cheveux grisonnants, qui parle avec l'accent anglais et un penchant prononcé pour la litote. On pourrait facilement le prendre pour un diplomate britannique ou pour le propriétaire d'une brasserie du West End arborant deux étoiles au Michelin. Comme beaucoup de ses collègues de l'industrie des arômes, il a une sensibilité exquise et désuète qui semble déplacée dans notre monde égocentrique obsédé par les marques. Lorsque j'ai suggéré qu'IFF imprime son propre logo sur les produits qui contiennent ses arômes – au lieu de laisser d'autres marques profiter de la fidélité et de l'affection inspirées par ces mêmes arômes – Grainger a poliment désapprouvé en m'assurant que ce genre de chose ne se fait pas. En l'absence de reconnaissance publique, les quelques membres de la confrérie secrète des chimistes aromatiseurs louent mutuellement leurs œuvres. Grainger est souvent capable de dire, en analysant la formule aromatique d'un produit, lequel de ses homologues d'une société concurrente l'a mise au point. Il aime se promener dans les rayons des supermarchés et regarder tous les produits qui contiennent ses arômes, même si personne ne le sait.

Grainger avait apporté du laboratoire une dizaine de petits flacons de verre. Il les ouvrit un à un pour que j'y trempe un filtre test. Ces filtres sont de longues bandes de papier blanc qui absorbent les composés chimiques des arômes sans dégager d'odeur secondaire. Je fermai les yeux avant de placer chaque bande sous mon nez. Puis j'inspirai profondément, faisant surgir un aliment après l'autre de ces flacons de verre. Je sentis des arômes de cerise fraîche, d'olive noire, d'oignon grillé et de crevette. La création la plus remarquable de Grainger me prit par surprise. Je fermai les yeux et sentis soudain l'odeur d'un hamburger grillé. C'était un arôme troublant, presque miraculeux. On aurait dit que quelqu'un faisait griller de la viande dans la pièce. Mais lorsque j'ouvris les yeux, je ne vis qu'une bande de papier blanc et un aromatiseur souriant.

Des frites par millions

Je me suis rendu à l'usine Lamb Weston d'American Falls, dans l'Idaho, au plus fort de la récolte de pommes de terre. Cette usine, l'une des plus grosses unités de friture au monde, fabrique des frites pour McDonald's. Sa capacité de production est trois fois supérieure à celle de l'usine Simplot d'Aberdeen. C'est une unité de fabrication dernier cri, où matière brute et additifs élaborés par l'homme s'associent pour produire l'aliment le plus populaire des États-Unis.

Lamb Weston a été fondé en 1950 par F. Gilbert Lamb, l'inventeur d'un appareil indispensable à la technique de production des frites. Le couteau à pression d'eau Lamb utilise la haute pression pour projeter les pommes de terre sur une grille de lames tranchantes à la vitesse de 35 mètres par seconde, ce qui permet d'obtenir des frites parfaitement coupées et calibrées. Gil Lamb commença par tester le premier couteau à eau sur un parking de la société, en se servant d'un tuyau d'incendie pour tirer les pommes de terre. Il vendit sa compagnie à ConAgra en 1988. Lamb Weston produit aujourd'hui plus de 130 sortes de frites différentes.

Bud Mandeville, le directeur de l'usine, me fit monter dans l'un des bâtiments de stockage par un étroit escalier de bois. L'escalier aboutissait sur une passerelle, et je vis à mes pieds une montagne de pommes de terre haute de 6 mètres, large de 30 et presque aussi longue que deux terrains de football. Le bâtiment, sombre et frais, était maintenu toute l'année à une température constante d'environ 10 degrés. Dans la lumière tamisée, les pommes de terre ressemblaient à des grains de sable sur une plage. C'était l'un des sept hangars de stockage des installations.

À l'extérieur, des semi-remorques arrivaient des champs, chargés de pommes de terre tout juste déterrées. Ils déchargeaient leur cargaison sur des toupies qui acheminaient les grosses pommes de terre dans le hangar et laissaient tomber sur le sol la poussière, les cailloux et les petits tubercules. L'engin menait à un réservoir rempli d'eau, dans lequel les pommes de terre flottaient tandis que les pierres coulaient. Divers systèmes hydrauliques amenaient ensuite doucement les pommes de terre selon leur calibre jusqu'à des portillons qui s'ouvraient pour les laisser s'écouler sur des glissoires s'enfonçant sous le sol de ciment et où l'eau atteignait une profondeur de presque 1 mètre. L'intérieur de l'usine était gris, impressionnant et bien éclairé, sillonné d'énormes tuyaux qui couraient le long des murs et des passerelles, plein d'ouvriers casqués et de machines bruyantes. Sans ces pommes de terre qui flottaient en dansant sur l'eau, on se serait cru dans une raffinerie de pétrole.

Des tapis roulants conduisaient les pommes de terre mouillées et propres jusqu'à une soufflerie qui les aspergeait de vapeur pendant douze secondes, amenant à ébullition l'eau contenue sous leur peau, qu'elle faisait ensuite exploser. Les pommes de terre étaient ensuite aspirées dans un réservoir de préchauffage et tirées à travers un couteau à eau Lamb. Elles en sortaient sous forme de pommes allumettes. Quatre caméras vidéo les examinaient sous tous les angles, à la recherche d'éventuels défauts. Lorsqu'une frite défectueuse était repérée, une trieuse à fibre optique programmait un jet d'air comprimé qui l'éjectait de la chaîne de production et la faisait tomber sur un autre tapis roulant ; celui-ci l'amenait à une machine dotée de minuscules couteaux automatisés qui ôtaient l'imperfection avec précision. La frite retournait alors sur la chaîne principale.

Les frites étaient blanchies par pulvérisation d'eau chaude, séchées par air chaud et cuites frites dans 12 000 litres d'huile bouillante. Rapidement surgelées au moyen d'ammoniac comprimé, elles étaient ensuite divisées en paquets de 3 kilos par une trieuse informatisée, puis précipitées dans une centrifugeuse qui les alignait toutes dans la même direction. Ces frites étaient mises dans des sachets bruns, eux-mêmes disposés dans des boîtes en carton par des robots ; d'autres robots rangeaient ces cartons sur des palettes en bois. Des chariots élévateurs conduits par des êtres humains conduisaient ces palettes dans une chambre froide. J'y ai vu 10 millions de kilos de frites, la plupart destinées à McDonald's, entreposées sur une hauteur de 15 mètres et alignées sur une longueur de presque 40. La chambre froide était à moitié vide. Une dizaine de wagons et deux dizaines de semi-remorques y recevaient leur cargaison quotidienne de frites et partaient rejoindre les restaurants McDonald's de Boise, de Pocatello, de Phoenix, de Salt Lake City, de Denver et de Colorado Springs, entre autres.

Près de la chambre froide se trouvait un laboratoire où des femmes en blouse blanche analysaient nuit et jour les frites, mesuraient leur couleur, leur taux de sucre et d'amidon. En automne, Lamb Weston ajoutait du sucre dans les frites ; au printemps, il en supprimait ; il s'agissait de maintenir une uniformité de saveur et d'apparence tout au long de l'année. Toutes les demi-heures, un nouvel échantillon de frites passait dans des friteuses identiques à celles des cuisines de fast-food. Une femme d'âge moyen me tendit une assiette en carton pleine de longues frites de première qualité, celles que vend McDonald's, une salière et du ketchup. Les frites semblaient complètement déplacées dans ce laboratoire, cette usine surréaliste avec ses écrans de contrôle, ses panneaux d'affichage digitaux, ses plateformes en acier étincelant et ses plans d'évacuation en cas de fuite d'ammoniac. Les frites étaient délicieuses – croustillantes, dorées, faites de pommes de terre qui étaient encore dans les champs le matin même. Je les terminai et en demandai d'autres.

Hank a été ma première rencontre à Colorado Springs. C'était un influent éleveur du coin que j'avais contacté pour apprendre comment la pression du développement et les diktats de l'industrie du fast-food affectaient l'élevage du bétail dans la région. En juillet 1997, il me proposa de faire le tour des nouveaux lotissements qui se dressaient sur les terres où le bétail vagabondait autrefois. Je le vis pour la première fois dans le hall de mon hôtel. Hank était un homme de quarante-deux ans, grand et tanné, assez séduisant pour incarner un cow-boy de Hollywood, avec ses jeans, ses vieilles bottes et son chapeau blanc à larges bords. Mais le minivan Dogue qu'il conduisait ne cadrait pas avec cette image, et il était trop intelligent pour correspondre à un quelconque stéréotype. Il avait des idées bien arrêtées, sans se prendre trop au sérieux. Il fut un compagnon fort agréable dès notre première poignée de main. Nous avons passé des heures à rouler dans les alentours de Colorado Springs, observant comment le Nouvel Ouest enterre l'Ancien.

Alors que nous traversions des quartiers appelés « Les Chênes de la lande » ou « Les Versants de la lande », sur les contreforts du mont Cheyenne, Hank me fit remarquer que toutes ces grosses maisons neuves bâties sur de petits terrains se trouvaient sur des terres qui brûlaient régulièrement. Les maisons étaient entourées de très jolies herbes brun pâle, d'amarante et de buissons de chênes – idéalement inflammables. Comme dans le sud de la Californie, ces collines pouvaient s'embraser à la moindre étincelle, au premier mégot de cigarette balancé de la fenêtre d'une voiture.

Les maisons avaient l'air solides et prospères ; rien n'indiquait leur vulné-rabilité et elles jouissaient d'un panorama splendide.

Le ranch de Hank était situé à une trentaine de kilomètres au sud de la ville. À mesure que nous approchions, le paysage s'ouvrait et commençait à suggérer le véritable Ouest – ces campagnes immenses et plates dont la beauté vient de l'absence de l'homme, qui l'attirent et perdent ensuite len-tement leur séduction. Au moyen de la situation qu'il occupe au sein de diverses instances locales et de l'État, Hank s'efforçait de combler le fossé qui sépare éleveurs et défenseurs de l'environnement, de trouver un terrain d'entente entre ennemis de longue date. Ce n'était pas un de ces nouveaux riches qui jouent au cow-boy. Il tirait ses revenus des 400 têtes de bétail de son ranch. Il se moquait du politiquement correct et ne supportait pas les écologistes qui traînent l'industrie du bétail dans la boue. D'après lui, les bons éleveurs causaient bien moins de dégâts à l'environnement que les citadins. « La nature n'est pas une abstraction pour moi, me dit-il. Ma famille vit tous les jours avec elle. »

Quand nous sommes arrivés au ranch, Susan, la femme de Hank, sor-tait son cheval d'un enclos. Elle était blonde et charmante, sans rien de fragile, mais plutôt grande, sportive et carrée. Allie et Kris, leurs deux filles de six et huit ans, coururent à notre rencontre, tout excitées par la venue de leur père accompagné d'un visiteur. Elles se hissèrent dans le minivan pour faire avec nous le tour du domaine. Hank voulait me montrer la dif-férence entre sa manière de pratiquer l'élevage et le « viol de la terre ». Alors que nous nous engagions sur une piste, je me suis retourné pour regarder sa maison et je me suis dit qu'elle avait l'air toute petite au milieu de ce paysage. Sur un terrain plusieurs centaines, sinon plusieurs milliers de fois plus grand que les pelouses et les jardins qui entouraient les belles demeures de Colorado Springs, la famille de Hank vivait dans une modeste cabane en rondins.

Hank pratiquait une forme de pâturage inspirée par les habitudes ali-mentaires des troupeaux d'élans et de bisons qui ont vécu pendant des mil-lénaires dans cette prairie. Son ranch était divisé en trente-cinq pâtures séparées. Son bétail passait une dizaine de jours dans l'une, puis se déplaçait vers la suivante afin de permettre aux plantes locales, comme l'herbe à bison, de se renouveler. Hank arrêta le minivan pour me montrer un ruisseau pro-che. Sur les terres où le bétail paît trop longtemps, les rives du ruisseau sont détruites en premier car le troupeau se regroupe dans l'ombre fraîche à la limite de l'eau et broute tout ce qui pousse à proximité. Le ruisseau de Hank était protégé par des barbelés et ses rives étaient verdoyantes. Il m'emmena ensuite à Fountain Creek, un ruisseau qui traverse le ranch, et je compris alors que je n'étais pas le premier invité à suivre ce parcours. Il avait un déroulement et un but bien précis.

Fountain Creek était une longue et affreuse entaille d'une vingtaine de mètres de large sur une quinzaine de mètres de profondeur. Les bords s'affaissaient sous l'effet de l'érosion, le lit du ruisseau était encombré de troncs et de branchages au travers desquels coulait un mince filet d'eau. « C'est le résultat d'une pluie torrentielle sur Colorado Springs », m'expliqua Hank. Il était difficile de ne pas établir de corrélation entre son impact sur la nature et celui de la ville. La croissance rapide de Colorado Springs s'est faite sans planification officielle, sans découpage de zones et sans dépenses de drainage. Routes et trottoirs recouvrent de plus en plus de terres dans les limites de la ville, empêchant l'absorption de l'eau par le sol ; elle déboule dans le ruisseau de Fountain Creek, en érode les flancs et charrie de la vase et des débris jusqu'au Kansas. Hank perd littéralement une partie de son ranch tous les ans, lavé par les eaux de pluie de la ville. Un éleveur proche a déjà perdu 400 ares de terres en un seul jour après un gros orage sur Colorado Springs. Pendant que Hank, debout sur la rive à demi écroulée, discourait avec passion sur le groupe de protection des ressources hydriques qu'il avait contribué à créer, m'exposant les vertus des étangs de retenue, des espaces verts paysagers et des parkings perméables recouverts de gravier, je perdis le fil de ses paroles. « Ce type finira gouverneur du Colorado », pensais-je en moi-même.

Peu avant le coucher du soleil, nous nous sommes lancés aux trousses d'un troupeau d'antilopes que nous avions repéré. Le fichu minivan rebondissait sur la prairie comme un cheval au grand galop, Hank cramponné au volant tandis qu'Allie et Kris hurlaient sur le siège arrière. Nous avions un puissant moteur Chrysler et des freins à disque mais la vingtaine d'antilopes, avec une grâce bien supérieure, tournaient abruptement selon des angles inattendus et bondissaient sans effort, la croupe levée. Après une vaine poursuite, Hank laissa le troupeau filer, vira à droite et nous fit monter une petite colline. Il voulait me montrer autre chose encore. Les fillettes regardaient attentivement par la fenêtre, les joues rougies, à la recherche d'autres manifestations de vie sauvage. Quand nous avons atteint le sommet, j'ai vu en contrebas une sorte d'immense structure ovale, flambant neuve. J'ai mis un certain temps à comprendre ce que c'était. Cela ressemblait à l'œuvre d'une civilisation extraterrestre parachutée au milieu de nulle part. « Courses de stock-cars », m'expliqua Hank d'un ton neutre. Les tribunes construites en bordure de piste étaient gigantesques, comme le parking. Des ares et des ares d'asphalte noir rayé de lignes blanches s'étendaient sur la prairie, offrant plusieurs milliers de places qui n'attendaient que les voitures.

C'était un circuit tout neuf où des courses avaient lieu tous les week-ends en été. On entendait les moteurs et la rumeur de la foule jusque dans la maison de Hank. Mais ce n'était pas le plus grave. Hank et Susan détestaient par-dessus tout les séances d'essais. Au beau milieu de la journée, dans l'un des plus beaux paysages d'Amérique, ils entendaient soudain le vrombissement des stock-cars qui tournaient sans relâche sur le circuit. Nous sommes restés tranquillement assis au sommet de la colline, les yeux fixés sur la piste baignée par les lueurs du crépuscule, cette bande d'asphalte ovale qui constituait un troublant présage. Hank attendit le temps que je m'interroge sur le sens de cette menace qui le visait désormais, avant de redescendre la colline. Le circuit avait disparu hors de notre vue, et les deux filles discutaient sur le siège arrière, heureuses, insouciantes, tandis que le soleil se couchait derrière les montagnes.

Un nouveau trust

Éleveurs et cow-boys sont depuis longtemps les figures emblématiques de l'Ouest américain. Pour les traditionalistes, ils incarnent la liberté et l'indépendance. Les réformistes les traitent de racistes, de parasites de l'économie et de destructeurs de la nature. Les sentiments contradictoires suscités par ces hommes reflètent des conceptions radicalement différentes de notre identité nationale, la conservation des vieux mythes par opposition à la création de nouveaux. Cependant, il est un fait que les éleveurs américains se font rapidement de plus en plus rares. Au cours des vingt dernières années, un demi-million d'éleveurs environ ont vendu leur bétail et abandonné la profession. Une grande partie des 800 000 éleveurs restants tirent le diable par la queue. Ils ont souvent un deuxième métier. Ils vendent leur bétail à prix coûtant, sinon à perte. Les éleveurs qui possèdent entre 300 et 400 têtes de bétail, s'occupent seuls de leur ranch et vivent uniquement de ses revenus connaissent la situation la plus difficile. Les hommes durs à la peine idéalisés par le mythe du cow-boy sont aujourd'hui les victimes désignées de la faillite. Les éleveurs indépendants des États-Unis ne suscitent qu'une infime portion de l'intérêt consacré à la chouette tachetée du nord-ouest ; ils sont pourtant véritablement devenus une espèce en voie d'extinction.

Les éleveurs affrontent actuellement une kyrielle de problèmes économiques : augmentation du prix de la terre, stagnation du prix du bœuf, offre supérieure à la demande, hausse des importations de bétail sur pied du

Canada et du Mexique, pression des promoteurs, droits de succession, rumeurs alarmantes sur l'état sanitaire des troupeaux. Pour couronner le tout, les chaînes de fast-foods ont encouragé la consolidation de l'industrie de l'abattage. McDonald's est le plus gros acheteur de bœuf du pays. En 1968, McDonald's achetait son bœuf haché auprès de 175 fournisseurs locaux. Quelques années plus tard, la recherche d'une plus grande uniformité de produit a conduit la chaîne en pleine expansion à réduire à cinq le nombre de ses fournisseurs. Comme l'industrie de la frite, celle de l'abattage a été transformée par une série de fusions et acquisitions au cours des vingt dernières années. Beaucoup d'éleveurs affirment qu'un petit nombre de grandes sociétés étranglent le marché et utilisent des moyens déloyaux pour faire baisser le prix du bétail. La colère monte et la nouvelle guerre des éleveurs qui risque d'éclater sera déterminante pour la structure sociale et économique de l'Ouest rural.

Les éleveurs américains se sont trouvés dans la même situation fâcheuse il y a cent ans. Les principaux secteurs de l'économie nationale étaient contrôlés par des groupes d'entreprises appelés « trusts ». Il y avait un trust du sucre, un trust de l'acier, un trust du tabac – et un trust du bœuf. Ce dernier fixait le prix du bétail. Les éleveurs qui protestaient contre son monopole étaient souvent évincés et ne trouvaient plus acheteur pour leur bétail, quel qu'en soit le prix. En 1917, alors que le trust du bœuf était à l'apogée de son pouvoir, les cinq plus grosses compagnies d'abattage – Armour, Swift, Morris, Wilson et Cudahy – contrôlaient environ 55 % du marché. Au début du XXᵉ siècle apparurent les « briseurs de trusts », des fonctionnaires progressistes qui considéraient la concentration du pouvoir économique comme un grave danger pour la démocratie américaine. La loi antitrust Sherman avait été adoptée en 1890 à la suite d'une enquête parlementaire sur la fixation des prix dans l'industrie de l'abattage ; dans les vingt années qui suivirent, le gouvernement s'efforça sans grand succès de briser le trust du bœuf. En 1917, le président Woodrow Wilson ordonna une enquête de la Commission fédérale du commerce, la FTC. Elle conclut que les cinq grandes compagnies d'abattage fixaient secrètement les prix depuis des années, s'étaient alliées pour diviser les marchés et partageaient leurs informations afin de s'assurer que les éleveurs vendent leur bétail au prix le plus bas possible. Pour éviter qu'un procès antitrust ne débouche sur un verdict défavorable, les cinq compagnies d'abattage signèrent en 1920 un accord qui les obligeait à vendre leurs parcs à bestiaux, leurs boucheries de détail, leurs intérêts dans les chemins de fer et leurs publications spécialisées. Un an plus tard, le Congrès créait la Packers and Stockyards

Administration (p & sa), une agence fédérale chargée d'empêcher la fixation des prix et les procédés monopolistiques dans l'industrie du bœuf.

Pendant les cinquante années qui suivirent, les éleveurs purent vendre leur bétail dans un marché relativement compétitif. Le prix des bêtes était fixé aux enchères publiques. Les grosses compagnies d'abattage étaient en compétition avec plusieurs centaines de petites entreprises régionales. En 1970, les quatre plus grosses compagnies n'abattaient que 21 % du bétail du pays. Dix ans plus tard, l'administration Reagan autorisa ces compagnies à fusionner tranquillement, en dépit de la loi antitrust. Le ministère de la Justice et la Grain Inspection, Packers and Stockyards Administration, qui avait succédé à la p & sa, laissèrent les grands abattoirs s'emparer en toute impunité du contrôle d'un marché du bétail régional après l'autre. Aujourd'hui, les quatre plus grosses compagnies – ConAgra, ibp, Excel et National Beef – abattent environ 84 % du bétail américain. La concentration du marché est actuellement à son plus haut niveau depuis que l'on a commencé à enregistrer son activité, au début du xxe siècle.

Ce degré de concentration sans précédent contribue à faire baisser les prix que les éleveurs indépendants obtiennent pour leur bétail. En vingt ans, la part de l'éleveur sur la vente de viande de bœuf au détail est passée de 63 cents à 46 cents pour 1 dollar. Les quatre grandes compagnies contrôlent à présent 20 % du bétail sur pied par l'intermédiaire de « réserves captives » – des bêtes soit élevées sur des unités d'engraissement qui leur appartiennent, soit achetées à l'avance par contrat à terme. Dès que le prix du bétail commence à monter, les grandes compagnies peuvent inonder le marché avec leurs propres réserves captives. Elles peuvent également se procurer du bétail grâce à des accords confidentiels avec de riches éleveurs, sans jamais révéler le prix réellement payé. ConAgra et Excel gèrent leurs propres unités d'engraissement, gigantesques, tandis qu'ibp a conclu des arrangements privés avec quelques-uns des plus gros éleveurs américains, dont les frères Bass, Paul Engler et J. R. Simplot. Éleveurs et engraisseurs indépendants n'ont aucun moyen de connaître la valeur réelle de leur bétail, à plus forte raison de trouver un acheteur au juste prix. On peut estimer que 80 % du bétail échangé journellement sur les marchés régionaux sort de réserves captives. Le prix payé pour ces bêtes n'est jamais rendu public.

Pour vous faire une idée de la situation actuelle des éleveurs indépendants, imaginez comment la Bourse de New York fonctionnerait si les gros investisseurs pouvaient garder secrètes toutes les conditions de leurs échanges de titres. Les petits porteurs n'auraient aucune idée de la valeur réelle de leurs actions – les riches opérateurs pourraient facilement exploiter leur ignorance. « Un marché libre nécessite un grand nombre d'acheteurs et de vendeurs ayant tous un accès égal à une information exacte, tous autorisés à faire leurs échanges aux mêmes conditions, sans qu'aucun ne détienne une part suffisante du marché pour influer sur les prix, affirme un rapport du Centre des affaires rurales du Nebraska. Aucune de ces conditions requises n'existe actuellement, ni de près ni de loin, sur le marché du bétail. »

Jusqu'à présent, les grandes compagnies d'abattage ne montrent guère d'intérêt pour l'achat de leurs propres ranches. « Pourquoi s'encombreraient-elles de tous ces tracas ? », me dit Lee Pitt, rédacteur en chef du *Livestock Market Digest*. « L'élevage du bétail entraîne une forte augmentation des frais généraux, et la majorité de votre capital reste immobilisé dans la terre. » Au lieu d'acheter leurs propres ranches, les grosses compagnies d'abattage financent une poignée de grands propriétaires d'unités d'engraissement qui louent des ranches et s'occupent du bétail pour elles. « C'est une autre manière de contrôler les prix grâce aux réserves captives, m'a expliqué Pitt. Les grands abattoirs possèdent maintenant tout en bloc et donnent leurs instructions aux engraisseurs. »

Les blancs de M. McDonald

Beaucoup d'éleveurs craignent aujourd'hui une restructuration délibérée de l'industrie du bœuf sur les mêmes bases que celle de la volaille. Ils ne veulent pas finir comme les éleveurs de poulets – devenus à peu près impuissants ces dernières années, perclus de dettes et piégés par les contrats onéreux imposés par les industriels. L'industrie de la volaille a également subi une vague de fusions au cours des années 1980. Huit sociétés contrôlent à présent les deux tiers du marché américain. Elles ont déplacé presque toute leur production dans le Sud rural, où le temps est clément, la main-d'œuvre pauvre, les syndicats peu représentés, et où les fermiers cherchent désespérément un moyen de rester sur leurs terres. L'Alabama, l'Arkansas, la Georgie et le Mississippi produisent désormais plus de la moitié des poulets élevés aux États-Unis. Si de nombreux facteurs ont contribué à révolutionner l'industrie de la volaille et à augmenter la puissance des grands groupes, une innovation a joué un rôle décisif. Le Chicken McNugget a transformé un volatile que l'on découpait autrefois à table en aliment facile à manger au volant d'une voiture. Il a changé une production agricole de base en produit manufacturé à valeur ajoutée. Enfin, il a encouragé l'émergence d'un système de production qui a réduit de nombreux éleveurs de poulets au rang de serfs.

« J'ai une idée, déclara Fred Turner, président de McDonald's, à l'un de ses fournisseurs en 1979. Je voudrais un petit morceau de poulet désossé à manger, de la taille d'un pouce. Pouvez-vous faire ça ? » Le fournisseur, un des dirigeants de Keystone Foods, mit un groupe de ses techniciens au travail dans un laboratoire où ils furent bientôt rejoints par des spécialistes de McDonald's. L'augmentation de la consommation de poulet aux États-Unis ne laissait pas d'inquiéter une chaîne de fast-foods vendant exclusivement des hamburgers. La viande de poulet provenait en général de poules trop vieilles pour pondre ; après la Seconde Guerre mondiale, une nouvelle industrie volaillère installée en Virginie et dans le Delaware fit diminuer le coût de l'élevage, alors même que la recherche médicale vantait les qualités de la viande de poulet. Fred Turner voulait faire vendre à McDonald's une forme de poulet qui ne se démarquerait pas de la « sensibilité » de la chaîne. Après six mois de recherches intensives, le laboratoire Keystone inventa une nouvelle technologie pour la fabrication des McNuggets – de petits morceaux de poulet reconstitué, composés essentiellement de viande blanche agglutinée par des stabilisants, panés, frits, surgelés puis réchauffés. Le premier test de commercialisation remporta un tel succès que McDonald's fit appel à une autre compagnie, Tyson Foods, pour se garantir un approvisionnement suffisant. Tyson, basé dans l'Arkansas, était l'un des plus gros transformateurs de volaille du pays ; il mit rapidement au point une nouvelle race de poulets qui faciliterait la production des McNuggets. Cette nouvelle race baptisée « M. McDonald » avait des blancs particulièrement charnus.

Les Chicken McNuggets furent commercialisés dans tout le pays en 1983. Un mois après leur lancement, la société McDonald's était devenue le deuxième acheteur de poulet des États-Unis derrière KFC. Les McNuggets avaient bon goût, étaient faciles à mâcher et paraissaient meilleurs pour la santé que d'autres plats du menu McDonald's. Après tout, c'était du poulet. Leurs effets bénéfiques n'étaient pourtant qu'illusoires. Un chercheur de l'école de médecine de Harvard analysa les McNuggets et découvrit que leur « profil en acides gras » les apparentait plus au bœuf qu'à la volaille. Ils cuisaient dans la graisse de bœuf, comme les frites. La chaîne passa rapidement à l'huile végétale, ajoutant de l'« extrait de bœuf » au processus de fabrication des McNuggets pour qu'ils conservent leur saveur familière. Les jeunes enfants d'aujourd'hui raffolent des Chicken McNuggets – qui contiennent deux fois plus de graisse qu'un hamburger.

Le McNugget a contribué à modifier non seulement le régime alimentaire des Américains, mais également le système d'élevage et de transformation de la volaille. « L'impact du McNugget fut tel qu'il changea toute l'industrie », reconnaît le président de ConAgra Poultry, troisième industriel de la volaille du pays. Il y a vingt ans, la plupart des poulets étaient vendus entiers ; aujourd'hui, 90 % des poulets vendus aux États-Unis sont découpés ou présentés sous forme de nuggets. En 1992, pour la première fois, la consommation de poulet a dépassé la consommation de bœuf. Le contrat McNuggets a permis à Tyson Foods de devenir le plus gros transformateur de volaille au monde. La société fabrique la moitié des McNuggets du pays et vend du poulet à quatre-vingt-dix des cent plus importantes chaînes de restaurants. C'est un groupe à intégration verticale, qui assure la reproduction, l'abattage et la transformation des poulets. Cependant, elle ne les élève pas, laissant les dépenses en capital et les risques financiers aux milliers d'« entrepreneurs indépendants ».

Un éleveur de poulets Tyson ne possède pas les volatiles de son poulailler. Comme la majorité des autres gros industriels, Tyson fournit à ses éleveurs des poussins de un jour. Entre le jour de leur naissance et celui de leur mort, ces oiseaux passent toute leur vie chez l'éleveur. Mais ils appartiennent à Tyson. La compagnie fournit aliments, services vétérinaires et soutien technique. Elle détermine les programmes alimentaires, exige la modernisation des installations et envoie des « inspecteurs de couvées » vérifier le respect des directives. Elle loue les camions qui livrent les poussins et reviennent au bout de sept semaines chercher les poulets adultes prêts pour l'abattoir. Une fois dans l'usine, les volailles sont comptées et pesées. Le revenu des éleveurs est calculé selon une formule qui rapporte leur nombre et leur poids à la quantité d'aliments utilisés.

Les éleveurs apporte terres, travail, poulaillers et combustible. La plupart doivent emprunter de l'argent pour construire leurs poulaillers, qui coûtent environ 150 000 dollars pièce et peuvent contenir 25 000 volailles. Un sondage mené en 1995 par l'Institut technique de Louisiane montre que l'éleveur moyen élève des poulets depuis quinze ans, est propriétaire de trois poulaillers, reste lourdement endetté et gagne dans les 12 000 dollars par an. La moitié environ des éleveurs de poulets du pays renonce au bout de trois ans, réussit à vendre ou perd tout. Les petits chemins de campagne de l'Arkansas sont aujourd'hui jonchés de poulaillers abandonnés.

La plupart des éleveurs de poulets ne peuvent obtenir de prêt bancaire s'ils n'ont pas déjà signé un contrat avec un des gros industriels de la filière. « Nous voulons d'abord voir le chèque, déclarait un banquier à l'*Arkansas Democrat-Gazette*. » Les éleveurs mécontents sont pieds et poings liés. Ils ont signé des contrats à court terme. Ceux qui se plaignent se retrouvent vite avec des poulaillers vides et des dettes à rembourser. Il y a vingt-cinq ans, lorsque les États-Unis comptaient plusieurs dizaines d'industriels de la volaille, les éleveurs pouvaient réussir à trouver un nouveau transformateur et à conclure un accord plus favorable. Aujourd'hui, les éleveurs catalogués comme « difficiles » n'ont souvent d'autre choix que de changer de métier. Un industriel peut résilier un contrat sans préavis. Il est propriétaire des poulets. Sans en arriver là, il peut allonger le délai entre le départ d'une couvée et l'arrivée de la suivante. Un poulailler vide fait perdre chaque jour un peu plus d'argent à l'éleveur.

Les gros industriels refusent de divulguer les termes de leurs contrats. Dans le passé, ce genre de contrat obligeait les éleveurs à renoncer au droit d'engager des poursuites judiciaires et leur interdisait d'adhérer à toute association susceptible de les rendre plus forts au moment des négociations. Les industriels n'aiment pas l'idée d'éleveurs unis pour protéger leurs intérêts. « Notre relation avec nos éleveurs est une relation contractuelle de un pour un..., déclarait un responsable de Tyson à un journaliste en 1998. Nous entendons qu'il en soit toujours ainsi. »

Captifs

Les quatre grosses sociétés d'abattage affirment que le niveau actuel des prix payés aux éleveurs pour leur bétail résulte d'une surabondance de bœufs, et non de l'attitude des industriels. Un certain nombre d'études menées par le ministère de l'Agriculture américain (USDA) sont parvenues à la même conclusion. La consommation annuelle de viande bovine aux États-Unis a culminé en 1976, à 47 kilos par personne environ. Aujourd'hui, un Américain en consomme en moyenne environ 34 kilos par an. La croissance de la population n'est pas assez rapide pour compenser le déclin de la consommation de bœuf. Les éleveurs qui s'efforçaient de stabiliser leurs revenus sont victimes de leur propre « erreur de composition ». Ils ont suivi les conseils des industries agroalimentaires et ont donné des hormones de croissance à leur bétail. Celui-ci est devenu beaucoup plus gros qu'avant ; ils en vendent moins ; en outre, la plus grande partie du bœuf américain ne peut être exportée vers l'Union européenne, qui a interdit l'emploi des hormones de croissance pour les bovins.

Les sociétés d'abattage prétendent que les réserves captives et le système de tarification actuel ont pour but d'augmenter leur efficacité, et non de contrôler les prix du bétail. La rentabilité de leurs abattoirs dépend de l'apport régulier d'un gros volume de bétail ; les réserves captives constituent le moyen sûr de maintenir ce volume. Les grandes sociétés se plaignent d'être devenues le bouc émissaire des éleveurs alors que le véritable problème vient de la baisse du prix de la volaille. Une livre de poulet coûte deux fois moins cher qu'une livre de bœuf. Les nouveaux contrats à long terme proposés aux éleveurs sont décrits comme des innovations destinées à sauver l'industrie du bœuf, non à la détruire. En réponse à une enquête de l'USDA menée en 1998 au Kansas, IBP a défendu ces « méthodes alternatives pour vendre du bétail engraissé ». La compagnie estimait que ces pratiques étaient « similaires aux changements déjà survenus [...] dans la vente d'autres produits agricoles », tels que la volaille.

Beaucoup d'éleveurs indépendants sont convaincus que les réserves captives servent essentiellement à contrôler le marché, et non à optimiser l'efficacité des abattoirs. Ils n'ont rien contre les transactions à grande échelle ou les contrats à long terme ; ils s'opposent au secret qui entoure la fixation des prix du bétail. Par-dessus tout, ils ne font pas confiance aux géants du secteur. Il peut sembler paranoïaque de croire que les hauts responsables de l'industrie agroalimentaire ont des entretiens téléphoniques secrets avec leurs concurrents, fixent les prix entre eux et se partagent le marché mondial – c'est précisément ce que croit la majorité des éleveurs et cultivateurs indépendants. Et c'est aussi précisément ce que la direction d'Archer Daniel Midlands, « le supermarché du monde », a fait pendant des années.

Trois hauts responsables d'Archer Daniel Midlands, dont le vice-président Michael Andreas, ont été incarcérés dans des prisons fédérales en 1999 pour collusion avec des concurrents étrangers dans le but de contrôler le marché international de la lysine (un important additif alimentaire). Le ministère de la Justice a enquêté sur ce gigantesque plan de fixation des prix pendant la période comprise entre août 1992 et décembre 1995. Au cours de ces trois années et demie, on estime qu'Archer Daniel Midlands et ses complices ont extorqué jusqu'à 180 millions de dollars aux fermiers. Pendant la même période, les responsables de cette société ont également rencontré leurs concurrents étrangers pour fixer le prix mondial de l'acide citrique (un additif alimentaire commun). Lors d'une réunion avec ses homologues japonais, enregistrée en secret, le président d'Archer Daniel Midlands exalta les vertus de leur collaboration. « Nous avons une devise dans notre groupe, dit-il. Nos concurrents sont nos amis, et nos clients sont nos ennemis. » Archer Daniel Midlands reste le premier producteur mondial de lysine et le premier transformateur mondial de soja et de maïs. C'est également l'un des plus gros actionnaires d'IBP.

Une enquête sur la concentration de l'industrie du bœuf menée en 1996 par l'USDA a établi que de nombreux éleveurs refusaient de témoigner contre les grandes sociétés d'abattage par crainte de « représailles » et de ruine économique. Mike Callicrate, un éleveur de St. Francis, dans le Kansas, décida cette année-là de faire des révélations sur le comportement des industriels de la filière, qu'il jugeait non pas incorrect, mais proprement criminel. « J'étais dans ma voiture, m'expliqua-t-il, et je me répétais : "Quand est-ce que quelqu'un va faire quelque chose ?" Et tout d'un coup je me suis rendu compte que personne ne ferait rien et qu'il fallait que j'essaie. » Il affirme qu'après sa déposition devant la commission de l'USDA, les grandes sociétés d'abattage ont rapidement cessé de lui faire des offres d'achat pour son bétail. « Je ne pouvais pas vendre mes bêtes, dit-il. Ils passaient devant mon parc à bestiaux et achetaient le bétail d'un autre gars 300 kilomètres plus loin. » Ses affaires vont un peu mieux aujourd'hui ; ConAgra et Excel recommencent à acheter son bétail. L'expérience a fait de lui un militant. Il refuse de « se laisser tomber dans l'esclavage sans lutter ». Il a témoigné devant des commissions parlementaires et s'est joint à une dizaine d'autres éleveurs qui ont engagé des poursuites contre IBP. IBP aurait enfreint la loi depuis des années par toute une variété de tactiques anticoncurrentielles. Selon Callicrate, le procès démontrera que la soi-disant efficacité productive de la compagnie n'est rien d'autre qu'un « vol efficace ». IBP réfute toutes les accusations. « Cela n'a aucun sens de nuire aux éleveurs de bétail, a déclaré un haut responsable à un journaliste, alors que nous dépendons d'eux pour faire tourner nos usines. »

La menace des riches voisins

L'Association des éleveurs du Colorado s'est constituée partie civile dans le procès engagé par Mike Callicrate contre IBP ; elle demande le rétablissement d'un marché concurrentiel et l'arrêt des pratiques d'achat illégales suivies par les grandes sociétés d'abattage. Cependant, les revenus des éleveurs du Colorado sont menacés par un danger qui n'a aucun rapport avec les fluctuations du prix du bétail. Au cours des vingt dernières années, le Colorado a perdu environ 600 000 hectares de pâturages au profit de l'immobilier. La croissance de la population et l'explosion du marché des résidences secondaires ont entraîné une augmentation considérable du prix des terrains. Des terres qui se vendaient moins de 50 dollars l'are dans les années 1960 se négocient actuellement plusieurs centaines de fois plus cher. Ces prix empêchent les éleveurs de développer leurs activités. Chaque tête de bétail a besoin de 12 hectares de pâturage environ ; à moins que les bovins se mettent à produire des pépites d'or au lieu d'aloyau, il est difficile de maintenir le niveau de production sur des terres aussi chères. Les familles d'éleveurs du Colorado sont généralement riches en terre et pauvres en argent liquide. Les droits de succession peuvent coûter plus de la moitié de la valeur d'un ranch. Même lorsqu'une famille réussit à tirer un profit de son ranch, il faut parfois vendre une grande partie des terres pour les léguer à la génération suivante, ce qui en diminue les capacités productives.

Le Colorado perd tout aussi rapidement la culture qui va avec ses ranches. Les lycéens de Harrison affirment leur appartenance à une tribu par toute une panoplie de genres vestimentaires : loubards, skaters, *stoners*, *goths* et punks. Mais on ne voit nulle part – à l'ombre de Pikes Peak, au cœur des Rocheuses – d'adolescent vêtu de près ou de loin comme un cow-boy. Personne ne porte de chemises à boutons-pression ou de bottes pointues. En 1959, huit des dix émissions de télé les plus populaires étaient des westerns. Les chaînes de télévision diffusaient trente-cinq westerns par semaine, aux heures de grande écoute, et des endroits comme le Colorado, où vivaient de vrais cow-boys, faisaient rêver les enfants. Cette Amérique semble aujourd'hui aussi morte et lointaine que l'Angleterre du roi Arthur. J'ai vu des centaines de lycéens à Colorado Springs, et un seul coiffé d'un chapeau de cow-boy. Il s'appelait Philly Favorite, jouait de la guitare dans un groupe baptisé les Deadites et son chapeau de cow-boy était couvert de fausse peau de zèbre.

L'âge moyen des éleveurs et fermiers du Colorado est cinquante-cinq ans, ce qui signifie que la moitié environ des prairies du Colorado changera de mains dans les vingt prochaines années – une aubaine pour les promoteurs immobiliers. Un certain nombre de fondations aident les éleveurs à obtenir des droits de préservation. Un éleveur qui accorde à l'une de ces fondations des droits d'exploitation future bénéficie d'une réduction d'impôts immédiate et d'une baisse des impôts sur sa succession. La terre reste propriété privée mais ne pourra jamais légalement être transformée en terrain de golf, centre commercial ou lotissement. En 1995, l'Association des éleveurs du Colorado a constitué la première fondation de protection de la terre uniquement consacrée à la préservation des ranches. Elle a déjà protégé 16 000 hectares, ce qui n'est pas négligeable. Malheureusement, les pâturages disparaissent au rythme de 35 000 hectares par an.

Ces dispositions bénéficient davantage aux riches propriétaires de ranches qui tirent leurs revenus d'autres sources. Les médecins, avocats et courtiers qui élèvent du bétail sur certaines des plus belles terres du Colorado peuvent posséder des ranches immenses, préserver les grands espaces grâce aux nouveaux droits et profiter d'appréciables réductions d'impôts. Les éleveurs dont le revenu annuel provient entièrement de la vente de bétail ne gagnent généralement pas assez d'argent pour tirer profit de ce genre de réductions. Quant à la valeur de leurs terres, et les pressions pour les vendre, elles augmentent souvent lorsqu'un voisin plus prospère obtient un droit de préservation, puisque le panorama de la région ne risque pas d'être gâché.

Les pires difficultés économiques se posent aux éleveurs qui possèdent quelques centaines de têtes de bétail, exploitent leurs propres terres, ne disposent d'aucun autre revenu et n'ont rien à gagner d'une importante réduction d'impôts. Ils doivent lutter contre des « gentlemen-ranchers » qui peuvent se permettre de ne tirer aucun profit de leur élevage et contre des éleveurs à temps partiel dont l'activité est épaulée par un emploi d'appoint. De fait, les éleveurs qui connaîtront des problèmes financiers sont ceux qui vivent la vie et incarnent les valeurs censées constituer l'âme de l'Ouest américain. Ils sont indépendants et autonomes, épris de liberté, durs au travail – et ils en paient le prix.

Le lien brisé

Hank est mort en 1998. Il a mis fin à ses jours une semaine avant Noël. Il avait quarante-trois ans.

J'ai reçu la nouvelle avec un sentiment d'incompréhension totale. L'homme que je connaissais était tout feu tout flammes, le genre qui se jette tête baissée dans tout ce qu'il entreprend. Il ne se cachait pas. C'était un homme engagé qui siégeait dans d'innombrables conseils et commissions. Il avait un sens de l'humour fabuleux. Il aimait sa famille. Sa mort semblait contredire tout ce qui représentait sa vie.

Il serait faux de dire que Hank est mort à cause de l'influence corporatiste et uniformisante des chaînes de fast-foods, du monopole de l'industrie de l'abattage, de la baisse des prix du marché du bétail, des forces économiques qui acculent les éleveurs à la faillite, des dispositions fiscales qui avantagent les riches éleveurs ou de la pression continue des promoteurs immobiliers du Colorado. Mais ce ne serait pas entièrement faux. Hank subissait des pressions énormes au moment de sa mort. Il essayait de trouver un moyen de bénéficier de droits de préservation qui auraient garanti la protection de ses terres sans sacrifier la sécurité financière de sa famille. Les prix du bétail avaient atteint leur point le plus bas depuis dix ans. Enfin, le comté d'El Paso prévoyait de bâtir une nouvelle autoroute qui passerait juste au cœur de son ranch. Tous ces problèmes, ajoutés à d'autres, lui firent perdre le sommeil et il sombra dans une dépression qui l'entraîna rapidement vers le fond.

Le taux de suicide des éleveurs et cultivateurs des États-Unis est trois fois supérieur à la moyenne nationale. Cette question a suscité quelque intérêt pendant la crise agricole des années 1980, mais elle est vite retombée dans l'oubli. Pendant ce temps, le bilan s'alourdit dans les campagnes américaines. Le mode de vie traditionnel de l'éleveur disparaît avec une bonne partie des valeurs qui le définissaient. Le code de l'éleveur pourrait difficilement être plus éloigné de l'état d'esprit actuel du pays. Dans la Silicon Valley, entrepreneurs et capitalistes considèrent l'échec comme un premier pas vers le succès. Après la faillite de trois start-up liées à Internet, il reste une chance pour que la quatrième marche. Au bout du compte, ce que l'on vend a moins d'importance que la façon dont on le vend. L'échec d'un éleveur au contraire risque fort d'être définitif. Les terres perdues ne sont pas un simple produit. Elles ont une signification qui ne se mesure pas en dollars. Elles sont un lien tangible avec le passé, elles doivent être léguées aux enfants, ne jamais être vendues. Ainsi que le fait observer Osha Gray Davidson dans son livre *Broken Heartland* (1996), « faire défaut à une longue lignée de parents [...] se voir comme le maillon faible d'une chaîne solide [...] est un fardeau terrible, et pour certains intolérable ».

Lorsque Hank avait huit ans, il a été le sujet d'un livre pour enfants qui racontait l'histoire du premier rassemblement de bétail d'un petit garçon, avec photos à l'appui. Le petit Hank y porte des jeans et un chapeau noir, monte un cheval blanc, chevauche aux côtés de vrais cow-boys et observe un troupeau de bovins dans un corral. On voit très bien pourquoi Hank a été choisi. Son visage est vivant et expressif ; il sait monter à cheval ; il sait manier le lasso ; il a l'air courageux, prêt à sauter une barrière ou à poursuivre un bouvillon de dix fois sa taille. Le garçon de l'histoire a peur des animaux du ranch au début, mais il réussit à vaincre sa peur du bétail, des serpents et des coyotes. L'histoire finit bien et la dernière image fait écho à la scène finale d'un western classique de Hollywood, avec son affirmation de l'esprit de liberté et d'indépendance. Accompagné par un cow-boy plus âgé et entouré d'un troupeau de bœufs, le petit Hank monté sur son cheval blanc galope à travers la grande prairie, en direction de l'horizon.

Dans la vie réelle, il n'a pas eu droit à ce genre de fin. Il a été enterré sur son ranch, dans un simple cercueil de bois fait par des amis.

On sent la ville de Greeley bien avant de la voir. L'odeur, difficile à oublier, est un indescriptible mélange d'animaux vivants, de fumier et d'animaux morts transformés en aliments pour chiens. La puanteur qui empire pendant les mois d'été enveloppe Greeley jour et nuit comme un brouillard invisible. De nombreux habitants ne la remarquent même plus ; elle passe au second plan, présente sans l'être, comme le bruit de la circulation pour les New-Yorkais. D'autres y pensent sans arrêt, même au bout de plusieurs années ; elle envahit tout, leur donne des migraines et la nausée, les empêche de dormir. Greeley est une ville industrielle moderne du Colorado dont le bétail est le principal produit, où machines et ouvriers transforment d'énormes bovins en petits paquets de viande emballée sous vide. Les milliards de hamburgers consommés chaque année dans les fast-foods américains viennent d'endroits comme Greeley. L'industrialisation de l'élevage du bétail et du conditionnement de la viande a radicalement modifié, en vingt ans, le mode de production du bœuf – et les villes qui la pratiquent. Pour répondre aux exigences des chaînes de fast-foods et de supermarchés, les géants de l'abattage ont réduit leurs frais en rognant sur les salaires. Ils ont fait d'un des métiers les plus rémunérateurs de cette industrie l'un des moins bien payés, ont créé une main-d'œuvre industrielle d'immigrants pauvres, toléré un taux élevé d'accidents du travail et implanté des ghettos ruraux jusqu'au cœur de l'Amérique. Crime, pauvreté, drogue et sans-logis sont apparus dans des villes où l'on n'aurait jamais pensé les rencontrer. Les effets de ce nouveau régime de l'abattage sont devenus aussi inévitables que les odeurs qui émanent des parcs à bestiaux, usines de conditionnement et autres réservoirs de déchets animaux.

La ConAgra Beef Company dirige le plus gros complexe de conditionnement de viande du pays, à quelques kilomètres à peine au nord du centre de Greeley. Le comté de Weld, dont Greeley fait partie, tire plus de revenus des produits carnés que tout autre comté des États-Unis. ConAgra est le plus important employeur privé du comté : outre l'abattoir à bovins et l'abattoir à ovins, la compagnie possède également des installations de conditionnement et de transformation.

Pour alimenter l'abattoir à bovins, ConAgra dispose de deux énormes unités d'engraissement. Chacune d'elles peut contenir jusqu'à 100 000 têtes de bétail. Les animaux sont parfois tellement serrés qu'on aperçoit comme une mer de bétail, une masse mouvante et mugissante au pelage brun ou blanc qui s'étend sur des centaines d'ares. Ce bétail ne broute pas l'herbe à bison de la prairie. Trois mois avant l'abattage, il mange les céréales contenues dans de longues mangeoires en béton qui ressemblent aux glissières de sécurité des autoroutes. Ces céréales font engraisser rapidement les bêtes, avec l'aide de stéroïdes anabolisants injectés directement dans leurs oreilles. Un bœuf moyen consomme plus 1 500 kilos de céréales pendant son séjour dans l'unité d'engraissement, pour un gain de poids de 200 kilos. Le procédé entraîne une quantité considérable de déchets. Chaque animal rejette environ 25 kilos d'urine et d'excréments par jour. Contrairement aux excréments humains, ceux des animaux ne sont pas retraités. Ils sont déversés dans de grandes fosses que l'industrie appelle « lagons ». La quantité de déjections laissées par le bétail qui passe par le comté de Weld est étourdissante. Les deux unités d'engraissement Montfort proches de Greeley produisent plus d'excréments que les villes de Denver, Boston, Atlanta et St. Louis réunies.

Avant de se spécialiser dans le conditionnement de la viande, Greeley était une communauté utopiste de petits fermiers. Elle a été fondée en 1870 par Nathan Meeker, rédacteur dans un journal new-yorkais, qui voulait créer dans l'Ouest américain une ville consacrée à l'agriculture, à l'éducation et à l'entraide, et aux valeurs morales élevées. Meeker baptisa la nouvelle colonie idéaliste du nom de son patron au *New York Tribune*, Horace Greeley, auteur d'un conseil devenu légendaire, « Va à l'ouest, jeune homme[1] ». La ville de Greeley, dans le Colorado, prospéra grâce à la production de grains et de betteraves à sucre. Mais Nathan Meeker ne vécut pas assez vieux pour

---

1. « *Go west, young man !* » (NDT).

profiter de son succès. En 1879, il eut une mauvaise querelle avec un groupe d'Indiens Utes, qui le tuèrent et le scalpèrent.

Les fermiers de Greeley s'isolèrent longtemps des éleveurs locaux et construisirent même une barricade de 70 kilomètres de long pour se protéger du bétail. Pendant la Grande Dépression, quand le prix des produits agricoles s'effondra, un instituteur de Greeley nommé Warren Montfort se mit à acheter des céréales aux cultivateurs du coin pour en nourrir son bétail. À cette époque, le bétail américain se nourrissait essentiellement d'herbe. Il paissait dans la prairie ou vivait sur les fermes où on lui donnait du fourrage. Montfort devint bientôt un des plus importants engraisseurs de bétail du pays ; il achetait à bas prix le maïs, les betteraves à sucre et la luzerne de ses voisins. Son entreprise se développa surtout après la Seconde Guerre mondiale. En nourrissant son bétail tout au long de l'année, Montfort pouvait contrôler le moment des ventes et attendre les meilleurs prix sur le marché aux bestiaux de Chicago. La viande des bœufs nourris aux céréales était grasse et tendre ; contrairement à celle des bœufs nourris à l'herbe, elle n'avait pas besoin de plusieurs semaines de maturation ; on pouvait la consommer quelques jours après l'abattage. Des unités d'engraissement s'ouvrirent dans tout le Midwest américain. Les surplus de céréales en grande partie encouragés par la politique de soutien des prix du gouvernement américain fournissaient une nourriture bon marché pour le bétail et firent de l'engraissement une pratique courante dans l'industrie du bœuf. Warren Montfort se lança dans cette activité en 1930 avec 8 têtes de bétail. À la fin des années 1950, il en engraissait environ 20 000.

En 1960, Montfort et son fils Kenneth ouvrirent un petit abattoir près de leurs unités d'engraissement de Greeley. Ils signèrent un accord généreux avec le syndicat des bouchers, garantissant primes d'ancienneté et heures supplémentaires pour le travail de nuit. Les employés de l'abattoir Montfort étaient parmi les mieux payés de Greeley, et la liste d'attente était longue pour y obtenir du travail. Greeley devint la ville de la compagnie, dominée par la famille Montfort et dirigée avec un paternalisme exceptionnel. Ken Montfort était un familier de l'abattoir. Les employés n'hésitaient pas à lui soumettre suggestions et réclamations. Il avait un parcours inhabituel pour un dirigeant d'entreprise de cette filière. C'était un démocrate libéral, qui avait siégé à l'assemblée de l'État pendant deux mandats. Ouvertement opposé à la guerre du Vietnam, c'était l'une des deux personnalités du Colorado qui figuraient sur la « liste noire » du président Nixon. Il en était d'ailleurs très fier. Après les élections syndicales qui eurent lieu dans son abattoir en 1970, Ken Montfort envoya au nouveau délégué une chaleureuse lettre personnelle. « Si je peux vous être d'une aide quelconque, écrivait-il, ma porte vous est ouverte. » La prospérité et la paix sociale de Greeley furent pourtant vite menacées par les changements fondamentaux qui balayaient l'industrie du conditionnement de la viande – une tempête connue sous le nom de « révolution IBP ».

Va à l'ouest

À l'époque de son ouverture, l'abattoir de Greeley était à un emplacement inhabituel. Les usines de conditionnement de viande se trouvaient plutôt dans les zones urbaines. La plupart des grandes villes américaines avaient un quartier de la viande avec ses propres parcs à bestiaux et abattoirs. Le bétail y était acheminé par chemin de fer, abattu, découpé et vendu aux bouchers et grossistes locaux. Omaha et Kansas City étaient des centres importants, et l'immeuble des Nations unies se dresse sur un terrain jadis occupé par les parcs à bestiaux de New York. Pendant plus d'un siècle, c'est Chicago qui a fait office de capitale mondiale de la viande. Le trust du bœuf y est né, toutes les grandes sociétés de conditionnement y avaient leur siège et 40 000 personnes y travaillaient dans une zone de 2 km² organisée autour des parcs à bestiaux Union Stockyard. Des quartiers de bœuf réfrigérés étaient expédiés dans tous les États-Unis, mais aussi dans l'Europe entière, depuis Chicago. À l'aube du XXᵉ siècle, Upton Sinclair considérait Packing-town – la ville du conditionnement – comme « le plus grand agrégat de travail et de capital jamais assemblé au même endroit ». C'était pour lui l'accomplissement suprême du capitalisme américain et son plus grand déshonneur.

Les vieux abattoirs de Chicago étaient des bâtiments de brique de qua-tre ou cinq étages. Le bétail était poussé sur des rampes de bois jusqu'au premier étage, où il était assommé, abattu puis découpé par des ouvriers qualifiés. Les animaux quittaient le bâtiment par le rez-de-chaussée, sous forme de quartiers de bœuf, de conserves ou de boîtes de saucisses, prêts à être chargés dans des wagons de chemin de fer.

Les conditions de travail de ces usines étaient empreintes de brutalité. Dans La Jungle (1906), Upton Sinclair décrit une litanie d'atrocités : graves blessures du dos et de l'épaule, lacérations, amputations, exposition à des produits chimiques dangereux et un mémorable accident du travail dont fut victime un homme transformé en saindoux après une chute dans une cuve. L'usine ne s'arrêta pas pour autant et le saindoux fut vendu à des consommateurs sans méfiance. Les êtres humains, d'après Sinclair, étaient devenus les « rouages de la grande machine de conditionnement », faciles à remplacer et entièrement jetables. Le président Theodore Roosevelt ordonna une enquête indépendante sur les détails sensationnels de *La Jungle*. Leur véracité fut confirmée par les inspecteurs fédéraux, qui découvrirent que les ouvriers des usines de conditionnement de Chicago travaillaient « dans des conditions aucunement nécessaires et impardonnables, qui représentent une menace continuelle non seulement pour leur santé, mais pour celle de tous ceux qui consomment les produits qu'ils préparent ».

Le scandale qui éclata alors incita le Congrès à adopter des lois sur l'hygiène alimentaire, en 1906. Mais rien ne fut entrepris pour améliorer la vie des ouvriers dont les vicissitudes avaient inspiré l'œuvre de Sinclair. « J'ai visé le cœur du public, écrivit-il par la suite dans son autobiographie, et je l'ai atteint par hasard à l'estomac. » Au cours des trente années qui suivirent, les syndicats se battirent pour obtenir une représentation parmi les ouvriers des abattoirs et des usines de conditionnement, en majorité originaires d'Europe de l'Est. Les grandes sociétés eurent recours aux espions, aux listes noires et à des briseurs de grève afro-américains pour saboter leurs efforts. Pourtant, la plupart des ouvriers de Chicago étaient syndiqués à la fin de la Grande Dépression. Après la Seconde Guerre mondiale, leurs salaires augmentèrent considérablement, pour dépasser rapidement le salaire moyen des ouvriers de l'industrie. Le conditionnement de la viande restait un métier épuisant et dangereux, mais il était bien payé et convoité. Il procurait un revenu stable d'un niveau égal à celui de la classe moyenne. Swift & Company, la plus grosse entreprise du secteur depuis les années 1960, était également le dernier des cinq gros industriels de la viande contrôlé par des capitaux privés. À la manière de Ken Montfort, Harold Swift gérait la compagnie fondée par son père avec un soin paternaliste. Swift & Company payait les meilleurs salaires de la filière, garantissait la sécurité de l'emploi à long terme, travaillait main dans la main avec les représentants syndicaux et versait primes, pensions et autres avantages sociaux.

En 1960, deux anciens directeurs de Swift nommés Currier J. Holman et A. D. Anderson, persuadés qu'en réduisant les coûts ils pourraient rivaliser avec les géants de l'industrie, décidèrent de fonder leur propre société de conditionnement de la viande. Iowa Beef Packers ouvrit son premier abattoir l'année suivante – une usine qui exerça, à sa manière, une influence aussi considérable que le premier service ultrarapide McDonald's à San Bernardino. Appliquant au conditionnement de la viande les mêmes principes de travail que les frères McDonald à la préparation des hamburgers, Holman et Anderson élaborèrent pour leur abattoir de Denison, dans l'Iowa, un système de production qui rendait superflu le travail qualifié. La nouvelle usine IBP était un bâtiment d'un seul étage équipé d'une chaîne de découpe. Chaque ouvrier occupait un poste le long de la chaîne et répétait la même tâche simple, par exemple une découpe au couteau, plusieurs milliers de fois pendant huit heures. Tous les avantages emportés de haute lutte par les ouvriers de la filière depuis l'époque de *La Jungle* entravaient le nouveau système d'IBP, dont le succès dépendait de l'utilisation d'une main-d'œuvre impuissante et bon marché. À l'aube de l'ère du fast-food, IBP devint une société de conditionnement de la viande dotée d'une mentalité de fast-food, obnubilée par le débit, l'efficacité, la centralisation et le contrôle. « Nous nous sommes efforcés de dépouiller chaque étape de sa qualification », se vanta par la suite A. D. Anderson.

Non contente de créer un système de production de masse qui employait une main-d'œuvre déqualifiée, la société IBP installa ses nouveaux abattoirs dans des zones rurales, à proximité des unités d'engraissement – loin des bastions urbains des syndicats du pays. Le réseau d'autoroutes tout neuf lui permettait d'acheminer la viande par camions, sans dépendre du chemin de fer. En 1967, IBP ouvrit à Dakota City, dans le Nebraska, une grande usine où le bétail était non seulement abattu, mais « fabriqué » en morceaux de plus petite taille – de première ou de deuxième catégorie (paleron, aloyau, côtes premières et tranche, ou paupiettes, par exemple). Au lieu d'expédier la viande par quartiers entiers, IBP livrait des « barquettes de bœuf » emballées sous vide. Cette nouvelle méthode de commercialisation du bœuf permit aux supermarchés de licencier la majorité de leurs bouchers syndiqués. De plus, IBP conservait des quantités énormes d'os, de sang et de déchets de viande qui pouvaient être transformés en produits dérivés lucratifs, comme les aliments pour chiens. IBP équipa bientôt ses usines de « hachoirs », des machines qui produisaient de grandes quantités de viande hachée pour hamburgers, condamnant à la ruine grossistes et petits fabricants. Les bas salaires et les nouvelles techniques de production de la société allaient transformer de bout en bout l'industrie de la viande, de l'unité d'engraissement jusqu'à l'étal du boucher.

La révolution IBP obéissait à une vision du monde implacable et sans concession. Dans un milieu qui cultivait volontiers le goût de la rudesse, Currier J. Holman se targuait d'être un dur d'entre les durs. Il n'aimait pas les syndicats et n'hésitait pas à prendre toutes les mesures nécessaires pour les briser. IBP devait mener ses affaires, affirmait-il, comme on livre une guerre. Quand les ouvriers de l'usine IBP de Dakota City se mirent en grève en 1969, Holman engagea des « jaunes » pour les remplacer. Les grévistes répondirent en tirant à travers la vitre de son bureau, où un espion présumé de la compagnie fut tué, et en dynamitant le domicile du conseiller juridique d'IBP. Confronté à une véritable guerre, Holman chercha l'appui d'un allié extrêmement puissant.

Au printemps 1970, Holman et trois hauts responsables d'IBP se rendirent à New York pour y rencontrer secrètement Moe Steinman, un « consultant en droit du travail » étroitement lié à la Cosa Nostra. Les bouchers syndiqués de New York empêchaient la vente des barquettes de bœuf d'IBP par solidarité avec les grévistes et pour protéger leurs propres emplois. IBP était impatient d'envoyer ses produits dans la région métropolitaine de New York, le plus gros marché du pays pour la viande de bœuf. Moe Steinman proposa d'aider à mettre un terme au boycott des bouchers en échange d'une « commission » de 1 cent par kilo de bœuf IBP vendu à New York. IBP prévoyait d'expédier à New York plusieurs centaines de millions de kilos de bœuf par an. Currier J. Holman accepta de payer cette commission à la mafia et les chefs du syndicat des bouchers de New York retirèrent promptement leurs objections à la vente des barquettes de bœuf d'IBP. Les premières livraisons ne tardèrent pas à arriver à Manhattan.

Après une longue enquête sur l'implication de la mafia dans l'industrie de la viande à New York, Currier J. Holman et IBP furent jugés en 1974 et reconnus coupables de corruption de dirigeants syndicaux et de grossistes en viande. Le juge Burton Roberts imposa une amende de 7 000 dollars à IBP, mais Holman ne fut pas inquiété ; le juge estima que les pots-de-vin s'avéraient parfois indispensables pour traiter des affaires à New York. Les liens de Holman avec l'organisation du crime s'étendaient pourtant bien au-delà du genre de versements que les honnêtes entrepreneurs de New York se voyaient souvent forcés d'effectuer. Il avait nommé un des amis de Moe Steinman au conseil d'administration d'IBP (un homme qui dix ans plus tôt avait fait de la prison pour corruption d'inspecteurs des services vétérinaires et vente de viande avariée à l'armée américaine) et le gendre de ce dernier à un poste de vice-président chargé de la filiale du conditionnement (alors que cet homme, pour reprendre les termes utilisés par le juge Roberts, « n'y connaissait quasi rien »). Holman avait également renvoyé quatre hauts responsables d'IBP qui refusaient de traiter avec des représentants de l'organisation du crime. Les enquêtes menées ensuite par *Forbes* et le *Wall Street Journal* citèrent IBP parmi les exemples les plus significatifs de l'infiltration d'une société ordinaire par la mafia.

L'implacable cassage des prix d'IBP mit les industries traditionnelles de Chicago au pied du mur : il fallait partir vers l'Ouest ou fermer boutique.

Partir vers l'Ouest ne symbolisait plus la démocratie ni la liberté, mais une main-d'œuvre bon marché. Les usines de conditionnement de Chicago fermèrent l'une après l'autre et l'on construisit des abattoirs dans des États ruraux hostiles aux syndicats. Les nouvelles usines de l'Iowa, du Kansas, du Texas, du Colorado et du Nebraska suivirent l'exemple d'IBP ; elles proposaient des salaires parfois inférieurs de moitié à ceux des ouvriers syndiqués de Chicago.

J'ai récemment traversé le quartier de Packingtown en compagnie de Ruben Ramirez, président de l'UFCW (United Food and Commercial Workers), le syndicat de l'industrie du conditionnement de la viande de Chicago. Ramirez, malgré ses soixante ans, est un homme aux larges épaules, au cou de taureau, aux mains impressionnantes, qui a l'air tout à fait capable de continuer à travailler dans un abattoir. Son crâne soigneusement rasé ajoute à son apparence redoutable. Lorsqu'il est arrivé dans les parcs à bestiaux de Chicago en 1956, des cow-boys à cheval guidaient encore le bétail des enclos jusqu'aux abattoirs. Il avait dix-sept ans et ne parlait pas un mot d'anglais. Tout juste arrivé de Guanajato, au Mexique, il fut embauché dans une usine de conditionnement de Swift & Company. C'était l'un des rares Mexicains employés là-bas ; les autres ouvriers étaient polonais, lituaniens et afro-américains. Ils méprisaient les Mexicains et ne laissaient pas Ramirez utiliser de couteau ou accomplir des tâches spécialisées. Les contremaîtres lui donnaient tout le sale travail de l'usine. Il portait de lourdes boîtes et des fûts pleins de viande dégoulinants de sang qui coagulait et gelait sur ses vêtements en hiver. Au bout de quelques années, il partit chez Glenn & Anderson, une société de transformation où il travaillait dans l'assainissement. Trois ans plus tard, il obtint enfin une promotion et le droit de couper la viande. Il vit des amis gravement blessés au travail, perdit le majeur de sa main droite en utilisant une scie, fut assommé par un quartier de bœuf détaché de son crochet. Il épousa une jeune femme rencontrée à l'église et eut six enfants. Il se levait à quatre heures du matin, travaillait huit heures par jour chez Glenn & Anderson, puis suivait des cours du soir. La vie n'était pas facile, mais son salaire était suffisant pour que sa femme puisse rester à la maison et s'occuper des enfants. Ils allèrent tous à l'université.

Ruben Ramirez s'engagea activement dans le syndicat, d'abord comme délégué, puis comme dirigeant. Il prit la nationalité américaine par gratitude pour ce pays qui lui avait donné sa chance ; il était particulièrement fier de la réussite de ses enfants. En 1993, il devint le premier « Latino » à diriger un syndicat local de l'UFCW aux États-Unis. Mais à mesure qu'il grimpait les échelons de Packingtown, tout l'édifice s'effondrait sous ses yeux. La satisfaction qu'il tirait de son propre succès devait être tempérée par la dure et froide réalité. J'écoutais Ruben Ramirez me raconter l'histoire de sa vie en regardant défiler par la vitre de ma portière une série de scènes de désolation : hangars et abattoirs abandonnés, terrains vagues, taudis et parkings avaient remplacé les parcs à bestiaux de Chicago.

Le plus important agrégat de travail et de capital assemblé en un seul endroit a presque entièrement disparu, et seuls subsistent quelques lambeaux de son histoire au milieu des amas de briques des nouveaux projets immobiliers. L'industrie locale du conditionnement de la viande qui employait jadis 40 000 personnes n'en compte plus que 2 000 aujourd'hui. Quatre-vingt-quinze pour cent des emplois ont été délocalisés. Le dernier parc à bestiaux de Chicago a fermé en 1971. Il ne reste plus qu'un seul abattoir, une vieille usine de conditionnement du porc. Une poignée de transformateurs exercent encore leur activité : ce sont des sociétés qui fabriquent du bacon, des saucisses, des palets de viande hachée et des produits casher. L'âme des lieux s'est envolée avec les gros industriels.

Nous sommes sortis de la voiture à l'entrée du quartier de l'Union Stockyards ; elle est marquée par une arche monumentale construite en 1875 et flanquée de deux tourelles victoriennes. Des millions d'hommes, de chevaux et de têtes de bétail l'ont traversée au fil des années. Cet endroit qui se trouvait au centre du tumulte et de l'agitation bruyante baigne désormais dans un silence désolé que viennent parfois troubler les rares voitures qui se rendent au parc industriel proche. Une tête de bœuf sculptée dépasse du centre de l'arche. Du verre brisé et une vieille chaussure de sport gisent sur le sol. Des mauvaises herbes poussent entre les pavés disjoints et la surface pâle de l'arche est toute craquelée. L'endroit ressemble à un site archéologique, aux ruines d'une civilisation américaine perdue.

Des sacs de pognon

Pendant les années 1970, les relations cordiales entre la direction de Montfort et les ouvriers de l'abattoir de Greeley prirent fin. La source du conflit était simple : Montfort voulait réduire ses frais de personnel, mais les ouvriers estimaient qu'il n'y avait aucune raison de baisser les salaires tant que la compagnie faisait des bénéfices et que l'inflation annuelle était supérieure à 10 %. Des négociations s'engagèrent en 1979 avec les ouvriers de Greeley, désormais représentés par l'UFCW ; au même moment, Ken Montfort rachetait à Swift & Company un abattoir à Grand Island, dans le Nebraska. Swift ferma l'abattoir avant de le céder et licencia tous les ouvriers, qui étaient également syndiqués à l'UFCW. Lorsque Montfort en prit le contrôle quelques semaines plus tard, il signa un accord secret avec le Syndicat maritime national – un mouvement qui n'avait jamais représenté les ouvriers de l'industrie du conditionnement et qui accepta rapidement d'importantes baisses de salaire.

Les employés de Greeley se mirent en grève en novembre 1979. Montfort refusa de céder à leurs exigences et le conflit s'envenima. La société engagea des jaunes. Ken Montfort reçut des menaces de mort. Huit semaines après le début de la grève, les ouvriers décidèrent de reprendre le travail ; des unités spéciales de la police les empêchèrent de pénétrer dans l'abattoir. Lorsque la société autorisa enfin les ouvriers à entrer dans l'usine, certains désobéirent aux contremaîtres et se livrèrent à des actes de sabotage. Après plusieurs mois d'anarchie, Montfort ferma l'abattoir de Greeley et licencia tous les employés. Le paternalisme avait vécu. Ken Montfort n'était plus un démocrate libéral, mais un républicain capitaliste.

L'abattoir de Greeley rouvrit en 1982, sans syndicat, avec des salaires réduits de 40 %. Les anciens employés ne furent pas repris. Montfort transféra certains ouvriers de l'usine de Grand Island et en embaucha de nouveaux. Bien qu'il eût décidé de suivre la politique d'opposition aux syndicats d'IBP, Ken Montfort résistait farouchement au processus de fusions qui touchait l'industrie du conditionnement de la viande. Au début des années 1980, les entreprises du secteur fermaient l'une après l'autre, quand elles n'étaient pas rachetées par un rival plus important. En 1983, Montfort engagea des poursuites contre Excel – le deuxième transformateur de bœuf du pays – pour l'empêcher d'acheter Spencer Beef, troisième société de la filière. Montfort affirmait que l'acquisition en vue permettrait à Excel d'imposer sa politique de prix et de réduire la concurrence. Une commission de juges fédéraux trancha en faveur de Montfort, mais Excel fit appel devant la Cour suprême. Le ministère de la Justice du président Reagan intervint – au bénéfice d'Excel, auquel il reconnut le droit d'acheter une société concurrente.

L'administration Reagan ne s'opposa pas à la disparition de plusieurs centaines de petites sociétés de conditionnement de la viande. Bien au contraire, elle empêcha l'application des lois antitrusts. En 1986, la Cour suprême cassa le premier jugement et approuva la fusion des deuxième et troisième plus grosses entreprises du secteur. L'année suivante, Montfort accepta l'offre de rachat de ConAgra. « Il me semblait que si l'industrie devait se retrouver entre quelques mains, expliqua-t-il, trois joueurs valaient mieux que deux. » Le contrat lui attribuait un poste de direction dans la filière viande rouge de ConAgra, et sa famille toucha environ 270 millions de dollars d'actions de cette société.

En achetant Montfort, ConAgra devenait la première entreprise mondiale de conditionnement de la viande. Elle est aujourd'hui le plus important fournisseur de produits alimentaires des États-Unis. Premier producteur de frites (par sa filiale Lamb Weston), ConAgra est également le premier transformateur d'ovins et de dindes, le plus gros distributeur de produits chimiques pour l'agriculture, le deuxième fabricant d'aliments surgelés, le deuxième minotier et le troisième transformateur de poulets et de porcs du pays ; ConAgra produit aussi, entre autres, des graines et du fourrage. La compagnie vend sa production sous une bonne centaine de marques différentes, dont Hunt's, Armour, La Choy, Country Pride, Swiss Mill, Orville Redenbacher's, Reddi-Wip, Taste O'Sea, Knott's Berry Farm, Hebrew National et Healthy Choice. Si très peu d'Américains connaissent l'existence de ConAgra, ils consomment certainement au moins un de ses produits chaque jour.

Il y a vingt ans, ConAgra – association de deux mots latins dont le sens suggère un « partenariat avec la terre » – était une obscure société du Nebraska dont les revenus annuels atteignaient à peine 500 millions de dollars environ. L'année dernière, ils dépassaient 25 milliards de dollars. La croissance phénoménale de la société est due à l'esprit d'entreprise de son inamovible directeur général, Charles « Mike » Harper. Quand Harper reprit ConAgra, en 1974, la société perdait de l'argent, la valeur monétaire de son stock était de 10 millions de dollars et celle de sa dette de 156 millions de dollars. Si l'on en croit l'histoire officielle de la compagnie, *ConAgra Who ?* (1989), Harper institua rapidement une nouvelle philosophie d'entreprise. « Harper déclara à chaque directeur général qu'il lui confiait un sac de pognon, explique le livre, et qu'à la fin de l'année il s'attendait à ce qu'ils le lui rendent – avec un petit extra. » En guise d'inspiration, il offrit à chacun de ses directeurs une plaque personnalisée. Elle représentait deux vautours de bande dessinée, perchés sur un arbre. « Patience, mon cul, disait un vautour à son compagnon. Je vais aller tuer quelqu'un. »

L'obligation de ramener chaque année un plus gros sac de pognon a incité un certain nombres d'employés de ConAgra à enfreindre la loi. En 1989, une cour fédérale a reconnu la société coupable de tromperie systématique aux dépens de ses éleveurs de poulets en Alabama. Sur une période de huit années, 45 256 chargements de poulets adultes ont été délibérément mal pesés dans une usine de transformation ConAgra de cet État. Les employés avaient faussé les balances pour que les volatiles semblent peser moins lourd. Cette fraude a coûté 17,2 millions de dollars de dommages et intérêts à la compagnie.

En 1995, ConAgra a accepté de payer 13,6 millions de dollars pour mettre fin à des poursuites qui l'accusaient d'entente illégale avec sept autres sociétés pour fixer les prix dans l'industrie de traitement du poisson-chat. Pendant plus de dix ans, les directeurs de ConAgra s'étaient entendus avec leurs présumés concurrents, par le biais de conversations téléphoniques ou de rencontres dans des motels. Selon les plaignants, le système de fixation des prix de ConAgra escroquait les grossistes indépendants, les petits détaillants et les consommateurs.

En 1997, ConAgra a versé 8,3 millions de dollars d'amendes et a plaidé coupable devant une cour fédérale qui jugeait la compagnie pour fraude téléphonique, sous-évaluation de récoltes et adjonction d'eau dans les céréales. Selon le ministère de la Justice, ConAgra a floué des cultivateurs de l'Indiana pendant au moins trois ans en trafiquant les échantillons de leurs récoltes pour que les céréales paraissent de piètre qualité, ce qui lui permettait de les payer moins cher. Après avoir acheté les céréales à vil prix, les employés de ConAgra les arrosaient d'eau pour en augmenter frauduleusement le poids avant de les revendre.

Les nouveaux migrants de l'industrie

Après avoir brisé les syndicats de l'abattoir de Greeley, Montfort commença à embaucher un nouveau genre de main-d'œuvre : des immigrants de fraîche date, souvent sans papiers. Dans les années 1980, un grand nombre d'hommes et de femmes jeunes sont arrivés dans le Colorado rural en provenance du Mexique, d'Amérique centrale et d'Asie du Sud-Est. Les emplois de l'industrie du conditionnement de la viande qui donnaient jadis accès au niveau de vie de la classe moyenne ne proposaient plus qu'un salaire de misère. L'abattoir n'avait plus de liste d'attente, mais une porte à tambour qui permettait à Montfort de piocher des nouveaux embauchés pour occuper les 900 emplois de l'usine. Sur une période de dix-huit mois, plus de 5 000 personnes différentes furent ainsi employées à l'usine de bœuf de Greeley – soit un taux de renouvellement annuel de 400 %. L'employé moyen démissionnait ou était licencié tous les trois mois.

Aujourd'hui, environ deux ouvriers de l'usine de bœuf de Greeley sur trois ne savent pas parler anglais. La plupart sont des immigrants mexicains qui vivent dans des endroits comme River Park Mobile Court, un campement hétéroclite de caravanes déglinguées situé à 400 mètres de l'abattoir.

Ils partagent des chambres dans de vieux motels où ils dorment sur des matelas posés à même le sol. Le salaire de base à l'abattoir est de 9,25 dollars l'heure. Corrigé en fonction de l'inflation, le salaire horaire actuel est trois fois plus bas qu'il y a vingt ans, quand l'usine Montfort avait ouvert. Les employés bénéficient d'une couverture sociale au bout de six mois, et de congés payés au bout d'un an. La plupart ne les toucheront jamais. Un porte-parole de ConAgra a récemment admis que le taux de renouvellement de personnel de l'abattoir de Greeley est d'environ 80 % par an. Ce chiffre représente une baisse par rapport au début des années 1990.

Mike Coan a discuté le sujet en toute franchise lors d'une interview accordée en 1994 à *Business Insurance*, un journal de la profession. Il était alors directeur général de la sécurité à ConAgra Viande rouge. « Nous avons un taux de renouvellement annuel de 100 % », déclara Coan dans un article qui louait le niveau très bas des frais d'assurances de Montfort. Un autre directeur de ConAgra reconnaissait avec Coan que « le renouvellement de personnel de notre filière atteint des proportions astronomiques ». Montfort réussissait à conserver quelques employés, mais beaucoup d'emplois dans les abattoirs changeaient plusieurs fois de titulaires en un an. « Nous sommes tout en bas de l'échelle de l'alphabétisme, ajoutait Coan : dans certaines usines, un tiers des gens ne savent ni lire ni écrire aucune langue. »

Entendu par une commission fédérale dans les années 1980, Arden Walker, directeur des ressources humaines d'IBP pendant les vingt premières années d'existence de la compagnie, expliqua certains des avantages que présente un taux de renouvellement de personnel élevé.

Magistrat : En ce qui concerne le renouvellement du personnel, puisque c'est votre cas [à IBP], cela vous inquiète-t-il ?

M. Walker : Pas vraiment.

Magistrat : Pourquoi ?

M. Walker : Nous n'avons guère trouvé de corrélation entre taux de renouvellement et rentabilité... Vous savez, par exemple, que l'assurance est extrêmement chère. Les nouveaux employés n'y ont droit qu'au bout d'une période de un an, ou six mois dans certains cas. Pour les congés payés, il faut attendre la deuxième année. Franchement, l'embauche de nouveaux employés permet de faire certaines économies.

Loin d'être un inconvénient, le taux de rotation élevé dans l'industrie du conditionnement de la viande – comme dans le secteur du fast-food – contribue à ralentir la syndicalisation de la main-d'œuvre et à en faciliter le contrôle.

Depuis plus d'un siècle, l'agriculture californienne dépend de la main-d'œuvre saisonnière de jeunes Mexicains et Mexicaines qui viennent cueillir la plupart des fruits et légumes cultivés dans cet État. Ces travailleurs jouent depuis longtemps un rôle important dans l'économie agricole d'autres États : ils cueillent des fraises en Oregon, des pommes dans l'État de Washington et des tomates en Floride. Aujourd'hui, pour la première fois de leur histoire, les États-Unis commencent à s'appuyer sur une main-d'œuvre immigrée dans l'industrie. Les nouveaux immigrés arrivent par milliers dans le Nord pour travailler dans les abattoirs et les usines de conditionnement de viande des Grandes Plaines. Certains économisent leur salaire et retournent chez eux. D'autres tentent de se créer des racines et de s'installer dans les communautés ouvrières de ces régions. D'autres enfin sillonnent le pays et occupent des emplois à court terme dans plusieurs États successifs, à la recherche d'une usine qui traite bien ses employés. Ils viennent essentiellement du Mexique, du Guatemala et du Salvador. Certains travaillaient dans des fermes en Californie, où il devient difficile de trouver un emploi stable. Les ouvriers agricoles habitués à trimer dehors pendant dix heures par jour pour les salaires les plus bas du pays pensent qu'un emploi dans une usine de conditionnement de viande a l'air trop beau pour être vrai. On gagne 5,50 dollars de l'heure à cueillir des fraises en Californie, et presque deux fois plus à découper de la viande dans un abattoir du Colorado ou du Nebraska. Dans les régions rurales du Mexique ou du Guatemala, les ouvriers gagnent environ 5 dollars par jour.

Comme pour tant d'autres aspects du conditionnement de la viande, IBP a fait office de pionnier en matière de recrutement de main-d'œuvre immigrée. La compagnie fut une des premières à comprendre que les nouveaux immigrants accepteraient de travailler pour des salaires plus bas que les citoyens américains – et hésiteraient à se syndiquer. Elle envoie depuis des années ses équipes de recrutement dans les communautés pauvres des États-Unis afin d'alimenter le flot des nouveaux ouvriers dans ses abattoirs. Elle a recruté des réfugiés et des demandeurs d'asile du Laos et de Bosnie. Elle a recruté des sans-logis hébergés dans des refuges à New York, dans le New Jersey, en Caroline du Nord et à Rhode Island. Elle a affrété des autocars pour importer des ouvriers résidant à des milliers de kilomètres. IBP a un bureau de recrutement à Mexico City, passe des offres d'emploi aux États-Unis sur les stations de radio mexicaines et dirige un service de transport depuis les campagnes mexicaines jusqu'au cœur de l'Amérique.

Le Service de l'immigration et de la naturalisation (INS) estime qu'un quart des ouvriers des abattoirs de l'Iowa et du Nebraska sont des immigrés clandestins. La proportion est parfois beaucoup plus élevée. Les porte-parole d'IBP et de ConAgra Beef Company nient catégoriquement le recrutement de clandestins. « Nous n'embauchons pas sciemment des travailleurs sans papiers, m'a déclaré un directeur d'IBP. IBP soutient les efforts de l'INS pour faire respecter la loi et ne souhaite pas employer des gens qui n'ont pas l'autorisation de travailler aux États-Unis. » Pourtant, les efforts de l'industrie de la viande visent maintenant certains des groupes les plus vulnérables et les plus démunis de notre hémisphère. « Du moment qu'ils sont vivants, plaisantait un haut responsable du secteur dans l'*Omaha World-Herald* en 1998, nous examinons leur candidature. »

Le coût réel de cette main-d'œuvre industrielle immigrée est supporté non par les grosses sociétés de conditionnement de la viande, mais par leurs communautés ouvrières. Les travailleurs pauvres qui ne bénéficient pas d'assurance maladie font monter le prix des soins médicaux. Les dealers s'attaquent aux immigrés récents et la criminalité augmente généralement lorsqu'on a affaire à une importante population de passage. Les industriels ont parfois eu l'audace de croire que les fonds publics allaient couvrir leurs frais de fonctionnement. En septembre 1994, GFI America – gros fournisseur de viande hachée pour Dairy Queen, Cracker Barrel Old Country Store et les cantines scolaires fédérales – avait besoin d'ouvriers pour son usine de Minneapolis, dans le Minnesota. La société envoya ses recruteurs à Eagle Pass, au Texas, près de la frontière mexicaine ; ils promirent emplois stables et hébergement. Les recruteurs embauchèrent 39 personnes, louèrent un car et les conduisirent dans le Minnesota, où ils les lâchèrent dans une rue du centre de Minneapolis, en face d'un asile de nuit de l'association People Serving People. GFI America proposa de verser 17 dollars par employé et d'offrir quelques hamburgers, mais l'association refusa. Le plan qui consistait à utiliser un asile de nuit comme logement pour les ouvriers fit long feu. La plupart des nouvelles recrues refusaient de loger dans le foyer ; on leur avait promis des appartements de location et ils se sentaient floués. Les journaux du coin s'emparèrent de l'histoire. Les défenseurs des sans-abri étaient particulièrement furieux contre GFI America. « Notre travail ne consiste pas à accorder des subventions à des entreprises qui importent de la main-d'œuvre à bas prix », déclara un représentant du comté.

Le taux élevé de renouvellement de personnel dans l'industrie est la conséquence directe des bas salaires et des mauvaises conditions de travail. Les ouvriers quittent leur travail et vont de ville en ville dans les Grandes Plaines, à la recherche de quelque chose de mieux. Leur vie personnelle et leur famille pâtissent de ces déplacements constants. La plupart de ces nouveaux immigrés de l'industrie aimeraient un travail stable qui leur permettrait de s'établir si les salaires et les conditions de travail étaient acceptables. Quant aux entreprises du secteur, elles trouvent beaucoup moins d'intérêt à s'installer dans une communauté particulière. Elles jouent avec succès la carte des régions en crise, menaçant de fermer des usines et promettant des investissements afin d'obtenir de lucratives subventions gouvernementales. Elles n'appartiennent plus à des propriétaires locaux et ne ressentent aucune allégeance envers un endroit plutôt qu'un autre.

En janvier 1997, Mike Harper déclara au nouveau gouverneur du Nebraska, Kay Orr, que ConAgra exigeait un certain nombre d'allègements fiscaux, faute de quoi elle déplacerait son siège d'Omaha. La société était basée dans cet État depuis presque soixante-dix ans, et le taux d'imposition y était parmi les plus bas des États-Unis. Cela n'empêcha pas un petit groupe de directeurs de ConAgra de se réunir un samedi matin autour de la table de cuisine de Harper afin de rédiger la trame de la législation qui allait réécrire le Code des impôts du Nebraska. Ces lois, en grande partie inspirées par ConAgra, avaient pour but de diminuer les impôts de l'État touchant les grosses entreprises et les riches contribuables. Mike Harper lui-même allait gagner 295 000 dollars grâce à la réduction de 30 % du taux d'imposition maximal sur les revenus personnels. C'était un pilote passionné, et la nouvelle législation prévoyait des déductions fiscales sur les avions privés de ConAgra. Certains législateurs de l'État qualifièrent les exigences de Harper de « chantage ». Mais les déductions furent accordées de peur que le Nebraska ne perde l'un de ses plus gros employeurs privés. Harper expliqua par la suite à quel point il eût été facile de déménager ConAgra : « Un vendredi soir, on éteint les lumières – clic, clic, clic –, on amène les camions et le lundi matin, plus personne. »

IBP aussi a tiré d'énormes profits de la législation. Son siège se trouvait à Dakota City, dans le Nebraska. Une étude a suggéré que la révision du Code des impôts de l'État équivalait à accorder à chaque nouvel emploi créé par ConAgra et IBP une subvention de 13 000 à 23 000 dollars payée par le contribuable. Grâce à la législation de 1987, IBP a été exonéré de l'impôt sur les sociétés au Nebraska pendant dix ans. Ses dirigeants ont été imposés à un plafond de 7 % de leurs revenus personnels. Malgré tous ces bénéfices financiers, IBP a déménagé son siège en 1997 dans le Dakota du Sud, un paradis fiscal pour les sociétés et les particuliers. Robert L. Peterson, président d'IBP, a affirmé que ce déplacement vers le Dakota équivalait à donner à ses employés une augmentation de 7 %. « Ces agissements montrent l'ingratitude des sociétés exonérées d'impôts, déclara Don Weseley, sénateur de l'État du Nebraska, à l'*Omaha World-Herald*. Ils prennent tout ce qu'on leur donne et si quelqu'un leur fait une meilleure offre, ils vous laissent tomber et s'en vont. »

IBP était installé dans le Nebraska depuis 1967. Dès son origine, cette société qui a déclenché une révolution dans le conditionnement de la viande, en écrasant les syndicats et en défendant l'implacable efficacité du marché, a largement profité des subventions du gouvernement. En 1960, Currier J. Holman et A. D. Anderson ont lancé Iowa Beef Packers grâce à un prêt de 300 000 dollars de l'Agence fédérale pour la petite entreprise.

Une si douce odeur

Les changements qui ont affecté Greeley, dans le Colorado, ont affecté d'autres villes des Grandes Plaines où se sont installées de grosses usines de conditionnement de la viande. Garden City, au Kansas, Grand Island, dans le Nebraska, et Storm Lake, dans l'Iowa, ont leur lot de ghettos ruraux, de drogue, de pauvreté, de sans-abri et de criminalité. Certaines des transformations les plus spectaculaires se sont déroulées à Lexington, dans le Nebraska, une petite ville située à trois heures de route à l'ouest d'Omaha. Lexington ressemble au genre d'endroit cher à la peinture de Norman Rockwell : l'ombre des arbres, les piquets des barrières, de modestes maisons victoriennes, des fauteuils confortables sous les vérandas. Cette apparence est trompeuse.

IBP a ouvert un abattoir à Lexington en 1990. Un an plus tard, cette ville d'environ 7 000 habitants affichait le taux de criminalité le plus élevé du Nebraska. En dix ans, le nombre de délits graves a été multiplié par deux ; le nombre d'urgences médicales a presque doublé ; Lexington est devenu une plaque tournante du trafic de drogue ; des gangs armés sont apparus en ville, qui attaquent les automobilistes ; la majorité de la population blanche a déménagé et la proportion d'habitants originaires d'Amérique latine a été multipliée par dix, pour atteindre plus de 50 %. « Mexington » – son surnom actuel, parfois affectueux, parfois péjoratif – est une ville américaine d'un genre entièrement nouveau, une ville transfigurée pour répondre aux besoins d'un abattoir moderne. On ne croirait jamais, quand on passe en voiture devant l'usine IBP de Lexington, avec son jardin d'enfants multicolore, son Wal-Mart et son Burger King de l'autre côté de la rue, qu'un seul bâtiment à l'air inoffensif peut être responsable de tant de changements brutaux, de misère et de désespoir.

J'ai rencontré différents ouvriers d'IBP à Lexington. J'ai vu des Indiens du Guatemala qui ne parlaient pas un mot d'anglais, et guère plus d'espagnol, qui vivaient dans une cave jonchée d'ordures et de couches sales. J'ai vu des ouvriers agricoles mexicains qui s'habituaient difficilement aux longs hivers du Nebraska. J'ai rencontré un ouvrier qui était concierge à Santa Monica et un autre qui ramassait le fumier dans les champs au Mexique pour le vendre comme engrais. J'ai rencontré des gens travailleurs, illettrés, pieux, prêts à risquer des blessures et à endurer de multiples souffrances pour le bien-être de leur famille.

L'odeur qui règne à Lexington est encore pire qu'à Greeley. « Nous avons trois odeurs différentes, a déclaré un résidant à un journaliste : celle des poils brûlés et du sang, celle de la graisse, et l'odeur d'œufs pourris. » Le sulfure d'hydrogène est le gaz responsable de l'odeur d'œufs pourris. Il émane des fosses d'eaux souillées de l'abattoir, cause maux de tête et problèmes respiratoires et peut, à hautes doses, entraîner des dégâts irréversibles du système nerveux. En janvier 2000, le ministère de la Justice a poursuivi IBP pour violation de la loi sur la pureté de l'air dans son usine de Dakota City, qui rejetait quotidiennement dans l'atmosphère jusqu'à 1 tonne de sulfure d'hydrogène. Dans le cadre d'un règlement à l'amiable, IBP accepta de couvrir ses « lagons » d'eaux usées. « Cet accord signifie que les habitants du Nebraska ne seront plus obligés d'inhaler les émissions toxiques d'IBP », a déclaré un responsable du ministère. IBP se prépare actuellement à recouvrir ses fosses de Lexington.

Le 7 juillet 1988, la société avait tenu une réunion publique dans un lycée de Lexington afin de donner aux citoyens de la ville l'occasion de poser des questions sur son projet de construction d'abattoir. Le compte rendu de cette réunion en dit long sur la façon dont IBP considère les communautés rurales où elle opère. Quelqu'un demanda si le personnel de la nouvelle usine changerait souvent. Une fois l'abattoir en fonctionnement, répondit un dirigeant d'IBP, la main-d'œuvre serait stable. « 90 % de nos employés, dit-il, ou, admettons, 80 %, seront plutôt stables. » Les habitants du coin seraient-ils embauchés ? demanda quelqu'un d'autre. « Nous n'importerons pas de main-d'œuvre mercenaire », promit le dirigeant. Un partisan local d'IBP, de retour d'une visite de l'abattoir d'Emporia, au Kansas, suggéra qu'il n'y avait aucune raison de s'inquiéter du « type de gens » que l'usine risquait d'attirer, ou de l'éventualité d'une augmentation de la criminalité. Il affirma que, à Emporia, « ils les font travailler si dur, chez IBP, qu'ils sont crevés et rentrent chez eux pour se coucher ». Un des vice-présidents des relations publiques d'IBP confirma cette déclaration : « Et les gens qui travaillent sur nos chaînes travaillent dur, dit-il à l'assistance. Selon le chef de la police [d'Emporia], ils préfèrent rentrer se coucher que de faire la fête en ville. » Un autre responsable d'IBP, vice-président de l'ingénierie, assura que la nouvelle usine de Lexington ne polluerait pas l'air. Personne ne remarquera aucune odeur, promit-il, même « à quelques mètres » de l'usine. De toute manière, l'odeur des lagons des abattoirs serait « douce » et personne n'y trouverait à redire. Quant à l'odeur de l'abattoir lui-même, avait-il ajouté, elle ne serait « pas différente de celle de votre cuisine quand vous préparez à manger ».

J'ai visité de nuit un abattoir situé dans les Grandes Plaines, l'un des plus grands du pays. Cinq mille têtes de bétail y pénètrent quotidiennement en une seule file, pour ressortir sous différentes formes. Une personne qui a accès à l'usine et désapprouve les conditions de travail qui y règnent me propose une visite. L'abattoir est un bâtiment énorme, gris et carré, d'une hauteur de trois étages environ, avec une façade aveugle et sans aucun détail architectural laissant imaginer ce qui se passe à l'intérieur. Mon compagnon me donne un tablier en cotte de maille et des gants qu'il me suggère d'essayer. Les ouvriers de la ligne portent 4 kilos de cotte de maille sous leur tablier blanc, une armure d'acier étincelant qui couvre mains, poignets, ventre et dos. Cette protection est censée les empêcher de se couper eux-mêmes ou d'être blessés par d'autres ouvriers. Pourtant, les lames des couteaux arrivent parfois à la traverser. Mon hôte me tend une paire de bottes en caoutchouc qui montent jusqu'aux genoux, comme celles que portent les gentilshommes britanniques pour se promener dans la campagne. « Glissez vos bas de pantalon dans les bottes, me dit-il. Nous allons marcher dans le sang. »

Je mets un casque et monte un escalier. Les bruits se rapprochent, des bruits d'usine, d'outils électriques et de machines, de salves d'air comprimé. Nous commençons par l'atelier de fabrication, en fin de ligne. Les ouvriers l'appellent « la fab' ». Quand nous entrons, la scène me paraît familière : des passerelles en acier, des tuyaux qui courent le long des murs, une pièce immense, un labyrinthe de tapis roulants. On pourrait se croire dans l'usine Lamb Weston de l'Idaho si les tapis roulants ne transportaient pas des morceaux de viande rouge au lieu de frites. Certaines machines assemblent des boîtes en carton, d'autres emballent sous vide des bas morceaux de bœuf dans du plastique transparent. Les ouvriers ont l'air extrêmement occupés, mais cette partie de l'usine n'a rien de dérangeant. On voit ce genre de viande tous les jours au supermarché.

L'atelier est réfrigéré à 5 degrés ; des changements se manifestent à mesure que l'on remonte la ligne. Les morceaux de viande deviennent plus gros. Les ouvriers – la moitié sont des femmes, presque tous sont jeunes et latinos d'origine – découpent la viande à l'aide de longs couteaux effilés. Debout à une table qui arrive à hauteur de poitrine, ils saisissent la viande sur le tapis roulant, enlèvent le gras, rejettent la viande sur le tapis, balancent les déchets sur un autre tapis qui passe au-dessus d'eux et attrapent le morceau de viande suivant, tout cela en quelques secondes. Je suis frappé par le nombre d'ouvriers ; ils sont des centaines, serrés les uns contre les autres, toujours en mouvement, affairés à découper. On aperçoit des casques, des tabliers blancs, des éclats d'acier. Personne ne sourit ou ne discute, ils sont trop occupés, ils ont peur d'être à la traîne. Un vieil homme passe à côté de moi en poussant un baril de plastique bleu rempli de déchets. Quelques ouvriers émincent la viande avec des Whizzard, de petits couteaux électriques à lames rotatives qui ressemblent aux rasoirs des publicités. Je remarque que certaines femmes sont en sueur malgré la température glaciale.

Des quartiers de bœuf accrochés à un rail surélevé pivotent vers un groupe d'hommes. Chacun d'eux tient un grand couteau dans une main et un crochet en acier dans l'autre. Ils agrippent la viande avec le crochet et l'attaquent férocement au couteau. Ils découpent de toutes leurs forces, avec des grognements, et l'atelier baigne soudain dans une atmosphère d'acte primordial. Les machines semblent totalement déplacées, un rituel millénaire se déroule sous mes yeux – la viande, le crochet, le couteau, des hommes qui peinent et triment pour couper plus de viande.

Au niveau où se déroule l'abattage, ce que je vois ne respecte plus aucune logique. Je suis assailli par une succession d'images étranges. Un ouvrier découpe des veaux en deux avec une scie électrique aussi facilement que des petits cubes de viande ; les demi-veaux passent ensuite à côté de moi dans la chambre froide. Je sais maintenant que je suis dans un abattoir. Plusieurs dizaines de bêtes dépouillées de leur peau se balancent par les pattes arrière au bout de chaînes. Mon guide s'arrête pour me demander comment je me sens et si je veux continuer. C'est ici que certaines personnes sont prises de nausées. Je vais bien et je suis déterminé à tout voir, du début à la fin, tout ce qui est délibérément caché. Cet étage est chaud et humide. On sent la puanteur du fumier. La température corporelle des bovins est d'environ 47 degrés, et ils sont nombreux. Les carcasses glissent tellement vite le long des rails qu'il faut constamment les surveiller du coin de l'œil, les éviter et regarder où on met les pieds sous peine d'être heurté et projeté sur le sol de béton noyé de sang. Cela arrive tout le temps aux ouvriers.

Je vois : un homme enfoncer ses mains nues à l'intérieur des bêtes pour en retirer les rognons, qu'il laisse tomber sur une glissière métallique ; il répète le même geste chaque fois qu'un animal passe devant lui ; un égout-toir en acier inoxydable couvert de langues ; des couteaux Whizzard qui pèlent la viande de têtes décapitées et les nettoient presque aussi bien que les crânes blancs peints par Georgia O'Keeffe. Nous pataugeons dans le sang jusqu'aux chevilles ; le liquide s'écoule dans de gigantesques cuves en des-sous de nous. En approchant du début de la ligne, nous entendons pour la première fois le crr, crr, crr régulier de la machine qui assomme les animaux vivants.

Le bétail suspendu au-dessus de moi ressemble maintenant au bétail que je vois depuis des années dans les ranches, sauf qu'il se balance la tête en bas au bout de crochets. Le spectacle a l'air irréel pendant un instant ; il y en a tant, un troupeau entier, sans vie. Et puis je vois quelques pattes arrière ruer dans le vide en un réflexe ultime, et la réalité me frappe de plein fouet.

Pendant huit heures et demie, un ouvrier ne fait rien d'autre, debout dans un ruisseau de sang, trempé de sang, qu'égorger un bœuf toutes les dix secondes environ en lui tranchant la carotide. Il se sert d'un long cou-teau qu'il doit manier avec précision pour tuer l'animal avec un peu d'huma-nité. Il tranche toujours au même endroit, encore et encore. Nous grimpons un escalier métallique glissant pour rejoindre une petite plate-forme où commence la ligne de production. Un homme se retourne et nous sourit. Il porte des lunettes de protection et un casque. Son visage est maculé de matière grise et de sang. C'est l'« assommeur », l'homme qui « accueille » le bétail dans le bâtiment. Les bêtes montent un étroit toboggan et, bloquées par un portillon, s'arrêtent devant lui ; il leur tire alors dans la tête une capsule en acier – avec un pistolet à air comprimé relié au plafond par un long tuyau – qui les assomme. Les animaux avancent les uns derrière les autres, ignorant le sort qui leur est réservé, et il tire, debout au-dessus d'eux. Il ne fait que cela pendant huit heures et demie. Parfois, il manque son coup et tire deux fois sur le même animal. Dès que le bœuf tombe, un ouvrier saisit une de ses pattes arrière et l'attache à une chaîne qui soulève l'énorme animal dans les airs.

Je regarde l'assommeur pendant quelques minutes. Les animaux si puissants et imposants la minute d'avant sont expédiés en un instant, suspendus à un rail, prêts pour la découpe. Un bœuf glisse de sa chaîne et tombe sur le sol ; sa tête se prend dans l'extrémité d'un tapis roulant. La ligne de production s'arrête pendant que des ouvriers s'efforcent de décoincer l'animal, assommé mais vivant, de la machine. J'en ai assez vu.

Je sors du bâtiment dans la fraîcheur de la nuit et je suis le sentier qui mène le bétail à l'abattoir. Les bêtes passent à côté de moi, guidées par des ouvriers armés de longs bâtons blancs qui semblent lumineux dans le noir. Un bœuf, sentant peut-être par instinct ce que les autres ignorent, se retourne pour s'enfuir. Mais les ouvriers lui font rejoindre le reste du troupeau. Le bétail avance lentement, en file, vers le bruit étouffé qui résonne par la porte ouverte.

Le chemin fait des lacets qui empêchent les animaux de voir ce qui l'attend et de perdre son calme. En montant lentement la rampe, ils pensent peut-être qu'ils vont grimper dans un autre camion, pour un nouveau voyage – c'est d'ailleurs ce qu'ils font, de manière inattendue. La rampe s'élargit au niveau du sol et débouche sur un grand enclos entouré d'une barrière en bois, un corral que l'on s'attendrait à trouver au milieu d'une prairie, plutôt qu'ici. Tandis que je longe la barrière, quelques bêtes s'approchent de moi et me regardent droit dans les yeux, comme un chien quémandant une friandise, puis me suivent sous l'effet d'un élan mystérieux. Je m'arrête pour essayer d'appréhender la scène en entier : la fraîcheur de la brise, le bétail et son doux mugissement, le ciel sans nuage, la vapeur qui monte de l'usine à la clarté de la lune. Je finis par remarquer que le bâtiment possède tout de même une fenêtre, un petit carré de lumière au deuxième étage. Elle donne un aperçu de ce qui se cache derrière cette immense et impénétrable façade. Par cette petite ouverture, on voit tourner des carcasses rouge vif suspendues à des crochets.

Des couteaux bien aiguisés

Assommeur, égorgeur, enchaîneur, découpeur, trancheur, chaîne de la mort – le nom attribué à chaque poste dans un abattoir moderne donne une idée de la brutalité inhérente à cette activité. Le conditionnement de la viande est à l'heure actuelle le métier le plus dangereux des États-Unis. Le taux d'accidents du travail dans les abattoirs est trois fois supérieur à celui de n'importe quelle usine américaine. Chaque année, plus d'un quart des ouvriers des abattoirs de ce pays – soit environ 40 000 hommes et femmes – sont victimes d'un accident du travail ou d'une maladie directement liée à leur travail qui nécessitent des soins médicaux autres que les premiers secours. Il est presque certain que ces chiffres, réunis par le Bureau des statistiques du travail, sous-évaluent le nombre de blessures. Plusieurs milliers d'accidents et de maladies ne font sans doute pas l'objet de déclarations.

Malgré les tapis roulants, les chariots élévateurs, les arrache-cuir et toute une variété d'outils électriques, la plus grande partie du travail dans nos abattoirs est toujours effectuée manuellement. Les abattoirs de volaille peuvent être mécanisés car l'élevage actuel produit des poulets de taille uniforme. Dans certaines usines Tyson, les volatiles sont tués, plumés, saignés, décapités et découpés par des robots et des machines. Mais le bétail varie en taille et en proportions, et les différences de poids entre les bêtes peuvent atteindre plusieurs centaines de kilos. L'absence de standardisation des bœufs a entravé la mécanisation des abattoirs à bovins. Un des aspects les plus cruciaux du conditionnement de la viande n'a guère changé depuis les cent dernières années : à l'aube du XXIe siècle, à une époque de progrès technologiques extraordinaires, un couteau bien aiguisé reste l'outil de base dans un abattoir moderne.

Les coupures sont les blessures les plus courantes parmi les ouvriers ; ils se coupent souvent eux-mêmes, ou blessent la personne qui travaille juste à côté d'eux. Tendinites et traumatismes divers sont également fréquents. Les ouvriers ont des problèmes de dos, d'épaules, du canal carpien et souffrent parfois du « syndrome de la gâchette » (un doigt qui se bloque en position recroquevillée). De fait, la fréquence de ces traumatismes est beaucoup plus élevée dans l'industrie du conditionnement de la viande que dans les autres industries américaines. Elle est en gros 33 fois supérieure à la moyenne nationale dans l'industrie. Beaucoup d'ouvriers d'abattoir font une découpe toutes les deux à trois secondes, soit 10 000 découpes au cours d'une journée de huit heures et demie. Si la lame du couteau s'émousse, les tendons, articulations et nerfs de l'ouvrier subissent des tensions supplémentaires. Un couteau émoussé peut provoquer des douleurs qui se diffusent depuis la main qui le tient jusqu'à la colonne vertébrale.

Les ouvriers rapportent souvent leurs couteaux chez eux et passent au moins quarante minutes à en aiguiser parfaitement la lame. Une ouvrière d'IBP, une petite Guatémaltèque aux cheveux gris, m'a reçu dans la minuscule cuisine de sa maison mobile. Une marmite de haricots mijotait sur la cuisinière pendant qu'elle se balançait doucement sur une chaise en bois et me racontait l'histoire de sa vie, de son voyage vers le nord à la recherche d'un travail, tout en aiguisant de grands couteaux sur ses genoux comme si elle tricotait un pull-over.

La « révolution IBP » est directement responsable d'une grande partie des dangers qui guettent aujourd'hui les ouvriers des abattoirs. La vitesse de la chaîne de découpe constitue l'un des facteurs déterminants du taux d'accidents du travail. Plus elle est rapide, plus les ouvriers risquent de se blesser. Les vieux abattoirs de Chicago tuaient environ 50 bêtes à l'heure ; il y a vingt ans, les nouvelles usines des Grandes Plaines, environ 175. Aujourd'hui, certains abattoirs tuent jusqu'à 400 bêtes par heure – c'est-à-dire une demi-douzaine d'animaux par minute, qu'ils envoient le long d'une ligne de production unique où ils sont découpés par des ouvriers qui ne peuvent se permettre de rester à la traîne. Pour garder le rythme, ceux-ci oublient souvent d'aiguiser leurs couteaux et infligent à leur corps une tension supplémentaire. L'augmentation de la vitesse va de pair avec l'augmentation du risque de coupures et de coups de couteaux accidentels. « Je pouvais deviner la vitesse de la chaîne, m'a dit une ancienne infirmière de Montfort, rien que par le nombre de gens blessés qui arrivaient dans mon bureau. » En général, les ouvriers se coupent eux-mêmes ; cependant, tout le personnel de la chaîne essaie de rester sur ses gardes. Les ouvriers travaillent souvent à quelques centimètres les uns des autres en maniant de grands couteaux. Un simple faux mouvement peut provoquer une blessure grave. Une ancienne ouvrière d'IBP m'a parlé de couteaux à désosser qui échappaient des mains et ricochaient sur les machines. « Ils sont très flexibles, m'expliqua-t-elle, et peuvent vous sauter dessus... pfuit, ils sont partis. »

À l'instar des usines de frites, les abattoirs à bovins travaillent souvent à marge réduite, de l'ordre de quelques centimes le kilo. Les trois géants de l'industrie – ConAgra, IBP et Excel – tentent d'augmenter leurs bénéfices en maximisant le volume de production de chaque usine. Les bénéfices d'un abattoir qui travaille à plein rendement sont directement liés à la vitesse de la chaîne de production. Plus elle est rapide, plus les gains sont importants. La pression du marché exerce une influence perverse sur la direction des abattoirs à bovins ; les facteurs qui diminuent leur efficacité (manque de mécanisation, recours au travail de l'homme) encouragent également les sociétés à les rendre plus dangereux (en augmentant les cadences).

Soumis à la continuelle obligation de garder le rythme de la chaîne, les ouvriers des abattoirs consomment massivement des amphétamines. Ceux qui prennent de la « dope » se sentent sûrs d'eux et prêts à tout. Certains contremaîtres vendent de la dope à leurs ouvriers ou la leur fournissent gratuitement en échange de faveurs, par exemple des remplacements dans l'équipe suivante. Si les ouvriers qui consomment des amphétamines se sentent invincibles et pleins d'énergie, ils s'exposent encore davantage aux accidents. Il va de soi qu'un abattoir moderne n'est pas le meilleur endroit pour se défoncer.

À l'époque où les syndicats étaient puissants, les ouvriers pouvaient se plaindre des rythmes excessifs et des accidents du travail sans crainte d'être renvoyés. Aujourd'hui, un tiers seulement des ouvriers d'IBP sont syndiqués. La plupart des ouvriers non syndiqués sont des immigrants de fraîche date, souvent clandestins, et généralement embauchés « à demande ». Cela signifie qu'ils peuvent être licenciés sans préavis et pour n'importe quelle raison. Ce genre de contrat de travail n'encourage pas les revendications. Les ouvriers qui ont parcouru de longues distances pour trouver un travail, ont une famille à nourrir et gagnent dix fois plus dans un abattoir que s'ils étaient restés dans leur pays ont peur de tout perdre en ouvrant la bouche. La vitesse de production et les frais de personnel des usines non syndiquées d'IBP servent de référence au reste de l'industrie. Toutes les autres sociétés doivent produire du bœuf aussi vite et aussi bon marché qu'IBP ; ralentir le rythme pour protéger les ouvriers peut entraîner un manque de compétitivité.

Les ouvriers m'ont affirmé à maintes reprises qu'ils sont soumis à des pressions terribles pour ne pas déclarer leurs blessures. Les primes annuelles des contremaîtres sont souvent basées sur le taux d'accidents de leurs ouvriers. Loin de garantir la sécurité des lieux de travail, ce calcul des primes encourage les directeurs à s'assurer qu'accidents et blessures ne sont pas signalés. Doigts sectionnés, fractures, coupures profondes et membres amputés peuvent difficilement être cachés aux autorités. Cependant, les blessures catastrophiques sont beaucoup moins nombreuses que les dégâts moins visibles, mais tout aussi handicapants : déchirures musculaires, hernies discales, nerfs froissés.

Si un ouvrier accepte de ne pas signaler une blessure, le contremaître l'affecte à un poste moins fatigant pour lui donner le temps de guérir. Si la blessure semble plus grave, un ouvrier mexicain peut obtenir un congé pour retourner chez lui ; il retrouvera son emploi aux États-Unis quand il aura récupéré. Les ouvriers qui obéissent à ces règles tacites sont traités avec respect ; ceux qui refusent risquent de servir d'exemple. Un ancien ouvrier d'IBP explique la situation ainsi : « Ils essaient de vous dissuader d'aller chez le docteur, un point c'est tout. »

D'un point de vue purement économique, un ouvrier blessé obère les bénéfices. Il est moins productif. Il est financièrement raisonnable de s'en séparer, d'autant plus que les nouveaux ouvriers sont légion, et faciles à former. Les ouvriers blessés héritent souvent des tâches les plus désagréables de l'abattoir. Leur salaire horaire est diminué. On les encourage à démissionner par toute une variété de moyens grossiers.

Tous les contremaîtres d'abattoirs ne sont pas des Simon Legree[1] qui hurlent sans cesse après les ouvriers, les insultent, minimisent leurs blessures et les poussent à travailler plus vite. Mais il y en a suffisamment pour que la comparaison ne soit pas exagérée. Les contremaîtres des lignes de production sont en général des hommes d'une trentaine d'années. La plupart sont d'origine américaine et ne parlent pas espagnol, même si de plus en plus de Latinos obtiennent aujourd'hui ces postes par promotion. Ils gagnent environ 30 000 dollars par an, plus les primes et un intéressement. Dans beaucoup de communautés rurales, un contremaître d'abattoir est l'un des hommes les mieux payés de la ville. Le travail n'est pas exempt de certaines pressions ; il faut atteindre les objectifs de production, maintenir le nombre d'accidents du travail déclarés au minimum, et surtout s'assurer que la viande s'écoule le long de la chaîne sans interruption. À l'inverse, le poste donne un pouvoir presque absolu. Chaque contremaître est un petit dictateur dans sa partie de l'usine ; il peut à loisir embaucher, renvoyer, réprimander et changer les ouvriers de poste. Ce genre de pouvoir mène à toutes sortes d'abus, en particulier lorsque les ouvriers confiés au contremaître sont des femmes.

Beaucoup de femmes m'ont raconté que les ouvriers de la ligne se laissent aller à des attouchements ; l'attitude du contremaître conditionne d'ailleurs celle des autres hommes. En février 1999, un jury fédéral de Des Moines a accordé 2,4 millions de dollars de dommages et intérêts à une ouvrière d'un abattoir IBP. Selon son témoignage, ses collègues avaient « hurlé des obscénités et s'étaient frottés de manière indécente contre elle sous l'œil goguenard des contremaîtres ». Sept mois plus tard, Montfort accepta de régler à l'amiable les poursuites engagées par la Commission pour l'égalité de l'emploi au nom de quatorze ouvrières du Texas. La compagnie versa 900 000 dollars et promit d'établir une procédure officielle destinée à traiter les plaintes pour harcèlement sexuel. Les ouvrières affirmaient que les contremaîtres de l'usine Montfort de Cactus, au Texas, les obligeaient à accepter rendez-vous et relations sexuelles, et que leurs collègues les

---

1. Le planteur cruel de *La Case de l'oncle Tom*, de Harriet Beecher-Stowe (NDT).

caressaient, les embrassaient et faisaient un usage sexuellement explicite de certaines parties des animaux.

Les relations sexuelles entre contremaîtres et ouvrières « payées à l'heure » sont souvent librement consenties. Beaucoup d'ouvrières s'imaginent qu'elles leur permettront de s'assurer une place dans la société américaine, un permis de travail, un mari – ou, au minimum, un transfert à un poste moins harassant. Certains contremaîtres agissent en vrais Casanova et entretiennent de multiples liaisons. Il peut paraître étrange d'associer sexe, drogue et abattoirs, mais si j'en crois un ancien ouvrier de Montfort, « il y a à l'intérieur de ces murs un monde différent qui obéit à des lois différentes ». Lorsque l'équipe de nuit est au travail, les rendez-vous ont souvent lieu dans les vestiaires, le foyer du personnel et les voitures garées sur le parking, parfois même sur la passerelle qui surplombe l'endroit où l'on tue le bétail.

Le pire

Certaines des activités les plus dangereuses de l'industrie du conditionnement de la viande sont laissées aux équipes de nettoyage qui travaillent tard dans la nuit. La plupart de ces ouvriers sont des immigrés clandestins. Ils sont considérés comme « extérieurs » et employés par des sociétés d'assainissement. Leur salaire horaire est trois fois plus bas que celui des ouvriers de production fixes. Leur travail est si dur et si abominable que les mots paraissent bien faibles pour le décrire. Les hommes et les femmes qui nettoient actuellement les abattoirs du pays accomplissent le pire travail qui soit. « Il faut une personne vraiment motivée, m'a dit un ancien membre d'une de ces équipes, ou vraiment désespérée, pour faire ce boulot. »

Lorsqu'une équipe de nettoyage arrive dans une usine de conditionnement de la viande, en général vers minuit, elle se trouve aux prises avec une saleté phénoménale. Trois ou quatre mille bœufs pesant chacun 500 kilos environ y ont été tués dans la journée. L'endroit doit être propre au lever du soleil. Certains ouvriers, une minorité, portent des vêtements imperméables. Ils se servent essentiellement d'un jet à haute pression qui envoie un mélange d'eau et de chlore chauffé à 70 degrés. Dès qu'ils se mettent à travailler, l'usine se remplit d'un épais brouillard. Il n'y a plus de visibilité. Les tapis roulants et les machines continuent à fonctionner. Les ouvriers montent sur les tapis roulants pour les asperger et se tiennent dessus comme sur des trottoirs roulants, parfois à plus de 3 mètres du sol. Ils grimpent sur des échelles, tuyau en main, pour nettoyer les passerelles. Ils se faufilent sous les tables et les tapis roulants, rampent dans la gadoue sanguinolente, essuient la graisse, le fumier et les déchets de viande.

Lunettes et masques de protection se couvrent de buée. La température monte bientôt à plus de 50 degrés. « Il fait chaud, il y a du brouillard et on n'y voit rien », explique un ancien ouvrier. Les membres des équipes de nettoyage ne peuvent ni se voir ni s'entendre quand les machines tournent. Ils s'aspergent mutuellement d'eau brûlante chargée de produits chimiques. Les émanations leur donnent la nausée. Jésus, un employé de DCS Sanitation Management, la compagnie qui nettoie la plupart des usines IBP, m'a raconté d'une voix douce qu'il souffre de violents maux de tête toutes les nuits. « On les sent dans la tête, on les sent à l'estomac, comme si on avait envie de vomir. » Un de ses amis vomit à chaque fois qu'il nettoie l'atelier de découpe. Les autres se moquent de lui. D'après Jésus, la puanteur est si forte qu'on ne peut s'en débarrasser ; même après plusieurs lavages, l'odeur vous accompagne jusque chez vous, elle suinte de votre peau.

Une nuit où Jésus travaillait, un de ses collègues a oublié d'éteindre une machine ; il a perdu deux doigts et s'est évanoui sous le choc. Une ambulance est venue le chercher et tout le monde a continué à nettoyer. Il était de retour la semaine suivante. « Si une de tes mains n'est plus bonne à rien, lui a dit le contremaître, sers-toi de l'autre. » Un autre employé a perdu un bras dans une machine. Maintenant, il plie des serviettes dans les vestiaires. D'après Jésus, le nettoyage des bouches d'aération qui se trouvent sur le toit de l'abattoir est le travail le plus effrayant. Elles sont encrassées de graisse et de sang séché. En hiver, lorsque tout est gelé et que le vent souffle, Jésus a peur qu'une bourrasque soudaine ne le précipite en bas, dans l'obscurité.

S'il n'existe aucune statistique officielle, on sait que le taux de mortalité des employés de nettoyage est terriblement élevé. Ils représentent ce qu'il y a de mieux en matière d'ouvriers jetables : clandestins, illettrés, pauvres, sans qualification. Le pire travail du pays peut aussi déboucher sur la pire des fins. Ces ouvriers sont parfois littéralement hachés menu et réduits à néant.

Une brève description de certains accidents survenus au cours des dix dernières années en révèle plus sur la nature et les dangers de ce travail qu'une suite de statistiques. À l'usine Montfort de Grand Island, dans le Nebraska, Richard Skala a été décapité par un arrache-cuir. Carlos Vincente – un jeune Guatémaltèque de vingt-huit ans employé par T & G Service Company, arrivé aux États-Unis une semaine plus tôt – a été happé par les rouages d'un tapis roulant de l'usine Excel de Fort Morgan, dans le Colorado, et déchiqueté. Lorenzo Marin, un employé de DCS Sanitation, est tombé du haut d'un arrache-cuir qu'il nettoyait au jet ; sa tête a heurté le sol de ciment de l'usine IBP de Columbus Junction, dans l'Iowa, et il est mort. Salvador Hernandez-Gonzales, un autre employé de DCS Sanitation, a eu la tête écrasée par une machine à conditionner les rognons de porc dans une usine IBP de Madison, dans le Nebraska. Cette machine avait déjà tué Ben Barone, un autre employé, de la même façon quelques années plus tôt. Dans une usine National Beef de Liberal, au Kansas, Homer Stull est descendu dans une cuve de 9 mètres de profondeur pour en nettoyer le sang. Il a été étouffé par des émanations de sulfure d'hydrogène. Deux collègues sont descendus dans la cuve pour lui porter secours. Ils sont morts tous les trois. Huit ans plus tôt, Henry Wolf avait été étouffé par des émanations de sulfure d'hydrogène en nettoyant la même cuve ; Gary Sanders avait essayé de le sauver ; les deux hommes étaient morts, et la Commission d'hygiène et de sécurité de l'Inspection du travail (OSHA) avait condamné National Beef pour négligence. L'amende était de 480 dollars pour chaque ouvrier décédé.

Il suffit de ne pas se faire prendre

Alors même que les conditions de travail de l'industrie de la viande devenaient plus dangereuses – à cause de l'augmentation de la vitesse des lignes de production et du remplacement des ouvriers qualifiés par des immigrés clandestins –, le gouvernement fédéral affaiblissait considérablement l'application des lois sur la protection de la santé et la sécurité. Les industriels méprisaient ouvertement l'OSHA, considérée comme une source de réglementations tatillonnes et de paperasserie inutile. Quand Ronald Reagan a été élu président en 1980, l'OSHA souffrait déjà d'un manque chronique de moyens humains et financiers ; ses 1 300 inspecteurs étaient responsables de la sécurité de plus de 5 millions de lieux de travail dans tout le pays. L'employeur américain moyen pouvait s'attendre à les voir débarquer une fois tous les quatre-vingts ans. L'administration Reagan n'en était pas moins décidée, dans le cadre de ses déréglementations, à limiter davantage encore l'autorité de l'OSHA. Le nombre d'inspecteurs fut diminué de 20 % et l'organisme adopta une nouvelle politique, dite de « conformité volontaire », en 1981. Au lieu d'arriver à l'improviste, les employés de l'OSHA devaient obligatoirement examiner le registre des accidents avant de mettre les pieds dans l'usine qu'ils se proposaient d'inspecter. Si le registre montrait que le taux d'accidents du travail était plus bas que la moyenne nationale de tous les industriels, l'inspecteur de l'OSHA devait tourner les talons et quitter les lieux immédiatement – sans entrer dans l'usine, examiner ses équipements ou parler à un seul des ouvriers. Ces registres d'accidents étaient tenus et mis à jour par des responsables de la compagnie.

Pendant la plus grande partie des années 1980, les relations entre l'OSHA et l'industrie du conditionnement de la viande n'eurent rien d'une confrontation. Le nombre de blessures graves augmentait tandis que celui des inspections diminuait. La mort d'un ouvrier sur son lieu de travail était punie d'une amende de quelques centaines de dollars. Barry White, directeur de la sécurité à l'OSHA, promit aux responsables de l'industrie réunis en octobre 1987 de modifier les règles fédérales qui « vous paraissent incroyablement stupides ou encombrantes ou simplement inutiles ». Un compte rendu de la réunion publié dans le *Chicago Tribune* affirme que Barry White – le fonctionnaire fédéral investi de la plus haute autorité pour protéger la vie des ouvriers de l'industrie du conditionnement de la viande – avait reconnu qu'il n'était pas qualifié pour ce travail. « Je sais très bien que vous en savez plus que moi sur la santé et la sécurité dans cette industrie, avait-il déclaré. Et vous en savez plus sur la santé et la sécurité dans cette industrie que n'importe quel employé de l'OSHA. »

La politique de conformité volontaire de l'OSHA a effectivement réduit le nombre d'accidents du travail déclarés dans les usines de conditionnement de la viande. Mais elle n'a pas fait diminuer le nombre de blessés. Elle a simplement encouragé les sociétés, selon les termes d'une enquête parlementaire menée ultérieurement, « à sous-estimer les blessures, falsifier les registres et dissimuler les accidents ». Ainsi, l'usine de conditionnement du bœuf IBP de Dakota City, dans le Nebraska, tenait deux registres d'accidents ; on consignait dans l'un toutes les blessures et toutes les maladies des ouvriers de l'abattoir ; l'autre était destiné aux inspecteurs de l'OSHA et aux chercheurs du Bureau des statistiques sur le travail. En 1985, sur une période de trois mois, le premier registre faisait état de 1 800 blessures et maladies survenues à l'usine. Le second n'en comportait que 160 – une différence supérieure à 1 000 %.

En 1987, Robert L. Peterson, directeur général d'IBP, déclara sous serment devant une commission parlementaire que la compagnie n'avait jamais tenu deux registres différents et qualifia la sécurité dans les usines IBP de « ce qui se fait de mieux ». Les enquêteurs mirent ensuite la main sur les deux registres – et découvrirent que le taux d'accidents du travail de l'usine de Dakota City était supérieur de 30 % à la moyenne de la filière. Ils découvrirent également qu'IBP avait falsifié les registres de l'usine d'Emporia, au Texas. John Morrell, une autre compagnie de conditionnement du bœuf, fut prise en flagrant délit de mensonge à propos de son usine de Sioux Falls, dans le Dakota du Sud. L'enquête parlementaire conclut que ces sociétés avaient omis de déclarer « des blessures graves telles que fractures, trauma-tismes crâniens, lacérations, hernies entraînant parfois une hospitalisation, opérations chirurgicales et même amputation ».

Le député Tom Lantos, responsable de la sous-commission d'enquête, affirma qu'IBP était « l'une des grandes sociétés américaines les plus impru-dentes et les plus irresponsables ». Un représentant du ministère du Travail qualifia l'attitude de la compagnie d'« un des pires exemples de dissimula-tion d'accidents du travail et de maladies jamais rencontrés en seize ans d'existence de l'OSHA ». Pourtant, Robert L. Peterson ne fut jamais condamné pour parjure. Les enquêteurs admirent qu'il serait difficile de prouver « sans doute possible » que Peterson avait « délibérément » menti. En 1986, l'OSHA imposa à IBP une amende de 2,6 millions de dollars, à laquelle s'ajoutèrent 3,1 millions, pour le taux élevé d'accidents à l'usine de Dakota City. Ces amendes furent réduites à 975 000 dollars lorsque la société accepta l'intro-duction d'un nouveau programme de sécurité dans l'usine – une telle somme, qui pouvait sembler énorme à l'époque, ne représentait qu'un cen-tième environ de 1 % des revenus annuels d'IBP.

Trois ans plus tard, un ouvrier nommé Kevin Wilson se blessa le dos dans un abattoir IBP de Council Bluffs, dans l'Iowa. Wilson consulta Diane Arndt, une infirmière de l'usine, qui l'envoya chez un médecin choisi par la compagnie. Le médecin affirma que la blessure de Wilson n'était pas grave et lui attribua un poste plus facile à l'usine. Wilson consulta un second médecin ; ce dernier diagnostiqua une lésion des disques vertébraux et le mit en congé de maladie. Quand Wilson cessa de venir travailler à l'usine, le département de la sécurité d'IBP entreprit de surveiller son domicile. Onze jours après que le nouveau médecin de Wilson eut informé IBP que l'ouvrier devrait sans doute être opéré, Diane Arndt lui téléphona pour lui annoncer qu'IBP s'était procuré une cassette vidéo où l'on voyait Wilson accomplir des travaux pénibles chez lui. Le médecin, se sentant trompé, rencontra Wilson, l'accusa de mensonge, lui refusa tout traitement supplémentaire et lui ordonna de retourner au travail. Kevin Wilson, convaincu qu'IBP avait inventé l'histoire de toutes pièces et que la fameuse cassette n'existait pas, poursuivit la compagnie pour diffamation.

L'affaire alla jusqu'à la Cour suprême de l'Iowa. Les médias ne prêtè-rent guère attention au procès ; la Cour condamna IBP à verser 2 millions de dollars de dommages et intérêts à Wilson – moins que le dédommagement demandé – et décrivit certains des agissements de la société contraires à l'éthique. Ainsi, les ouvriers sérieusement blessés devaient se présenter tous les jours à l'usine pour qu'elle ne soit pas obligée de déclarer de « journées de travail perdues » à l'OSHA. Certains étaient forcés de travailler le jour même de leur opération ou le lendemain d'une amputation. « La direction d'IBP connaissait ces pratiques et en était complice », nota la Cour suprême. Les infirmières d'IBP enregistraient des informations falsifiées dans le système informatique de l'usine, modifiant la nature des blessures pour ne pas avoir à les déclarer à l'OSHA. Les ouvriers blessés qui refusaient de coopérer héritaient de postes comme « la surveillance des jauges dans l'usine de transformation, où règne l'odeur abominable des restes de porc bouillis que l'on transforme en engrais pendant que le sang est recueilli dans des cuves ». Les témoignages produits lors du procès montrent que Diane Arndt avait une très mauvaise opinion des ouvriers dont elle était censée soigner les blessures. L'infirmière les traitait d'« idiots » et de « débiles » ou affirmait au médecin qu'Untel était « un pleurnichard » et Untel « un sac à merde ». Elle finit par avouer que la lésion de Wilson était réelle. La Cour suprême de l'Iowa conclut que les mensonges racontés dans ce cas, comme dans d'autres, étaient en partie motivés par le programme de bonification d'IBP, qui faisait dépendre primes et bonus du nombre de journées de travail perdues. Ce programme était, d'après la Cour, « hypocritement baptisé "système de primes à la sécurité" ».

Si l'on en croit le témoignage que fit Edward Murphy devant le Congrès en 1992, la politique d'IBP en matière de sécurité des ouvriers ne fait pas figure d'exception dans le secteur. Murphy était l'ancien directeur de la sécurité de l'abattoir à bovins Montfort de Grand Island. Il fut licencié après la mort de deux ouvriers en 1991. Murphy affirmait avoir bataillé pendant des années contre la direction au sujet des problèmes de sécurité ; la société Montfort lui faisait injustement porter le chapeau pour ses pratiques illégales. Elle lui versa par la suite une somme tenue secrète afin d'éviter un procès pour licenciement abusif.

Murphy déclara au Congrès que l'usine Montfort de Grand Island possédait deux registres d'accidents du travail, faisait régulièrement de fausses déclarations et détruisait les documents demandés par l'OSHA. Le Congrès devait comprendre que les manquements à la sécurité de cette usine n'avaient rien d'accidentel. Ils étaient la conséquence directe de la philosophie d'entreprise de Montfort, que Murphy décrivit en ces termes : « Le premier commandement est que seule la production compte... L'employé a le devoir de suivre les ordres. Point. On me répétait souvent : "Faites ce que l'on vous dit, même si c'est illégal... Ne vous faites pas prendre." »

Des poursuites judiciaires engagées en mai 1998 suggèrent que la situation n'a guère changé depuis la découverte des deux registres d'IBP il y a dix ans. Michael D. Ferrell, ancien vice-président d'IBP, affirme que le taux élevé d'accidents du travail ne peut être imputé aux ouvriers, contremaîtres, infirmières, directeurs de la sécurité ou d'usine, mais que la direction générale d'IBP est seule responsable. Ferrell a pu observer à loisir la manière dont les décisions étaient prises ; il était en effet chargé, entre autres, des programmes d'hygiène et de sécurité d'IBP.

Lorsqu'il accepta ce poste en 1991, après une longue carrière d'ingénieur dans d'autres entreprises, Ferrell pensait qu'IBP voulait sincèrement améliorer la sécurité des ouvriers. Il découvrit ensuite que les registres de sécurité étaient régulièrement falsifiés et que la compagnie s'intéressait avant tout à la production. Ferrell fut licencié en 1997, peu après la survenue d'une série de problèmes de sécurité à l'abattoir de Palestine, au Texas. Les circonstances de son licenciement se trouvent au cœur des poursuites engagées contre IBP. Le 4 décembre 1996, l'OSHA inspecta l'abattoir de Palestine, constata un certain nombre d'infractions et imposa une amende de 35 125 dollars. Moins d'une semaine plus tard, un ouvrier nommé Clarence Dupree perdait un bras, écrasé par une broyeuse. Deux jours plus tard, Willie Morris, un autre ouvrier, était tué par une explosion de gaz ammoniac. Son corps resta plusieurs heures allongé à cinquante centimètres d'une porte pendant que le gaz toxique envahissait le bâtiment où il gisait. Aucun employé de l'usine n'était formé à l'utilisation des masques à gaz ou au port de tenues de protection contre les produits dangereux ; ces équipements se trouvaient dans un vestiaire fermé à clé. Ferrell se rendit au Texas pour inspecter l'usine après ces accidents. Il découvrit des installations en très mauvais état – le système de réfrigération n'était pas aux normes, les fils électriques risquaient d'électrocuter un grand nombre d'ouvriers et les systèmes de sécurité étaient rendus inopérants par des aimants. Il exigea la fermeture immédiate de l'abattoir. Deux mois plus tard, il perdait son travail.

Ferrell affirme avoir été licencié abusivement à cause de la fermeture de l'abattoir de Palestine. IBP n'avait jamais fermé un abattoir pour des raisons de sécurité, et sa décision avait rendu Robert L. Peterson furieux. IBP conteste cette version des faits ; la compagnie affirme que Ferrell ne s'était jamais adapté à la culture d'entreprise d'IBP, qu'il déléguait beaucoup trop son autorité et qu'il n'avait d'ailleurs pas pris la décision de fermer l'abattoir de Palestine. Selon IBP, la fermeture fut décidée par un vote unanime des directeurs généraux.

L'abattoir de Palestine rouvrit en janvier 1997. Il ferma à nouveau un an plus tard, sur décision du ministère. Les inspecteurs fédéraux accusèrent l'usine d'« abattage inhumain » et interrompirent la production pendant une semaine ; il est extrêmement rare qu'un abattoir soit fermé pour mauvais traitement du bétail. IBP ferma définitivement l'usine en 1999. Aujourd'hui déserte, elle attend un repreneur.

Le prix d'un bras

Lors de ma première visite à Greeley, en 1997, Javier Ramirez était président du syndicat UFCW local qui représentait les employés de l'abattoir Montfort. Le Comité national des relations du travail avait déclaré Montfort coupable d'infractions « nombreuses, généralisées et scandaleuses » au droit du travail après la réouverture de l'usine de Greeley en 1982 ; les ouvriers syndiqués n'avaient pas été réembauchés et les nouveaux employés avaient subi des pressions pendant une élection syndicale. Les anciens employés traités injustement finirent par toucher une indemnité de 10,6 millions de dollars. En 1992, après une campagne de syndicalisation longue et difficile, les ouvriers de l'usine de conditionnement de bœuf Montfort adhérèrent à l'UFCW. Javier Ramirez, trente et un ans, connaît bien l'industrie du bœuf. Il est le fils de Ruben Ramirez, le dirigeant syndical de Chicago. Il a grandi dans le quartier des abattoirs et a vu l'industrie du conditionnement quitter sa ville natale pour les Grandes Plaines. Au lieu de se reconvertir, il l'a suivie dans le Colorado, où il se bat afin d'obtenir des salaires plus élevés et de meilleures conditions de travail pour la main-d'œuvre d'origine essentiellement latino-américaine.

L'UFCW a permis aux ouvriers de Greeley de remettre en cause les licenciements abusifs, de porter plainte contre leurs contremaîtres et de signaler les manquements à la sécurité sans crainte de représailles. Mais le pouvoir du syndicat est limité par le taux élevé de renouvellement du personnel de l'usine. Chaque année, il faut convaincre de nouveaux ouvriers de soutenir l'UFCW. La porte à tambour de l'usine n'encourage pas la solidarité. Le sujet le plus important du moment concerne le nombre d'accidents du travail à l'abattoir. Il faut constamment se battre non seulement pour empêcher que les ouvriers se blessent, mais également pour obtenir des soins médicaux convenables et des indemnités en cas d'accident.

Le Colorado a été l'un des premiers États à adopter une loi d'indemnisation pour les ouvriers. L'objectif de cette législation votée en 1919 était de procurer des soins rapides et un revenu garanti aux ouvriers victimes d'un accident du travail. Ces indemnisations fonctionnaient sur le principe des assurances. S'ils renonçaient à leur droit de poursuivre leur employeur en cas de blessure, les ouvriers étaient censés recevoir immédiatement une indemnité. Des plans d'indemnisation similaires furent adoptés dans tous les États-Unis. En 1991, le Colorado lança une nouvelle tendance qui consistait à restreindre de manière draconienne les indemnités versées aux ouvriers. La nouvelle loi diminuait le montant des sommes allouées aux victimes d'accidents du travail et accordait aux employeurs le droit de choisir le médecin chargé de déterminer la gravité du cas. Ce dernier se voyait donc investi d'un pouvoir considérable.

Beaucoup d'autres États suivirent l'exemple du Colorado. La loi baptisée « réforme des indemnisations ouvrières » avait été proposée par Tom Norton, président du sénat du Colorado et républicain conservateur. Norton représentait la ville de Greeley, où sa femme Kay travaillait comme vice-présidente des affaires légales et gouvernementales à ConAgra Viande rouge.

Dans la plupart des secteurs d'activité, un taux élevé d'accidents du travail inciterait les compagnies d'assurances à exiger des améliorations sur les lieux de travail. Mais ConAgra, IBP et les grosses entreprises du secteur s'assurent elles-mêmes. Elles ne subissent aucune pression extérieure et ont tout intérêt à réduire au minimum les indemnités payées aux ouvriers en cas d'accident. Chaque centime dépensé en compensations est un centime de bénéfice en moins.

Javier Ramirez a commencé à expliquer leurs droits aux ouvriers de Montfort après un accident survenu dans l'usine. Beaucoup d'ouvriers ne connaissent même pas l'existence des indemnités compensatoires. Les formulaires à remplir impressionnent en particulier les gens qui ne parlent pas anglais et ne savent pas lire. Il faut une bonne dose de courage pour remplir une demande d'indemnisation, défier une grosse entreprise et faire confiance au système judiciaire américain, surtout quand on est un immigrant.

Lorsqu'une demande de compensation concerne une blessure presque impossible à réfuter (une amputation sur le lieu de travail, par exemple), les sociétés acceptent en général de payer. Mais lorsque les blessures sont moins visibles (comme celles qui résultent d'un traumatisme), la procédure donne souvent lieu à d'interminables litiges et à des audiences puis des appels en série. Certains des traumatismes les plus douloureux et les plus handicapants sont les plus difficiles à prouver.

De nos jours, il faut parfois des années pour recevoir une compensation. Pendant ce temps, l'ouvrier doit acquitter ses frais médicaux et trouver une source de revenus. Beaucoup comptent sur l'assistance de l'État. La longueur des délais décourage les ouvriers de demander des indemnités. D'autres acceptent de négocier une somme moins importante pour couvrir leurs frais médicaux. Le système octroie de maigres indemnités à un nombre incalculable de travailleurs manuels sans qualification qui auront par la suite le plus grand mal à gagner leur vie. S'ils l'emportent devant les tribunaux, ceux qui reçoivent le total de l'indemnité qui leur est due ne se trouvent pas forcément à l'abri du besoin. La nouvelle loi du Colorado fixe le prix d'un bras à 36 000 dollars. Un doigt amputé peut vous valoir de 2 200 à 4 500 dollars, selon le cas. Une « défiguration de la tête, du visage ou d'une partie du corps exposée aux regards » vous donne droit à un maximum de 2 000 dollars.

Alors que les indemnités deviennent plus difficiles à obtenir, la sécurité sur les lieux de travail est également menacée. Au cours des deux premières années de l'administration Clinton, l'OSHA a semblé revivre. Elle a entrepris de rédiger les premières règles d'ergonomie pour les industriels du pays afin de réduire le nombre de troubles traumatiques. L'élection de 1994 a modifié la donne. La majorité républicaine élue au Congrès ne s'est pas contentée d'empêcher l'adoption des règles d'ergonomie ; elle a mis en question l'avenir de l'OSHA. Les députés républicains ont travaillé main dans la main avec la Chambre de commerce américaine et l'Association nationale des fabricants pour limiter l'autorité de l'OSHA. Cass Ballenger, un député républicain de Caroline du Nord, a déposé un projet de loi obligeant l'OSHA à dépenser au moins la moitié de son budget en « consultations » avec les entreprises plutôt que pour faire respecter la loi. Le nombre d'inspections, qui atteignait déjà un seuil minimum à la fin des années 1990, serait diminué d'autant. Ballenger s'est toujours prononcé contre les inspections de l'OSHA, alors que l'incendie d'un poulailler industriel a tué vingt-cinq ouvriers dans sa propre circonscription, en 1991. L'usine n'avait jamais été inspectée par l'OSHA et l'on retrouva les cadavres des ouvriers entassés à proximité des issues de secours cadenassées. Joel Hefley, un député républicain du Colorado qui représente notamment Colorado Springs, a présenté un projet à côté duquel celui de Ballenger paraît modéré. La « loi de réforme de l'OSHA » de Hefley équivaut à l'abrogation de la loi sur l'hygiène et la sécurité au travail de 1970. Elle interdirait à l'OSHA d'inspecter les lieux de travail et d'imposer des amendes.

Kenny

J'ai rencontré des dizaines d'ouvriers victimes d'accidents du travail en me rendant dans les villes industrielles des Grandes Plaines. Leurs histoires, toutes différentes, possèdent néanmoins des éléments communs et familiers – le même combat pour recevoir des soins corrects, la même peur de parler, la même indifférence de l'entreprise. Nous sommes des êtres humains, m'ont-ils dit à plusieurs reprises, mais ils nous traitent comme des animaux. Les ouvriers que j'ai rencontrés voulaient que je raconte leur histoire. Ils voulaient que les gens sachent ce qui se passe aujourd'hui. Une jeune femme employée à l'usine de Greeley, qui souffre de lésions du dos et de la main droite, m'a dit : « Je voudrais grimper sur un toit et hurler à pleins poumons jusqu'à ce que quelqu'un m'entende. » Je ne peux effacer en moi ni la voix ni le visage de ces ouvriers, non plus que la vision de leurs mains, de leur peau brun clair marquée d'un entrelacs de cicatrices blanchâtres. Certes, il m'est impossible de raconter toutes leurs histoires, mais certaines méritent d'être mentionnées. Comme toute vie, elles peuvent servir d'exemple, ou de généralité. Mais au bout du compte elles sont uniques, individuelles, impossibles à définir ou à remplacer – à l'opposé même de la façon dont le système les a traitées.

Raoul est né à Zapoteca, au Mexique, et a travaillé comme maçon à Anaheim avant de s'installer dans le Colorado. Il ne parle pas anglais. Il s'est présenté à l'usine de Greeley après avoir entendu à la radio une offre d'emploi de Montfort diffusée en espagnol. Un jour, il a enfoncé son bras dans une machine de transformation pour en ôter un morceau de viande. La machine s'est mise en route accidentellement. Le bras de Raoul a été coincé et il a fallu vingt minutes à ses collègues pour le sortir de là en démontant la machine. Une ambulance l'a conduit à l'hôpital avec une lacération profonde à l'épaule. Un tendon avait été sectionné. Après quelques points de suture et l'injection d'un antalgique, Raoul a été reconduit à l'abattoir où il a repris son poste sur la ligne de production. L'épaule bandée et douloureuse, à moitié assommé, le bras en écharpe, Raoul passa le reste de la journée à essuyer de sa main valide le sang qui coulait sur des boîtes en carton.

Renaldo est un autre ouvrier de Montfort qui ne parle pas anglais ; c'est un homme plus âgé, aux cheveux gris. Il souffre d'une lésion du canal carpien contractée en découpant la viande. La douleur était si vive qu'elle irradiait de la main jusqu'à l'épaule et l'empêchait de dormir la nuit. Il ne pouvait s'endormir que dans un fauteuil, à côté du lit où était couchée son épouse. Pendant trois ans, il passa toutes ses nuits dans ce fauteuil.

Kenny Dobbins a travaillé presque seize ans pour Montfort. Né à Keokuk, dans l'Iowa, il a eu une enfance malheureuse aux côtés d'un beau-père autoritaire ; il a quitté la maison à l'âge de treize ans, fréquenté un certain nombre d'écoles sans jamais apprendre à lire, et travaillé ici et là avant d'atterrir à l'abattoir Montfort de Grand Island, dans le Nebraska. Il a été embauché en 1979, juste après que Montfort eut racheté l'usine à Swift. Il avait vingt-quatre ans. Il a d'abord travaillé à l'atelier des expéditions, où il manipulait des cartons de 60 kilos et plus. Mais Kenny se débrouillait. C'était un gars costaud qui mesurait 1,95 mètre et dont la vie n'avait jamais été facile.

Un jour, Kenny entendit un collègue hurler « Attention ! » En se retournant, il vit un carton d'une quarantaine de kilos tomber du haut d'une pile. Il le rattrapa du bras, mais fut déséquilibré par le choc, qui le propulsa contre un tapis roulant dont le rebord métallique s'enfonça dans le bas de son dos. Le médecin de la compagnie lui fit un pansement et affirma que la douleur venait d'un muscle froissé. Kenny ne demanda aucune indemnité et resta quelques jours à la maison avant de reprendre le travail. Il avait une femme et trois enfants. Il souffrit terriblement pendant les mois qui suivirent. « Vous ne pouvez pas imaginer à quel point ça faisait mal », me dit-il. Il consulta un autre médecin qui diagnostiqua une hernie discale sérieuse. Kenny fut opéré et passa un mois à l'hôpital, puis dans une clinique de traitement de la douleur après que l'opération eut échoué. Le stress et les difficultés financières eurent raison de son mariage. Quatorze mois après son accident, Kenny retourna travailler à l'abattoir. « Abandonner après une opération du dos ? pas Ken Dobbins ! !, proclamait le bulletin de la société. Ken a appris à gérer les difficultés qui surgissent dans une usine de conditionnement, et il essaie d'aider les autres à faire comme lui. Merci, Ken, continue à travailler comme ça. »

Kenny se sentait lié à Montfort par un profond sentiment de loyauté. Il ne savait pas lire, n'avait d'autre qualification que sa force physique, et pourtant l'entreprise lui avait donné du travail. Quand Montfort décida de rouvrir l'usine de Greeley avec une main-d'œuvre non syndiquée, Kenny se porta volontaire. Il n'avait pas une haute opinion des syndicats. Ses contre-maîtres lui avaient dit que les syndicats étaient responsables de la fermeture d'usines de conditionnement de la viande dans tout le pays. Quand l'UFCW essaya de s'implanter dans l'abattoir de Greeley, Kenny devint un membre actif et véhément d'un groupe antisyndicaliste.

Kenny se limitait à des travaux légers à l'usine de Grand Island. À Greeley, son chef déclara que les anciennes restrictions ne s'appliquaient plus à son nouveau poste. Bientôt, Kenny accomplissait des tâches pénibles, comme des découpes au couteau et la manutention de morceaux de bœuf de 20 à 25 kilos. Quand la douleur devint insupportable, il fut transféré à l'atelier de viande hachée, puis de transformation. Selon un ancien directeur de l'usine de Greeley, Montfort essayait de se débarrasser de Kenny en lui rendant le travail si déplaisant qu'il déciderait de démissionner. Kenny ne comprenait pas. « Il pense toujours, au plus profond de lui-même, que les gens sont bons et honnêtes, me dit cet homme. Mais il se trompe. »

Son nouveau poste consistait notamment à grimper dans d'énormes réservoirs de sang pour les nettoyer et tendre les bras jusqu'à la bonde d'évacuation pour la déboucher. Un jour, Kenny fut appelé à l'improviste pour travailler le week-end. Il y avait eu un problème de contamination par la salmonelle. Il fallait désinfecter l'usine et certains ouvriers d'assainissement avaient refusé de le faire. Kenny commença à nettoyer les réservoirs en les aspergeant d'un mélange de chlore liquide ; il portait ses vêtements de ville. Le chlore est un produit chimique dangereux qui, une fois inhalé ou absorbé par la peau, peut causer pas mal de problèmes de santé. Les ouvriers qui l'utilisent doivent porter des gants et des lunettes de protection, un masque à gaz et une combinaison étanche. Le contremaître de Kenny lui donna un simple masque en papier qui fut vite dissous. Après huit heures de travail dans des locaux non ventilés, Kenny rentra chez lui, malade. On l'emmena d'urgence à l'hôpital où il fut placé sous une tente à oxygène. Les produits chimiques lui avaient brûlé les poumons. Son corps était couvert de cloques. Il passa un mois à l'hôpital.

Kenny finit par guérir de cette surexposition au chlore, mais sa poitrine resta irritée ; il attrapait le moindre rhume et était devenu très sensible aux arômes chimiques. Il retourna travailler à l'usine de Greeley. Il s'était remarié, ne savait rien faire d'autre, et sa loyauté envers la compagnie restait entière. Kenny commençait à travailler au petit matin. Il faisait la navette d'une partie de l'abattoir à l'autre au volant d'un vieux camion chargé de déchets de viande. Les phares et les essuie-glaces ne fonctionnaient pas. Le pare-brise était crasseux et fendillé. Par un matin sombre et froid, en plein hiver, Kenny se perdit. Il arrêta le camion, ouvrit la portière et sortit pour voir où il se trouvait – et fut heurté par un train. Le convoi lui arracha ses lunettes et ses bottes et l'envoya valdinguer en l'air. Il roulait très lentement, sinon il aurait été tué. Il réussit à rentrer à l'usine, pieds nus et blessé, le visage et le dos en sang. Il passa deux semaines à l'hôpital avant de retourner au travail.

Un jour, alors qu'il travaillait dans son atelier, Kenny vit un ouvrier sur le point de mettre la tête dans une broyeuse, une machine qui pulvérise les tendons et les os à l'aide d'une centaine de petits maillets. L'ouvrier venait de débrancher la machine, mais Kenny savait que les maillets continuaient à tourner quinze minutes après l'arrêt. Il hurla « Stop ! » mais l'ouvrier ne l'entendit pas. Il se précipita, attrapa l'homme par le fond du pantalon et le sortit de la machine juste avant qu'elle ne le réduise en poudre. Montfort rendit hommage à sa bravoure en le récompensant pour « acte exceptionnel au service de ses collègues ». Il reçut un certificat signé par son chef et le directeur de la sécurité de l'usine.

Par la suite, Kenny se cassa la jambe en trébuchant sur le sol de ciment en mauvais état de l'abattoir. Il se cassa également la cheville ; on dut l'opérer pour lui insérer cinq broches métalliques. Kenny porte maintenant un appareil orthopédique en métal très élaboré qui lui a coûté 2 000 dollars. Il ne peut pas rester debout longtemps. On lui a confié le recyclage des vieux couteaux de l'usine. Malgré ses nombreuses blessures, il doit monter et descendre trois étages en portant des sacs-poubelles pleins de couteaux. En décembre 1995, il sentit une douleur atroce dans la poitrine en soulevant des cartons. Il pensa à une crise cardiaque. Son délégué syndical l'envoya chez l'infirmière, qui diagnostiqua un simple muscle froissé et le renvoya à la maison. Kenny avait effectivement eu un infarctus. Un ami le conduisit à l'hôpital voisin. Les médecins lui dirent qu'il avait de la chance d'être encore en vie.

Pendant sa convalescence, Montfort le licencia. Alors qu'il travaillait pour la compagnie depuis presque seize ans, qu'il était le plus ancien ouvrier de l'usine de Greeley, qu'il avait nettoyé des cuves de sang à mains nues, combattu le syndicat, fait tout ce que la compagnie lui avait demandé et encaissé des blessures qui auraient tué un homme moins costaud que lui, personne chez Montfort ne prit la peine de lui annoncer la nouvelle. Il ne reçut pas même une lettre. Kenny apprit qu'il avait été licencié quand le bureau de poste se mit à lui renvoyer les versements qu'il faisait à l'assurance maladie de la compagnie. Il téléphona à plusieurs reprises pour obtenir des explications ; un employé compatissant finit par lui dire que Montfort renvoyait ses chèques parce qu'il ne faisait plus partie du personnel. Quand j'ai demandé à un porte-parole de la société si l'histoire de Kenny était vraie dans ses moindres détails, il a refusé de se prononcer.

Aujourd'hui, Kenny est en mauvaise santé. Son cœur est fragilisé. Son système immunitaire paraît touché. Il souffre du dos et de la cheville et crache parfois du sang quand il tousse. Il ne peut plus travailler. Clara, sa femme – qui est d'origine moitié sud-américaine, moitié cheyenne et ressemble à la petite sœur de Cher –, travaillait dans une maison de repos quand Kenny a eu sa crise cardiaque. Les soucis que lui a causés sa maladie ont entraîné l'apparition de graves problèmes rénaux. Au chômage, elle essaie de récupérer après une greffe du rein.

Kenny et Clara m'ont reçu dans le salon de leur maison de Greeley, avec ses murs ornés de tableaux de loups, de souvenirs des Denver Bronco et d'un drapeau américain. Ils m'ont parlé de leur situation financière. Après seize ans de travail pour Montfort, Kenny ne perçoit aucune pension. La compagnie a contesté sa demande d'indemnité et a finalement accepté – trois ans après le dépôt de sa demande – de régler son cas à l'amiable en lui versant 35 000 dollars. L'avocat de Kenny en a touché 15 % et le reste est dépensé depuis longtemps. Kenny doit parfois mettre des objets au clou pour payer les médicaments de Clara. Ils ont deux enfants adolescents et vivent des prestations sociales. L'assurance maladie de Kenny, qui lui coûte plus de 600 dollars par mois, sera bientôt épuisée. Sa colère contre Montfort et son sentiment de trahison atteignent des proportions véritablement bibliques.

« Ils se sont servis de moi jusqu'à ce que je ne puisse plus leur donner aucune partie de mon corps, m'a dit Kenny en s'efforçant de rester calme. Après ça, ils m'ont flanqué à la poubelle. » Cet homme autrefois si fort, si costaud, marche avec difficulté, se fatigue vite et se sent totalement inutile, comme si sa vie était terminée. Il a quarante-six ans.

CE QU'ON TROUVE DANS LA VIANDE

Le 11 juillet 1997, Lee Harding commanda des tacos au poulet dans un restaurant mexicain de Pueblo, dans le Colorado. Harding, vingt-deux ans, était directeur d'un magasin Safeway. Sa femme, Stacey, était directrice d'un restaurant Wendy's. C'était leur sortie-restaurant du vendredi soir. Quand les tacos au poulet furent servis, Harding les trouva bizarres. La viande avait l'air avariée. Les tacos avaient un goût répugnant. Une heure après avoir quitté le restaurant, il fut saisi de douleurs abdominales aiguës, comme si quelque chose le rongeait de l'intérieur. C'était un homme solide, en bonne santé, mesurant 1,85 mètre pour 100 kilos. Jamais il n'avait eu aussi mal. Les crampes empirèrent et Harding passa la nuit plié en deux sur son lit. Il fut pris de diarrhées qui devinrent bientôt sanglantes. Il avait l'impression de mourir, mais la peur l'empêchait d'aller à l'hôpital. Si je dois mourir, se disait-il, je préfère que ce soit à la maison.

Les douleurs et la diarrhée durèrent tout le week-end. Le lundi soir, Harding se décida à consulter un médecin ; les crampes s'espaçaient, mais il perdait toujours pas mal de sang. Il attendit trois heures aux urgences de l'hôpital St. Mary-Corwin de Pueblo, donna un échantillon de ses selles pour analyse et finit par voir un médecin. Ce dernier diagnostiqua une simple « grippe d'été » et le renvoya chez lui avec des antibiotiques. Le mardi après-midi, on frappa à sa porte. Il ouvrit et ne vit personne ; mais il trouva une note du département de la santé du comté de Pueblo. Ses selles contenaient la bactérie *Escherichia coli 0157 :H7*, un agent pathogène virulent et potentiellement mortel transporté par la nourriture.

Le lendemain matin, Harding téléphona à Sandra Gallegos, une infirmière du département de la santé du comté. Elle lui demanda d'essayer de se souvenir de ce qu'il avait mangé au cours des cinq jours précédents. Harding parla du dîner mexicain et du goût horrible des tacos au poulet. Il était sûr que son intoxication alimentaire venait de là. Sandra Gallegos le détrompa. L'*E. coli 0157 :H7* se trouve rarement dans le poulet. Elle demanda à Harding s'il avait mangé du bœuf dernièrement. Harding se souvenait avoir mangé un hamburger deux jours avant son repas au restaurant mexicain. Mais il ne pouvait pas l'avoir intoxiqué. Sa femme et sa belle-sœur avaient mangé les mêmes hamburgers lors d'un barbecue, et aucune n'était malade. Sa femme et lui avaient également mangé des steaks hachés provenant de la même boîte une semaine avant, et aucun d'eux n'était tombé malade. C'étaient des hamburgers congelés qu'il avait achetés à Safeway. Il s'en souvenait bien parce que c'était la première fois qu'il achetait des hamburgers congelés. Sandra Gallegos lui demanda s'il lui en restait. Harding vérifia dans le congélateur et trouva la boîte. C'était un emballage bleu, blanc et rouge sur lequel était écrit « Steaks hachés de bœuf Hudson ».

Un représentant du département de la santé vint prendre les hamburgers restants et en envoya un au laboratoire du ministère de l'Agriculture (USDA). Les autorités sanitaires avaient noté une augmentation des infections par l'*E. coli 0157 :H7*. Le Colorado était à cette époque l'un des six États américains suffisamment bien équipés pour effectuer des tests d'ADN sur des échantillons de l'*E. coli 0157 :H7*. Ces tests montraient que dix personnes au moins avaient été intoxiquées par la même souche bactérienne. Les enquêteurs cherchaient le lien entre les cas isolés signalés à Pueblo, Brighton, Loveland, Grand Junction et Colorado Springs. Le 28 juillet, l'USDA informa Sandra Gallegos que le hamburger de Lee Harding était contaminé par la même souche de l'*E. coli 0157 :H7*. Le lien était identifié.

Le numéro de lot sur l'emballage des steaks hachés indiquait qu'ils avaient été fabriqués le 5 juin dans l'usine Hudson Foods de Columbus, dans le Nebraska. Cette usine semblait une source bien improbable de contamination. Construite deux ans plus tôt, elle fournissait essentiellement des hamburgers à la chaîne Burger King. Elle utilisait des équipements dernier cri et sa propreté était irréprochable. Pourtant, il s'était passé quelque chose. Une usine moderne conçue pour la production de masse de nourriture était devenue le vecteur de contamination d'une maladie mortelle. Le paquet de hamburgers du congélateur de Lee Harding et une enquête rondement menée par les services de santé du Colorado aboutirent bientôt au plus important rappel de stocks de nourriture de l'histoire du pays. Hudson Foods rappela volontairement en août 1997 environ 20 millions de kilos de bœuf haché produits à l'usine de Columbus. Malgré l'excellent travail des autorités sanitaires, le rappel n'eut guère d'utilité. Au moment de l'annonce, une dizaine de millions de kilos de bœuf haché avaient déjà été consommés.

Un système idéal pour les nouveaux germes pathogènes

On estime que 200 000 personnes sont contaminées chaque jour aux États-Unis par des bactéries présentes dans la nourriture ; 900 sont hospitalisées et 14 meurent. Selon les divers centres pour la prévention et le contrôle des maladies (CDC), plus d'un quart de la population américaine souffre chaque année d'une intoxication alimentaire. La plupart des cas ne sont ni signalés aux autorités ni même diagnostiqués. Les épidémies détectées et identifiées représentent une fraction infime de la réalité. Certains signes laissent à penser non seulement que l'incidence des contaminations par les aliments a augmenté aux cours des dernières décennies, mais que les conséquences durables sur la santé sont beaucoup plus graves qu'on ne le pensait. La phase aiguë d'une intoxication alimentaire – les premiers jours de diarrhées et de troubles gastro-intestinaux – n'est dans la plupart des cas que la manifestation visible d'une maladie infectieuse. Des études récentes ont découvert que beaucoup de germes pathogènes véhiculés par les aliments peuvent accélérer le déclenchement de troubles à long terme tels que maladies cardiaques, inflammations intestinales, problèmes neurologiques, immunodéficience et lésions rénales.

Bien que l'augmentation de ces maladies découle d'une multitude de facteurs, on peut l'attribuer en partie aux récents changements dans le mode de production des aliments. Robert V. Tauxe, directeur de la section des maladies alimentaires du CDC, pense que nous connaissons actuellement des épidémies entièrement nouvelles. Il y a une génération, l'intoxication typique survenait après un repas paroissial, un pique-nique en famille ou une réception de mariage. Les mauvaises conditions de préparation ou de stockage des aliments rendaient malades un petit groupe de personnes dans une zone très limitée. Ces intoxications habituelles n'ont pas disparu. Mais le système de production alimentaire industrielle et centralisée de notre pays provoque un genre d'épidémie tout à fait nouveau susceptible de rendre malades plusieurs millions de personnes. Aujourd'hui, l'apparition d'un certain nombre d'intoxications dans une petite ville peut être due à une mauvaise salade de pommes de terre servie lors du barbecue organisé par une école – ou constituer le premier signe d'une épidémie qui s'étend à tout l'État, à tout le pays, et même à d'autres continents.

De la même manière que le virus de l'immunodéficience humaine (VIH) responsable du sida, la bactérie *E. coli 0157 :H7* est un agent pathogène nouveau dont la propagation a été facilitée par les changements sociaux et techniques récents. Elle a été isolée pour la première fois en 1982 ; le VIH a été découvert l'année suivante. Les personnes contaminées par le VIH peuvent paraître tout à fait saines pendant plusieurs années, tandis que le bétail contaminé par l'*E. coli 0157 :H7* ne présente presque aucun signe de maladie. Si les premiers cas de sida datent de la fin des années 1950, la maladie n'a atteint les proportions d'une épidémie aux États-Unis qu'à partir du moment où le développement des voyages aériens et la promiscuité sexuelle ont permis la transmission généralisée du virus. La bactérie *E. coli 0157 :H7* causait certainement des infections chez l'homme il y a trente ou quarante ans. Mais l'apparition des unités d'engraissement et des abattoirs géants, ainsi que des machines à hacher la viande, semble avoir fourni à ce germe les moyens de se répandre largement dans les aliments du pays. La production américaine de viande n'a jamais été aussi centralisée : treize grands abattoirs tuent la plupart des bœufs consommés aux États-Unis. Le système de conditionnement de la viande apparu pour répondre aux besoins des chaînes de fast-foods – une industrie faite sur mesure pour produire des quantités massives de bœuf haché et uniformisé afin que tous les hamburgers McDonald's aient le même goût – s'est avéré un véhicule de contamination extrêmement puissant.

Si l'*E. coli 0157 :H7* a attiré l'attention du public, les chercheurs ont découvert plus d'une douzaine d'autres agents pathogènes dans les aliments, dont les *Campylobacter jejuni, Cryptosporidium parvum, Cyclospora cayetanensis, Listeria monocytogenes* et autres virus de type Norwalk. Le CDC estime que plus des trois quarts des maladies et décès liés à des intoxications alimentaires aux États-Unis sont provoqués par des agents infectieux non encore identifiés. Alors que la recherche médicale permet de comprendre le lien entre industrie alimentaire moderne et diffusion des maladies dangereuses, les plus importantes sociétés agroalimentaires du pays s'opposent résolument à toute réglementation plus stricte de leurs normes de sécurité. Les grandes sociétés de conditionnement de la viande réussissent depuis des années à se soustraire aux obligations imposées aux fabricants de la plupart des produits de consommation. Le gouvernement américain peut exiger le rappel de battes de base-ball, de chaussures de sport, d'animaux en peluche et de jouets en mousse défectueux, mais il ne peut ordonner à un industriel de la viande d'ôter des cuisines des restaurants fast-foods et des rayons des supermarchés du bœuf haché contaminé et potentiellement mortel. Le pouvoir démesuré des grandes firmes du secteur est soutenu par leurs liens étroits avec les membres républicains du Congrès et les contributions appréciables qu'elles leur versent. Il est également favorisé par le fait que les Américains ignorent combien de gens sont chaque année victimes de ces intoxications et comment elles se propagent.

Ces agents pathogènes nouvellement découverts sont transportés et propagés par des animaux apparemment sains. Les aliments contaminés par ces organismes ont certainement été en contact avec le contenu de l'estomac ou les excréments d'un animal contaminé durant l'abattage ou le processus de transformation de la viande. Une étude nationale publiée en 1996 par le ministère de l'Agriculture montre que 7,5 % des échantillons de bœuf prélevés dans les usines de transformation étaient contaminés par la *Salmonella*, 11,7 % par la *Listeria monocytogenes*, 30 % par le *Staphylococcus aureus* et 53,3 % par le *Clostridium perfringens*. Tous ces agents pathogènes provoquent des maladies chez l'homme ; une intoxication alimentaire causée par la *Listeria* nécessite une hospitalisation et s'avère mortelle dans 1 cas sur 5 environ. L'étude de l'USDA montre que 78,6 % du bœuf haché contient des microbes généralement présents dans les matières fécales. La littérature médicale sur les intoxications alimentaires abonde en euphémismes et termes scientifiques neutres : niveaux coliformes, recherche du type trophique en aérobie, sorbitol, agar de MacConkey, et ainsi de suite. Derrière ces mots se cache une raison toute simple qui explique pourquoi le hamburger que vous mangez peut nuire gravement à votre santé : il y a de la merde dans la viande.

Le plat national

Au début du XXᵉ siècle, les hamburgers avaient mauvaise réputation. Selon l'historien David Gerard Hogan, le hamburger passait pour une « nourriture du pauvre » avariée et dangereuse. Les restaurants en servaient rarement ; on les vendait dans des baraques garées près des usines, des cirques, lors du carnaval et des fêtes foraines. On pensait que le bœuf haché était constitué de viande pas fraîche additionnée de conservateurs chimiques. « Manger des hamburgers est à peu près aussi sain, avertissait un critique gastronomique, que manger de la viande sortie d'une poubelle. » White Castle, la première chaîne de hamburgers américaine, s'évertua à améliorer l'image sordide du hamburger au cours des années 1920. Ainsi que le note Hogan dans *Sellin'Em by the Sack* (1997), son histoire de la chaîne, les fondateurs de White Castle disposaient leurs grils sous les yeux des clients, affirmaient recevoir deux livraisons de viande hachée fraîche par jour, avaient choisi un nom aux connotations de pureté (« Château Blanc ») et même financé une expérience de l'université du Minnesota au cours de laquelle un étudiant en médecine se nourrit « uniquement de hamburgers White Castle et d'eau » pendant treize semaines.

Le succès de White Castle dans l'Ouest et le Midwest contribua à populariser le hamburger et à le débarrasser de ses stigmates sociaux. Pourtant, la chaîne n'attirait pas une grande variété de clients. La plupart étaient des hommes, ouvriers dans les villes. Au cours des années 1950, le développement des drive-in et des fast-foods du sud de la Californie transforma le hamburger jadis méprisé en plat national de l'Amérique. En décidant de promouvoir l'image familiale de McDonald's, Ray Kroc influença profondément les habitudes alimentaires du pays. Les hamburgers semblaient parfaits pour les jeunes enfants – pratiques, bon marché et faciles à mâcher.

Avant la Seconde Guerre mondiale, le porc était la viande la plus populaire aux États-Unis. L'augmentation du niveau de vie, la baisse des prix du bétail, la croissance de l'industrie du fast-food et l'attirance universelle exercée par le hamburger firent passer la consommation de bœuf devant celle de porc. Au début des années 1990, presque la moitié des emplois de l'agriculture avaient un rapport avec le bœuf, lequel générait des revenus annuels plus élevés que toute autre production agricole. L'Américain moyen mangeait trois hamburgers par semaine. Plus des deux tiers de ces hamburgers provenaient de fast-foods. Et les enfants âgés de sept à treize ans consommaient plus de hamburgers que quiconque.

En janvier 1993, les médecins d'un hôpital de Seattle, dans l'État de Washington, remarquèrent qu'un nombre inhabituel d'enfants étaient admis pour des diarrhées sanglantes. Certains souffraient d'un syndrome d'urémie hémolytique, un trouble autrefois très rare responsable de lésions rénales. Les autorités trouvèrent bientôt l'origine de l'intoxication alimentaire dans les hamburgers pas assez cuits servis par les restaurants Jack in the Box du secteur. Les tests montrèrent la présence d'*E. coli 0157 :H7*. Jack in the Box retira immédiatement de la vente le bœuf haché contaminé, qui provenait de la compagnie Vons à Arcadia, en Californie. Plus de 700 personnes dans quatre États au moins furent contaminées par les hamburgers Jack in the Box ; plus de 200 personnes furent hospitalisées et 4 moururent. La plupart des victimes étaient des enfants. L'une des premières malades, Lauren Beth Rudolph, avait mangé un hamburger dans un restaurant Jack in the Box de San Diego une semaine avant Noël. Elle entra à l'hôpital la veille de Noël avec des douleurs atroces, fit trois arrêts cardiaques et mourut dans les bras de sa mère le 28 décembre 1992. Elle avait six ans.

L'épidémie causée par Jack in the Box fit la une de tous les journaux et alerta les consommateurs sur les dangers de l'*E. coli 0157 :H7*. La contre-publicité faillit couler la chaîne de fast-foods. Pourtant, ce n'était pas la première épidémie liée aux hamburgers des fast-foods. En 1982, plusieurs dizaines d'enfants furent contaminés par des hamburgers vendus dans les restaurants McDonald's de l'Oregon et du Michigan. McDonald's coopéra discrètement avec les enquêteurs du CDC et leur fournit des échantillons de bœuf haché contaminé par l'*E. coli 0157 :H7* – échantillons qui prouvaient pour la première fois le lien entre cet agent pathogène et des maladies graves. Publiquement, McDonald's refusait d'admettre que ses hamburgers avaient incommodé des clients. Un porte-parole de la chaîne reconnut simplement « la possibilité d'une association statistique entre un petit nombre de cas de diarrhée dans deux petites villes et nos restaurants ».

Au cours des huit années qui se sont écoulées depuis l'affaire Jack in the Box, environ un demi-million d'Américains, en majorité des enfants, ont été malades à cause de l'*E. coli 0157 :H7*. Plusieurs milliers ont été hospitalisés, et plusieurs centaines sont morts.

Une bactérie qui tue les enfants

La bactérie *E. coli 0157 :H7* est une mutation d'une bactérie abondante dans le système digestif humain. La plupart des bactéries *E. coli* nous aident à digérer les aliments, à synthétiser les vitamines et à nous protéger des germes dangereux. À l'inverse, l'*E. coli 0157 :H7* peut libérer une toxine redoutable – appelée vérotoxine, ou toxine « Shiga » – qui attaque la muqueuse intestinale. Certaines des personnes contaminées ne tombent pas malades. D'autres souffrent de diarrhée bénigne. Dans la plupart des cas, des douleurs abdominales aiguës sont suivies de diarrhée, puis de diarrhée sanglante, qui se résorbe en une ou deux semaines. La diarrhée s'accompagne parfois de vomissements et d'un épisode fiévreux.

Dans 4 % des cas signalés, la toxine pénètre dans le flux sanguin et cause un syndrome d'urémie hémolytique qui peut provoquer insuffisance rénale aiguë, anémie, hémorragie interne et destruction des organes vitaux. Les toxines peuvent provoquer des attaques cardiaques ou cérébrales et des lésions neurologiques. Environ 5 % des enfants victimes de ce syndrome meurent. Ceux qui survivent souffrent de handicaps permanents, tels que cécité ou lésions cérébrales.

Les enfants de moins de cinq ans, les personnes âgées ou immunodé-primées sont les victimes principales des maladies causées par l'*E. coli* *0157 :H7*. Ce germe pathogène est aujourd'hui le premier responsable de l'insuffisance rénale chez les enfants américains. D'après Nancy Donley, pré-sidente de STOP (Safe Tables Our Priority, « Une table sûre, notre priorité »), une organisation qui se consacre à la sécurité alimentaire, il est difficile de faire comprendre les souffrances endurées par les enfants atteints par l'*E. coli* *0157 :H7*. Alex, son fils de six ans, a été contaminé en juillet 1993 par un hamburger. Sa maladie a commencé par des douleurs abdominales aussi éprouvantes que les douleurs de l'accouchement. Elles ont été suivies de diarrhées hémorragiques. Les médecins ont désespérément tenté de sauver la vie d'Alex : ils ont foré des trous dans son crâne pour soulager la pression du cerveau et inséré des tubes dans sa poitrine pour l'aider à respirer pendant que la toxine détruisait les organes vitaux du petit garçon. « J'aurais donné ma vie pour mon fils, m'a dit Nancy Donley. Je me serais jetée devant un autobus pour le sauver. » Elle n'a pu que le regarder, impuissante, et écouter ses cris de terreur et de douleur. Alex est tombé malade un mardi soir, le lendemain de l'anniversaire de sa mère, et il est mort le dimanche après-midi. Tout à la fin, en proie à des hallucinations, il ne reconnaissait plus ses parents. Certaines parties de son cerveau avaient été liquéfiées. « La brutalité extrême de sa mort a été atroce », conclut Nancy Donley.

Lee Harding a appris à ses dépens que des adultes en bonne santé peuvent également être frappés. Six mois après sa guérison, il a trouvé du sang dans ses urines. Le médecin diagnostiqua une infection urinaire, sans doute favorisée par des lésions tissulaires dues à la toxine. L'infection passa rapidement, mais Lee Harding souffre parfois de douleurs trois ans après avoir mangé un hamburger Hudson Beef. Il estime néanmoins qu'il a eu de la chance.

Les antibiotiques sont inefficaces contre les infections causées par la bactérie *E. coli 0157 :H7*. Le recours aux antibiotiques peut d'ailleurs les aggraver en tuant le germe pathogène, ce qui entraîne une libération brutale de ses toxines. On ne peut actuellement pas faire grand-chose pour les patients dont la vie est menacée par cette bactérie, hormis leur administrer perfusions et transfusions sanguines et les mettre sous dialyse.

Les efforts pour éradiquer l'*E. coli 0157 :H7* sont d'autant plus compli-qués que cette bactérie extrêmement résistante est facilement transmissible. Elle résiste à l'acide, au sel et au chlore. Elle peut vivre dans l'eau douce ou l'eau de mer. Elle peut vivre plusieurs jours sur le plan de travail d'une cuisine et plusieurs semaines dans un environnement humide. Elle supporte la congélation. Elle survit à des températures de l'ordre de 35 degrés. Pour être contaminé par la plupart des germes pathogènes contenus dans les aliments, comme la *Salmonella*, il faut en ingérer une dose relativement élevée – au moins 1 million d'organismes. Pour l'*E. coli 0157 :H7*, cinq organismes suffisent. Une minuscule particule mal cuite de viande de hamburger peut en contenir assez pour vous tuer.

La virulence de cet agent pathogène et les doses minimes nécessaires à la contamination lui permettent de se répandre de multiples façons. Des gens ont été contaminés en buvant de l'eau, en jouant dans des parcs aquatiques, en rampant sur un tapis. Pour les intoxications alimentaires, la cause la plus fréquente reste la consommation de viande de bœuf pas assez cuite. Mais des bactéries *E. coli 0157 :H7* contenues dans des germes de soja, des crudités, des melons, du salami, du lait frais et du cidre non pasteurisé ont également déclenché des épidémies. Tous ces aliments s'étaient sans doute trouvés en contact avec du fumier, même si cette bactérie se rencontre également dans les excréments de cerfs, de chiens, de chevaux et de mouches.

La transmission de personne à personne est aussi responsable d'un nombre important de maladies causées par l'*E. coli 0157 :H7*. Environ 10 % des victimes de l'épidémie Jack in the Box n'avaient pas mangé de hamburger contaminé, mais avaient simplement été en contact avec des malades. On trouve la bactérie dans les selles, et les personnes contaminées, même si elles ne présentent aucun signe extérieur de maladie, peuvent facilement la transmettre par manque d'hygiène. Ce genre de transmission arrive surtout entre membres de la même famille, dans les crèches et les maisons de retraite. Une personne contaminée reste contagieuse pendant deux semaines en moyenne, mais on a déjà découvert l'*E. coli 0157 :H7* dans des selles deux à quatre mois après l'épisode infectieux.

Certains troupeaux de bétail américain ont peut-être été contaminés il y a plusieurs décennies. Mais les récents changements du mode d'élevage, d'abattage et de transformation du bétail ont créé des conditions idéales pour ces germes pathogènes. Le problème commence dans les énormes unités d'engraissement. Un haut fonctionnaire de la santé, qui préfère garder l'anonymat, a comparé les conditions sanitaires des unités modernes à celles des villes européennes du Moyen Âge, où les habitants vidaient leurs pots de chambre par la fenêtre, les détritus s'amoncelaient dans la rue et les épidémies faisaient rage. Le bétail entassé dans les unités d'engraissement ne prend guère d'exercice et vit dans des mares de purin. « Nous savons que nous ne devons pas manger ni boire des aliments ou de l'eau souillés, m'a dit cet homme. Mais nous continuons à penser que nous pouvons donner aux animaux de l'eau et des aliments souillés. » Les unités d'engraissement se sont changées en mécanisme très efficace de « recirculation du purin », ce qui est vraiment malencontreux, puisque la bactérie *E. coli 0157 :H7* peut se reproduire dans les abreuvoirs du bétail et survivre dans le fumier jusqu'à 90 jours.

Loin de son habitat naturel, le bétail des unités d'engraissement est exposé à toutes sortes de maladies. La nourriture qu'on lui donne contribue souvent à leur propagation. La hausse du prix des céréales a encouragé leur remplacement par des aliments moins coûteux, notamment ceux dont la teneur en protéines accélère la croissance. Environ 75 % du bétail américain mangeait régulièrement des déchets animaux – ovins et bovins – jusqu'en août 1997. On le nourrissait également de millions de chiens et de chats morts achetés dans des foyers pour animaux. La FDA a interdit ces pratiques après la découverte, en Grande-Bretagne, que ces farines animales étaient responsables de la propagation généralisée de l'encéphalopathie spongiforme bovine (ESB), connue sous le nom de « maladie de la vache folle ». Pourtant, la réglementation actuelle continue à autoriser la transformation de porcs et de chevaux morts en aliments pour le bétail, sans oublier la volaille. Le bétail peut être nourri avec de la volaille morte, et réciproquement. Les Américains qui ont passé plus de six mois au Royaume-Uni dans les années 1980 n'ont plus le droit de donner leur sang, afin d'empêcher la propagation de la maladie de Creutzfeldt-Jakob, la variété humaine de l'ESB. Mais les aliments donnés au bétail américain contiennent toujours du sang de bovin. Steven P. Bjerklie, ancien éditeur du journal spécialisé *Meat & Poultry* (« Viande et volaille »), est épouvanté par le contenu des aliments pour le bétail. « Ces animaux sont faits pour manger de l'herbe et peut-être des céréales. Ce n'est pas pour rien qu'ils ont quatre estomacs – c'est pour manger des aliments qui contiennent de hautes doses de cellulose. Ils ne sont pas faits pour manger d'autres animaux. »

Les déchets des poulaillers industriels, y compris la sciure et les vieux journaux utilisés comme litières, entrent dans la composition des aliments du bétail. Une étude publiée il y a quelques années dans *Preventive Medicine* note que, dans le seul État de l'Arkansas, 1 500 tonnes d'excréments de poulets ont été distribuées comme nourriture au bétail en 1994. Selon le docteur Neal D. Bernard, qui dirige le Comité des praticiens pour une médecine responsable, les excréments de poulets peuvent contenir des bactéries dangereuses telles que *Salmonella* et *Campylobacter,* des parasites tels que ténias et

Giardia lamblia, des résidus d'antibiotiques, de l'arsenic et des métaux lourds.

Les germes pathogènes du bétail contaminé ne se propagent pas uniquement dans les unités d'engraissement, mais aussi dans les abattoirs et les machines à hacher la viande. La viande risque surtout d'être contaminée à deux stades : lorsqu'on arrache le cuir de l'animal et qu'on le vide de son système digestif. Les cuirs sont arrachés par des machines ; une peau mal nettoyée peut faire tomber des particules de poussière et de fumier sur la viande. Estomacs et intestins sont toujours ôtés à la main ; si le travail n'est pas fait soigneusement, le contenu du système digestif peut se répandre partout. La vitesse des lignes de production actuelles rend la tâche beaucoup plus difficile. Un ouvrier debout à une « table à boyaux » peut éviscérer 60 bêtes à l'heure. Il faut pas mal de talent pour accomplir ce travail correctement. Un ancien « tire-boyaux » d'IBP m'a dit qu'il lui avait fallu six mois pour apprendre à retirer l'estomac et nouer les intestins sans que tout soit éclaboussé. Dans ses bons jours, il réussissait à éviscérer proprement 200 bêtes de suite. Les ouvriers inexpérimentés font beaucoup plus de saletés. À l'abattoir IBP de Lexington, dans le Nebraska, le taux de déversement horaire est parfois de 20 %, ce qui signifie que 1 carcasse sur 5 est souillée.

Les conséquences d'une seule erreur s'amplifient rapidement à mesure que les carcasses progressent par centaines le long de la ligne. Les couteaux doivent normalement être lavés et désinfectés au bout de quelques minutes, mais les ouvriers pressés oublient souvent de le faire. Un couteau contaminé par des germes les transmet à tout ce qu'il touche. Les ouvriers surmenés et souvent illettrés des abattoirs du pays ne comprennent pas toujours l'importance d'une bonne hygiène. Ils oublient parfois que cette viande va être mangée. Ils la laissent tomber sur le sol et la replacent immédiatement sur le tapis roulant. Ils font cuire de petites bouchées de viande dans leurs stérilisateurs, ce qui rend ces machines totalement inopérantes. Eux-mêmes sont directement exposés à une grande variété de germes pathogènes de la viande ; une fois contaminés, ils propagent la maladie sans le savoir.

Une étude récente de l'USDA a démontré que 1 % du bétail des unités d'engraissement est porteur du germe *E. coli 0157 :H7* en hiver. La proportion grimpe à 50 % en été. Même si l'on part du principe que seulement 1 % du bétail est contaminé, cela signifie que trois ou quatre bêtes porteuses de la bactérie sont éviscérées toutes les heures dans un grand abattoir. Le risque d'une contamination à grande échelle est multiplié lorsque la viande est hachée. Il y a une génération, les bouchers et grossistes locaux hachaient eux-mêmes les petits morceaux de viande qui leur restaient. Ce bœuf haché distribué localement provenait souvent de bêtes abattues à proximité. Aujourd'hui, grands abattoirs et industriels dominent la production nationale de bœuf haché. Une usine moderne peut produire quotidiennement 4 000 tonnes de viande hachée qui seront expédiées dans tout le pays. Un seul animal porteur de l'*E. coli 0157 :H7* peut contaminer 16 tonnes de ce bœuf haché.

Pour couronner le tout, les animaux utilisés pour faire un quart environ de ce bœuf haché – des vaches laitières trop vieilles – sont les plus susceptibles de maladies ou les plus chargés en résidus d'antibiotiques. Les pressions de la production laitière industrielle rendent ces vaches encore moins saines que le bétail des grandes unités d'engraissement. Les vaches laitières peuvent vivre jusqu'à quarante ans, mais elles sont souvent abattues à l'âge de quatre ans, lorsque leur production de lait commence à décliner. McDonald's se fournit essentiellement en vaches laitières pour ses hamburgers, car ces animaux sont relativement bon marché, donnent une viande peu grasse et permettent à la chaîne de proclamer qu'elle utilise exclusivement du bœuf élevé aux États-Unis. Les temps où le boucher hachait dans son arrière-boutique des morceaux prélevés sur un ou deux quartiers de bœuf sont révolus depuis longtemps. De la même manière que la multiplication des partenaires sexuels a contribué à propager l'épidémie de sida, le mélange de grandes quantités d'animaux dans la plupart des usines américaines de viande hachée a joué un rôle essentiel dans la propagation de l'*E. coli 0157 :H7*. Un seul hamburger de fast-food contient aujourd'hui de la viande qui provient de plusieurs dizaines, si ce n'est de plusieurs centaines, d'animaux différents.

Tout ce que nous sommes prêts à payer

« Ceci n'est pas un conte inventé à plaisir, écrivait Sinclair en 1906 ; en effet la viande était prise à la pelle, dans la demi-obscurité, et jetée, dans les wagonnets qui l'emportaient aux trémies, par un ouvrier qui n'avait aucune raison de mettre de côté un rat quand par hasard il en apercevait ; il entrait dans la composition de la saucisse tant de choses, en comparaison desquelles un rat empoisonné n'était que bagatelle[1] ! » Et l'auteur de décrire une litanie de pratiques dangereuses pour la santé des consommateurs : l'abattage routinier d'animaux malades, l'utilisation de produits chimiques comme le borax et la glycérine pour camoufler l'odeur du bœuf avarié,

---

1. *La Jungle*, traduction française de A. Fournier, éditions Rencontre, 1965 (NDT).

l'étiquetage mensonger de la viande en conserve, les ouvriers faisant leurs besoins à même le sol de l'atelier où les animaux étaient abattus. Après avoir lu *La Jungle*, le président Theodore Roosevelt ordonna une enquête indépendante sur les allégations de Sinclair. Elle confirma la véracité du livre et Roosevelt demanda qu'une législation rende obligatoires l'inspection fédérale de toute viande vendue entre États, l'étiquetage précis des conserves de produits carnés et un système de régulation privé obligeant les industriels à financer le nettoyage de leurs propres abattoirs.

Les barons du trust du bœuf réagirent par des attaques diffamatoires contre Roosevelt et Upton Sinclair, dont ils réfutèrent les accusations, et lancèrent une campagne de relations publiques afin de convaincre les Américains qu'ils n'avaient pas à s'inquiéter. « La viande, et l'alimentation industrielle en général, affirma J. Ogden Armour dans un article du *Saturday Evening Post*, sont manipulées avec autant de précaution dans les grandes usines de conditionnement que dans votre propre cuisine. » Thomas Wilson, un responsable de Morris & Company, déclara devant le Congrès que les occasionnels manquements à l'hygiène ne venaient pas de la direction de ces industries, mais de l'avidité et de la paresse des ouvriers des abattoirs. « Ce ne sont que des hommes, affirma-t-il, et certains d'entre eux sont difficilement contrôlables. » Après une âpre bataille législative, le Congrès adopta à une faible majorité la loi sur l'inspection de la viande de 1906, une version édulcorée des propositions de Roosevelt qui faisait payer les nouvelles réglementations au contribuable.

La réaction de l'industrie du conditionnement de la viande établit un précédent qui devait se répéter tout au long du XXe siècle, dès que le bœuf vendu dans le pays suscitait des inquiétudes pour la santé des consommateurs. Le secteur a toujours nié l'existence de problèmes, mis en doute les motivations de ceux qui le critiquent, refusé avec véhémence le contrôle de l'État, cherché à échapper à toute responsabilité en cas d'intoxication alimentaire et lutté pour faire supporter par le grand public le prix de l'amélioration de l'hygiène et de la sécurité. Cette stratégie traduit une profonde antipathie pour toute réglementation gouvernementale qui risquerait de réduire les profits. « Il n'y a aucune limite aux dépenses que l'on pourrait nous imposer, prévenait Wilson en 1906, argumentant contre un plan d'inspection fédéral coûtant aux industriels moins d'un centime par tête de bétail. [Nous] soutenons avec juste raison que nous payons déjà tout ce que nous sommes prêts à payer. »

Au cours des années 1980, alors que les risques de contamination à grande échelle augmentaient, l'industrie de la viande s'opposa à l'utilisation de tests microbiens dans le programme fédéral d'inspection. Un comité nommé par l'Académie nationale des sciences signala en 1985 que ce programme était totalement obsolète ; il se basait toujours sur des signes visuels et olfactifs et laissait échapper des germes pathogènes dangereux. Trois ans plus tard, un autre comité de l'Académie nationale des sciences lançait un nouvel avertissement : l'infrastructure de santé publique du pays était en proie à un désordre qui limitait sa capacité à rechercher ou à empêcher la propagation des nouveaux agents pathogènes. Si l'on n'augmentait pas les budgets, l'apparition de nouvelles épidémies devenait virtuellement inévitable. « Qui sait de quoi sera faite la prochaine crise ? », demandait le président du comité.

Il n'en reste pas moins que les administrations Reagan et Bush réduisirent les dépenses de santé publique et nommèrent au ministère de l'Agriculture des fonctionnaires beaucoup plus intéressés par la déréglementation que par la sécurité alimentaire. L'USDA ne se distinguait plus guère des industries qu'il était censé surveiller. Le premier ministre de l'Agriculture du président Reagan était dans l'élevage porcin. Le deuxième était président de l'Institut américain de la viande (anciennement connu sous le nom d'Association américaine des industriels de la viande). Quant au directeur des services de l'Inspection alimentaire, c'était le vice-président de l'Association nationale des éleveurs de bétail. Bush nomma ensuite à ce poste le président de la même association.

Deux mois après que l'Académie eut souligné la menace de nouvelles épidémies mortelles, l'USDA lançait le Streamlined Inspection System for Cattle (SIS-C, ou Système d'inspection rationalisée du bétail). Ce programme conçu pour restreindre la présence des inspecteurs fédéraux dans les abattoirs du pays confiait aux employés des compagnies la plupart des tâches liées à l'hygiène alimentaire. Selon l'administration Reagan, le SIS-C permettrait au ministère de l'Agriculture de réduire son budget et de déployer plus efficacement son personnel. Il donnait aussi toute licence aux industriels, libérés des contraintes perpétuelles des inspections fédérales, d'augmenter encore la vitesse de leurs lignes. Alors qu'IBP et Morrell avaient été pris l'année précédente en flagrant délit de falsification de registres de sécurité et de possession de doubles registres d'accidents du travail, l'industrie était investie de l'autorité qui lui donnait toute liberté d'inspecter sa propre viande. Le SIS-C fut lancé en 1988 par un programme pilote conduit dans cinq grands abattoirs qui fournissaient environ un cinquième du bœuf consommé aux États-Unis. L'USDA espérait étendre le système à tout le pays en l'espace de dix ans et diviser ainsi par deux le nombre d'inspecteurs fédéraux.

En 1992, le ministère conclut après enquête que le bœuf produit selon les dispositions du SIS-C n'était pas plus sale que le bœuf sortant des abattoirs régulièrement visités par les inspecteurs fédéraux. L'exactitude du rapport fut mise en doute lorsqu'il apparut que les compagnies avaient parfois été prévenues de l'arrivée des enquêteurs de l'USDA dans leurs abattoirs régis par le SIS-C. L'usine Montfort de Greeley participait à ce programme. D'après les inspecteurs fédéraux, la viande produite sous les auspices du SIS-C « n'avait jamais été aussi infecte ». On y abattait des animaux de toute évidence malades – rougeoleux, infestés de vers ou couverts d'abcès. Les inspecteurs maison, peu ou mal formés, autorisaient l'expédition de bœuf contaminé par des matières fécales, des poils, des insectes, des raclures de métal, de l'urine et des vomissures.

Le SIS-C fut arrêté en 1993 après l'épidémie Jack in the Box. Il semblait difficile de justifier la diminution du nombre d'inspections fédérales alors que plusieurs centaines d'enfants avaient été gravement intoxiqués par des hamburgers contaminés. Même si la source de l'*E. coli 0157 :H7* ne fut jamais précisément identifiée, une partie du bœuf utilisé par Jack in the Box provenait d'une usine sous SIS-C – un abattoir Montfort. L'industrie réagit immédiatement en essayant de se décharger de ses responsabilités. Alors que des enfants continuaient à affluer dans les hôpitaux après avoir mangé des hamburgers Jack in the Box, J. Patrick Boyle, président de l'Institut américain de la viande, déclara : « L'épidémie récente révèle l'existence d'un problème national : l'incohérence des informations sur la bonne température de cuisson des hamburgers. » Au ministère, les alliés de l'industrie firent preuve d'un remarquable laisser-faire en précisant que la viande hachée contaminée n'avait enfreint aucune règle fédérale. Selon le docteur Russell Cross, directeur de l'Inspection alimentaire, « la présence de bactéries dans la viande crue, y compris l'*E. coli 0157 :H7*, si elle est indésirable, ne peut être évitée et ne justifie pas l'interdiction du produit ». Certains membres de la nouvelle administration Clinton désapprouvèrent. Le docteur Cross, qui avait été nommé par Bush, démissionna. Michael R. Taylor, son successeur, annonça le 29 septembre 1993 que l'*E. coli 0157 :H7* serait désormais considéré comme un dénaturant illégal, qu'aucune viande de bœuf hachée contaminée par cette bactérie ne pouvait être commercialisée et que l'USDA lancerait une campagne de tests microbiens à l'aveugle afin d'éliminer ce genre de viande des réserves alimentaires du pays. L'Institut américain de la viande attaqua immédiatement le ministère devant une cour fédérale pour empêcher les tests. Le juge James R. Rowlin, conservateur et éleveur de bétail, rejeta les arguments des industriels et autorisa les tests.

Question de volonté

Pendant que l'industrie de la viande tâchait d'empêcher l'application d'un système d'inspection scientifique, la compagnie Foodmaker, propriétaire de la chaîne Jack in the Box, s'efforçait de se relever après toute la contre-publicité qui avait entouré l'épidémie. Robert Nugent, président de Food-maker, avait attendu une semaine avant de reconnaître la responsabilité de Jack in the Box. Il avait d'abord accusé le fournisseur de bœuf haché de ses restaurants et les autorités sanitaires de l'État de Washington. Il affirmait que celles-ci n'avaient jamais clairement expliqué pourquoi les hamburgers devaient être bien cuits. Nugent recruta Jody Powell, ancienne attachée de presse du président Carter, pour redorer l'image de la compagnie, et David M. Theno, éminent spécialiste de l'alimentation, pour prévenir de futures épidémies.

Theno avait déjà aidé Foster Farms, une entreprise familiale de trans-formation de volaille basée en Californie, à éliminer les *Salmonella* de ses volatiles. Il défendait fermement les programmes d'Analyse des dangers et des points de contrôle critiques (HACCP), conformément à une philosophie de l'hygiène alimentaire professée depuis des années par l'Académie natio-nale des sciences. Un programme HACCP a pour objectif essentiel la préven-tion : il associe analyse scientifique et bon sens. Il identifie, puis contrôle, les étapes les plus risquées du processus de production alimentaire. Des piles et des piles de rapports doivent être conservées afin que l'on connaisse exac-tement la destination de chaque produit. Theno comprit rapidement que Jack in the Box s'appuyait sur les règles de sécurité de ses fournisseurs – au lieu d'imposer les siennes. Il créa le premier plan HACCP de l'industrie du fast-food, une politique « de la ferme à la fourchette » qui analysait les mena-ces contre l'hygiène alimentaire susceptibles de surgir à chaque niveau de production et de distribution. Il était non seulement judicieux, mais essen-tiel pour la survie de la chaîne, de rassurer les clients de Jack in the Box sur la qualité de leur nourriture. Depuis l'épidémie de 1993, David Theno est devenu incontournable dans l'industrie du fast-food ; les associations de consommateurs l'encensent et l'industrie de la viande, si l'on en croit ses dires, le considère comme l'« Antéchrist ».

Theno obligea chaque directeur de restaurant Jack in the Box à suivre une formation en hygiène alimentaire, fit installer des thermomètres de contrôle dans chaque camion frigorifique de la compagnie, régler chaque gril des cuisines à la température de cuisson adéquate et interdit aux employés de retourner à mains nues la viande en train de cuire. Son programme de sécurité alimentaire s'appuyait sur les tests microbiens avec une dévotion à la limite du fanatisme. Theno découvrit que les niveaux de contamination variaient énormément en fonction du fournisseur de bœuf haché. Certains abattoirs faisaient bien leur travail ; d'autres étaient juste corrects ; quelques-uns obtenaient des résultats effrayants. Les compagnies qui fabriquaient les steaks hachés des hamburgers Jack in the Box durent s'engager à tester leur viande toutes les quinze minutes pour traquer toute une gamme de bactéries dangereuses, dont l'*E. coli 0157 :H7*. Les abattoirs qui continuaient à expédier de la viande de mauvaise qualité étaient rayés de la liste des fournisseurs.

Aujourd'hui, Jack in the Box achète son bœuf haché auprès de deux sociétés : ssi, une filiale de J. R. Simplot Company, et Texas-American, filiale d'American Food Service Corporation, une entreprise familiale. Theno m'a fait visiter l'usine Texas-American de Fort Worth, qui fabrique des steaks hachés pour les hamburgers Jack in the Box. Nous étions accompagnés par Tim Biela, le directeur de l'usine. Il passe une grande partie de son temps à effectuer des tests répétés et à en tenir à jour les résultats. « Il est impossible de contrôler ce qu'on ne mesure pas », se plaît-il à déclarer. Ses rapports mentionnent non seulement la date et l'heure de production de chaque boîte de steaks hachés, mais également le nom des employés en service à ce moment-là, la provenance des bêtes et la localisation des unités d'engraissement qui envoyaient des bœufs à l'abattoir ce jour-là. L'usine avait l'air neuve et propre. J'ai vu d'énormes cuves pleines de restes de viande – certains d'origine australienne – stockées dans une chambre froide. Le bœuf tombait des cuves directement dans des machines étincelantes en acier inoxydable où des vrilles géantes le hachaient en fines particules. Viande grasse et maigre étaient ensuite mélangées avec précision avant d'être pressées, perforées, surgelées, passées au détecteur de métal et scellées sous plastique. Les palets de viande qui sortaient des machines ressemblaient à des gaufrettes rosées.

David Theno aimerait faire adopter par l'industrie du conditionnement un système de « notation basée sur la performance ». Les abattoirs qui produiraient régulièrement de la viande saine obtiendraient un A. Les usines aux performances moyennes obtiendraient un B, et ainsi de suite. Les notes seraient déterminées par un ensemble de tests microbiens et le marché récompenserait les entreprises les mieux notées. Les usines qui écoperaient d'un C ou d'un D devraient améliorer leur production – ou s'en tenir aux aliments pour chiens.

Certains représentants de l'industrie du fast-food voient d'un mauvais œil Jack in the Box, après son implication dans une épidémie d'intoxications à grande échelle, assumer la direction des opérations en matière de sécurité et d'hygiène alimentaires. Les prises de position de Theno en faveur d'une législation très stricte sur l'hygiène alimentaire en Californie l'ont rendu impopulaire auprès de l'association des restaurateurs de l'État. Quant aux industriels de la viande, ils ne l'apprécient guère plus. D'après Theno, leur résistance durable aux tests microbiens est une forme de dénégation. « Si vous ignorez tout d'un problème, explique-t-il, vous n'avez pas besoin de le régler. » Il pense que le problème de la contamination du bœuf haché par l'*E. coli 0157 :H7* peut être réglé, et professe une foi optimiste dans le pouvoir de la science et de la raison. « Si vous instaurez un système de registres et attribuez des notes à ces compagnies, affirme-t-il, vous pouvez régler ce problème. Vous pouvez le régler en l'espace de six mois... C'est une question de volonté, pas de technologie. » Quoi qu'en disent les industriels, la solution n'est pas nécessairement onéreuse. L'intégralité du programme d'hygiène alimentaire de Jack in the Box entraîne une augmentation du bœuf haché à la chaîne de l'ordre de 2 centimes par kilo.

L'impossible rappel

Les efforts de l'administration Clinton pour mettre en place un système d'inspection rigoureux et scientifique ont été considérablement freinés lorsque le Parti républicain a remporté la majorité au Congrès. L'industrie du conditionnement de la viande et celle du fast-food comptent parmi les plus gros donateurs de l'aile droite du Parti républicain. Le programme de dérégulation et d'opposition à l'augmentation du salaire minimum de Newt Gingrich, le président de la Chambre, s'accorde parfaitement avec l'ordre du jour législatif des gros industriels et des chaînes de fast-foods. Une étude des contributions financières aux campagnes électorales entre 1987 et 1996 conduite par le Centre pour l'intégrité publique montre que Newt Gingrich a reçu plus d'argent de l'industrie de la restauration que n'importe quel autre député. Parmi les 25 plus gros bénéficiaires de fonds alloués par cette industrie, on ne trouve que 4 démocrates. L'industrie de la viande accorde également la plupart de ses contributions aux républicains conservateurs, les sénateurs Mitch McConnell du Kentucky, Jesse Helms de Caroline du Nord ou Orrin Hatch de l'Utah, par exemple. De 1987 à 1996, Phil Gramm, un républicain du Texas, a touché plus d'argent venant de cette industrie que n'importe quel autre sénateur. Gramm est membre de la commission de l'agriculture du Sénat et sa femme, Wendy Lee, siège au conseil d'administration d'IBP.

Au cours des années 1990, les alliés de l'industrie de la viande au Congrès ont travaillé dur pour empêcher la modernisation du système d'inspection sanitaire du pays. Ils ont consacré beaucoup d'efforts à refuser au gouvernement fédéral le droit de retirer de la vente de la viande contaminée ou d'imposer au pénal des amendes aux sociétés qui expédient sciemment des produits contaminés. La loi interdit actuellement au ministère de l'Agriculture d'exiger un rappel. Il peut uniquement mener des consultations avec une compagnie qui a livré de la viande contaminée et lui suggérer de la retirer du commerce entre États. Dans les cas extrêmes, l'USDA peut ordonner à ses inspecteurs de quitter un abattoir ou une usine de transformation, ce qui équivaut à une fermeture. C'est une initiative plutôt rare – que les industriels peuvent contester devant une cour fédérale. Dans la plupart des cas, le ministère négocie le moment et l'envergure des rappels nécessaires avec les sociétés de conditionnement. Celles-ci ont tout intérêt à retirer de la vente la plus petite quantité de viande possible (en particulier s'il est difficile d'en retrouver la trace) et à limiter la publicité qui entoure les rappels. Or chaque jour passé en discussions est un jour de risque supplémentaire pour les Américains qui consomment de la viande.

L'épidémie causée par Hudson Foods a révélé un grand nombre d'insuffisances de la politique de l'USDA en matière de rappel. Les responsables de Hudson Foods ont été informés fin juillet 1997 que leurs steaks hachés surgelés pour hamburgers avaient transmis la bactérie *E. coli 0157 :H7* à Lee Harding. Comme celui-ci avait conservé la boîte, Hudson Foods connaissait exactement le numéro de lot et le code de production de la viande contaminée. La compagnie resta trois semaines sans informer les consommateurs ni rappeler les steaks surgelés, jusqu'à ce que l'USDA découvre une deuxième boîte de steaks hachés surgelés contaminés par l'*E. coli 0157 :H7*. Elle annonça le 12 août, après négociation avec le ministère, le rappel volontaire de 10 tonnes de bœuf haché. La quantité paraissait étonnamment faible si l'on considère que l'usine Hudson Foods de Columbus, dans le Nebraska, peut produire 200 tonnes de bœuf haché en huit heures de travail – et que les steaks contaminés avaient été fabriqués, d'après le code de production figurant sur les boîtes, sur une période d'au moins trois jours au mois de juin. Défenseurs de la sécurité alimentaire et journalistes commencèrent à mettre en cause l'importance du rappel, qui passa à 20 tonnes le 13 août,

750 tonnes le 15 et 12 500 tonnes le 21. Pour finir, la compagnie ordonna le rappel de 17 500 tonnes de bœuf haché, dont la plus grande partie avait déjà été consommée.

Non seulement le ministère avait été forcé de négocier le rappel avec Hudson Foods, mais il avait dû se fier aux responsables de la compagnie pour obtenir des informations sur la quantité de viande à rappeler. Deux de ces responsables suggérèrent que seuls de petits lots de bœuf haché avaient été contaminés. En réalité, Hudson Foods recourait depuis plusieurs mois au « retraitement » – l'excédent de bœuf haché de la veille était régulière- ment mélangé à la production du jour. La compagnie avait donc livré de la viande potentiellement contaminée par la même souche d'*E. coli 0157 :H7* de mai 1997 jusqu'à la troisième semaine d'août, au minimum, date à laquelle elle accepta de fermer l'usine. Brent Wolke, directeur de l'usine de Columbus, et Michael Gregory, directeur de la qualité et des relations avec les consommateurs de Hudson Foods, furent mis en examen en décembre 1998. Le procureur fédéral les accusait d'avoir délibérément menti aux ins- pecteurs de l'USDA et falsifié les documents de la compagnie afin de mini- miser l'importance du rappel. Ils furent tous deux acquittés.

Une enquête ultérieure d'Elliot Jaspin et de Scott Montgomery, jour- nalistes de Cox News Service, révéla que l'USDA n'informe pas le grand public des retraits de viande contaminée dans les fast-foods. « Nous vivons dans une société qui encourage les litiges », expliqua Jacque Knight, porte-parole du ministère ; si chaque rappel de viande était rendu public, les compagnies seraient en butte aux accusations de « tous les gens qui ont mal à l'esto- mac ». De 1996 à 1999, l'USDA passa sous silence plus d'un tiers des rappels de classe I, qui impliquent un danger grave, et potentiellement mortel, pour les consommateurs. Le ministère rend désormais publics tous les rappels de classe I, même s'il refuse de révéler où est vendue la viande contaminée (sauf si elle est distribuée sous le nom d'une marque dans les magasins de détail). Certains fonctionnaires de la santé critiquent la politique de l'USDA, affir- mant qu'elle rend les origines des épidémies beaucoup plus difficiles à déter- miner et expose les victimes d'intoxications alimentaires à de plus graves dangers. Une personne infectée par l'*E. coli 0157 :H7*, ignorant à la fois la cause de ses symptômes et le déclenchement d'une épidémie locale, peut aggraver son état de santé en essayant de se soigner elle-même.

L'USDA et les sociétés de conditionnement affirment qu'il ne faut pas révéler de détails sur les lieux de distribution de la viande afin de protéger les « secrets commerciaux ». En février 1999, IBP rappela 5 tonnes de bœuf haché truffé d'éclats de verre mais se contenta de déclarer que la viande avait été expédiée vers des magasins de Floride, du Michigan, de l'Ohio et de l'Indiana. Ni IBP ni l'USDA ne révélèrent le nom de ces magasins. « C'est très frustrant pour nous, déclara un fonctionnaire de la santé de l'Indiana qui expliquait aux journalistes pourquoi il était impossible d'enlever des rayons des supermarchés le bœuf contenant des morceaux de verre. S'ils ne nous donnent pas [l'information], nous ne pouvons pas faire grand-chose. »

Le ministère laisse donc les industriels de la viande décider eux-mêmes de la date d'un rappel, de la quantité de viande à rappeler et de l'information à donner ; en outre, il autorise depuis des années ces mêmes compagnies à participer à la rédaction de ses propres communiqués de presse. Dan Glickman, le ministre de l'Agriculture, mit fin à cette pratique après l'épidémie Hudson Foods. Deux ans plus tard, certains fonctionnaires de l'USDA proposèrent que le ministère laisse aux industriels le soin d'annoncer les rappels de viande. Cette idée ne fut jamais adoptée. En janvier 2000, l'USDA décida d'annoncer tous les rappels de viande par communiqué de presse officiel ; le site Internet du ministère les mentionne également. Pourtant, cette nouvelle politique ne permet pas de connaître plus facilement les points de vente de viande contaminée. « Les communiqués de presse ne citeront pas les noms des vendeurs du produit, note une directive de l'USDA, sans l'accord du fournisseur. »

Un récent communiqué d'IBP qui annonçait le rappel de plus de 125 tonnes de bœuf haché sans doute contaminé par l'*E. coli 0157 :H7* montre que les besoins de l'industrie et ceux des consommateurs ne coïncident pas forcément. « IBP mène cette opération de rappel volontaire par mesure de précaution », affirmait le communiqué du 23 juin 2000, attribuant son initiative à l'esprit de générosité et de bonne volonté de la société. La viande contaminée avait été expédiée à des grossistes, à des distributeurs et à des détaillants dans 25 États. Le communiqué ressemble parfois plus à une publicité pour IBP qu'à une mise en garde. Il consacre plus d'espace à une description du programme de sécurité alimentaire de la compagnie – son système d'abattoirs « triple propreté » et ses « laboratoires approuvés et accrédités » – qu'aux détails permettant de comprendre comment IBP s'est débrouillé pour distribuer dans tout le pays suffisamment de viande suspecte pour confectionner au moins 1 million de hamburgers potentiellement mortels. Le communiqué ne mentionne pas, par exemple, que l'*E. coli 0157 :H7* du bœuf haché d'IBP n'a été détecté ni par les laboratoires accrédités de la compagnie, ni par les employés de l'usine de Geneseo, dans l'Illinois, d'où vient ce produit, ni par les inspecteurs de l'USDA, mais par les enquêteurs du département de la santé de l'Arkansas, qui trouvèrent le germe pathogène dans un lot de bœuf haché ibp du restaurant Tiger Harry's d'El Dorado. Trente-six personnes qui avaient récemment mangé dans ce Tiger Harry's avaient été contaminées. Malgré la découverte de bœuf contaminé dans le congélateur du restaurant, le département de la santé ne put établir de rapport concluant entre la viande d'ibp et l'épidémie d'El Dorado. « Aucune maladie n'a été associée à ce produit », affirmait avec une belle audace le communiqué de la compagnie. Le rappel volontaire fut lancé six semaines après la date de production du bœuf haché. Presque toute la viande suspecte avait déjà été consommée.

Au lendemain de l'épidémie Jack in the Box, l'administration Clinton appuya un projet de loi destiné à permettre au ministère de l'Agriculture d'imposer rappels et amendes aux industriels de la viande. Les républicains du Congrès ont fait échouer non seulement ce projet, mais ceux qui furent déposés en 1996, 1997, 1998 et 1999. Il est extrêmement étonnant que le gouvernement fédéral, qui peut recourir aux amendes pour obliger les compagnies aériennes, les industries automobiles, minières, sidérurgiques et du jouet, à appliquer la loi, soit incapable de faire payer des dommages et intérêts à l'industrie de la viande. « Nous pouvons condamner un cirque qui maltraite ses éléphants, se plaignait Dan Glickman en 1997, mais pas les compagnies qui enfreignent les normes de sécurité alimentaire. »

Notre ami l'atome

Le président Clinton, entouré de parents dont les enfants étaient morts après avoir mangé des hamburgers contaminés par l'*E. coli 0157 :H7*, annonça en juillet 1996 que l'usda allait adopter un système d'inspection sanitaire de la viande basé sur des tests scientifiques. Les nouvelles dispositions prévoyaient que chaque abattoir et chaque usine de transformation des États-Unis appliquerait avant la fin de la décennie un plan haccp approuvé par le gouvernement et soumettrait la viande à des tests microbiens. Le discours de Clinton décrivait ces changements comme la réforme la plus radicale de la politique de sécurité et d'hygiène alimentaires du gouvernement depuis l'époque de Theodore Roosevelt. Le plan du ministère avait néanmoins été édulcoré de manière significative au cours des négociations avec l'industrie du conditionnement et les membres républicains du Congrès. Le nouveau système transférait une grande partie des mesures de sécurité aux bons soins des employés des compagnies. Les registres tenus par ces employés – contrairement aux rapports traditionnellement rédigés par les inspecteurs fédéraux – ne seraient pas accessibles au grand public, suivant la loi sur la liberté de l'information. Enfin, les usines de transformation ne seraient pas obligées de vérifier la présence de la bactérie *E. coli 0157 :H7*, dont la découverte pouvait entraîner l'interdiction immédiate de leurs produits. Elles pouvaient conduire d'autres tests afin de mesurer le niveau général de contamination fécale ; les résultats de ces tests ne seraient pas révélés au gouvernement ; la viande contenant les organismes découverts continuerait à être mise en vente.

Beaucoup d'inspecteurs fédéraux manifestèrent leur opposition au nouveau système de l'administration Clinton, qui limitait leur pouvoir de détecter la viande contaminée et de la retirer de la vente. Le service de l'Inspection et de la sécurité alimentaire de l'USDA est aujourd'hui démoralisé et en sous-effectif. En 1978, avant la première épidémie connue d'*E. coli 0157 :H7*, l'USDA comptait 12 000 inspecteurs dans la filière viande ; il n'en reste qu'environ 7 500. Ceux que j'ai interviewés subissaient des pressions de leurs supérieurs pour que les lignes de production des abattoirs ne soient pas ralenties. « Beaucoup d'entre nous n'y croient plus, m'avoua un inspecteur. Les emplois offerts mettent des mois à trouver preneur. Les inspecteurs fédéraux ont signalé que les nouveaux plans HACCP ne valent que par la détermination de ceux qui les mettent en œuvre – entre les mauvaises mains, HACCP devient « *Have a Cup of Coffee and Pray* » (« Prenez une tasse de café et priez »). L'usine Hudson Foods de Columbus, lorsqu'elle livra 17 500 tonnes de viande potentiellement contaminée, travaillait sous contrôle d'un plan HACCP.

« Nous n'accordons aucune validité sérieuse aux rapports rédigés par les compagnies, me dit un inspecteur chevronné. Il y a beaucoup de falsifications. » Déclaration confirmée par d'autres inspecteurs et par d'anciens ouvriers chargés du contrôle de la qualité (QC). Selon Judy, ancienne QC dans un des plus grands abattoirs d'IBP, le plan HACCP de son usine était formidable sur le papier mais beaucoup moins impressionnant dans la réalité ; la direction se préoccupait davantage de la production que de la sécurité. Le département du contrôle de la qualité manquait cruellement de personnel. Un seul employé devait surveiller deux lignes de production à la fois. « Je devais vérifier la température du stérilisateur et celle du refroidisseur, examiner les emballages et les cuves – contenaient-elles des objets d'origine étrangère ou non ? – garder un œil sur les ouvriers pour qu'ils ne trichent pas, me dit Judy. J'étais débordée et c'était simplement impossible de tout surveiller. » Elle falsifiait régulièrement la liste de ses vérifications, comme ses collègues. Le plan HACCP aurait été « fantastique » si le travail avait été réparti entre trois employés. Une seule personne ne pouvait pas accomplir correctement toutes les tâches qui lui étaient assignées.

Alors qu'elle se mettait en travers de tous les efforts du gouvernement fédéral pour légiférer sur l'hygiène et la sécurité alimentaires, l'industrie du conditionnement de la viande investissait des millions de dollars dans un équipement moderne conçu pour empêcher le développement des agents pathogènes dangereux. Ainsi, IBP a installé de coûteuses machines de pasteurisation à vapeur dans tous ses abattoirs à bovins. Les quartiers de bœuf sont enfermés dans la nouvelle installation qui les sèche à l'air chaud et les plonge pendant huit secondes dans un bain de vapeur à 70 degrés avant de les asperger d'eau froide. Utilisée de manière adéquate, cette pasteurisation par la vapeur peut tuer la plupart des *E. coli 0157 :H7* et réduire de 90 % la quantité de bactéries à la surface de la viande. Mais un mémorandum interne d'IBP daté de 1997 suggère que les gros investissements technologiques de la compagnie sont motivés moins par une véritable considération pour la santé et le bien-être des consommateurs américains que par d'autres intérêts.

« Nous avons été informés que les carcasses de notre usine passent parfois un long moment sur le rail extérieur de l'USDA avant de recevoir notification de leur destination finale (jusqu'à six heures) », peut-on lire en guise d'introduction. La note était adressée au directeur de l'abattoir de Lexington, dans le Nebraska, par le vice-président chargé du contrôle de la qualité et de la sécurité alimentaire. Or plus les carcasses restent longtemps sur le rail extérieur, plus elles sont difficiles à nettoyer. Les bactéries se fixent plus solidement et leur résistance augmente à chaque minute. « Ces délais, soulignait la note, suscitent des inquiétudes et nous obligent à un traitement particulier de ces carcasses. » Au bout d'une demi-heure d'attente, les contremaîtres devaient s'enquérir des causes du retard. Après une heure, ils devaient asperger les carcasses d'une mélange acide spécial. Si l'attente durait plus de deux heures, les carcasses ainsi exposées à un risque maximum de contamination bactérienne ne devaient pas être détruites, transformées en engrais ou mises de côté pour être précuites. « Ces carcasses, préconisait le responsable de la sécurité alimentaire d'IBP, doivent être vendues à part. » La viande infectée devait donc être expédiée ailleurs et vendue à la consommation – mais pas sous le label IBP.

Au lieu de s'intéresser aux causes premières de contamination – les aliments donnés au bétail, la surpopulation des unités d'engraissement, la mauvaise hygiène des abattoirs, la vitesse excessive des lignes de production, le manque de qualification des ouvriers et l'absence de contrôle strict du gouvernement – l'industrie de la viande et l'USDA défendent à présent une solution technologique externe au problème des germes pathogènes dans l'alimentation. Ils veulent irradier la viande vendue dans le pays. L'irradiation est une forme de contrôle des naissances bactériennes mise en œuvre dans les années 1960 par l'armée américaine et la NASA. Les micro-organismes soumis à des niveaux limités de rayons gamma ou de rayons X ne sont pas tués, mais la modification de leur ADN les empêche de se reproduire. L'irradiation est utilisée depuis plusieurs années sur certaines épices importées et sur la volaille domestique. La plupart des usines d'irradiation ont des murs de béton de 2 mètres d'épaisseur et emploient du cobalt 60 ou du césium 137 (un déchet des centrales nucléaires et des usines d'armement nucléaire) pour émettre des rayons hautement chargés en radioactivité. Une nouvelle technique inventée par la Titan Corporation utilise l'électricité conventionnelle et un accélérateur électronique au lieu d'isotopes radioactifs. Titan a conçu la technologie d'irradiation SureBeam dans les années 1980, pendant ses recherches pour le programme antimissiles Star Wars.

L'Association médicale américaine et l'Organisation mondiale de la santé ont affirmé que les aliments irradiés ne sont pas dangereux pour la santé. L'introduction générale de ce procédé tarde cependant parce que les consommateurs hésitent à manger des aliments exposés à des radiations. Selon les règles actuelles de l'USDA, la viande irradiée doit porter un label spécial permettant de l'identifier et une « radura » (le pictogramme international qui représente les radiations). Le Conseil de surveillance de l'industrie du bœuf – qui compte parmi ses membres les géants du conditionnement et du fast-food – a demandé à l'USDA de modifier ses règles pour rendre volontaire l'étiquetage de la viande irradiée. Les industriels tentent également d'éliminer le terme « irradiation » au profit de « pasteurisation à froid ».

J'ai interrogé un ingénieur qui a collaboré à la conception des équipements d'hygiène alimentaire les plus sophistiqués du moment – et il a confirmé que l'irradiation, d'un point de vue strictement scientifique, est sans doute sûre et efficace. Il s'inquiète plutôt de l'introduction d'une technologie électromagnétique et nucléaire extrêmement complexe dans des abattoirs qui emploient une main-d'œuvre majoritairement illettrée. « On hésite à leur laisser ce type d'équipement entre les mains », m'a-t-il dit. Il pense également que l'utilisation généralisée de l'irradiation risque d'encourager les industriels « à accélérer les cadences d'abattage et à répandre de la merde partout ». Steven Bjerklie, l'ancien rédacteur en chef de *Meat & Poultry*, s'oppose à l'irradiation pour les mêmes motifs. Il pense qu'elle permettra à l'industrie de la viande de s'épargner certains changements de méthodes de production à la fois nécessaires et essentiels et de perpétuer ses pratiques antihygiéniques. « Je refuse que l'on me serve des excréments irradiés avec ma viande », déclare-t-il.

Les repas des enfants

Le ministère de l'Agriculture a acheté pendant des années le bœuf haché le plus douteux du pays – pour le distribuer aux cantines scolaires. Au cours des années 1980 et 1990, l'USDA choisissait les fournisseurs de son Programme national de repas scolaires sur la base du prix le plus bas sans imposer de conditions de sécurité et d'hygiène supplémentaires. Le bœuf haché le moins cher présentait non seulement le plus haut risque de contamination par des germes pathogènes, mais il était également le plus adultéré par des débris de moelle épinière, d'os et de tendons après son passage dans les systèmes automatiques de récupération de viande (des machines qui arrachent jusqu'aux dernières miettes de chair). Une enquête menée en 1983 par NBC News affirmait que Cattle King Packing Company – le plus gros fournisseur de bœuf haché des cantines scolaires, et aussi des restaurants Wendy's – transformait régulièrement des animaux morts avant leur arrivée à l'abattoir, dissimulait le bétail malade aux inspecteurs et mélangeait de la viande avariée renvoyée par ses clients aux colis de bœuf pour hamburger. Les usines Cattle King étaient infestées de rats et de cafards. Rudy « Butch » Stanko, le propriétaire de l'entreprise, fut jugé et condamné pour vente de viande avariée au gouvernement fédéral. Il avait déjà été condamné pour le même motif deux ans auparavant. Ce premier délit ne l'avait pas empêché de fournir le quart du bœuf haché servi dans le cadre du programme de l'USDA.

Plus récemment, un garçon de onze ans tomba gravement malade après avoir mangé un hamburger à la cantine de son école primaire de Danielsville, en Georgie. C'était en avril 1998. Les tests confirmèrent la présence d'*E. coli 0157 :H7* dans le bœuf haché produit par Bauer Meat Company. L'usine Bauer Meat d'Ocala, en Floride, était d'une telle saleté que l'USDA prit une sanction sans précédent en rappelant ses inspecteurs le 12 août 1998. Frank Bauer, le propriétaire, se suicida le lendemain. Le ministère déclara ensuite que les produits de la société Bauer étaient « impropres à la consommation humaine » et consigna 3 000 tonnes de viande. Presque un tiers de cette quantité avait déjà été expédié dans les circonscriptions scolaires de Caroline du Nord et de Georgie, des bases militaires et des prisons. À la même époque, une douzaine d'enfants de Finley, dans l'État de

Washington, furent contaminés par l'*E. coli 0157 :H7*. Onze d'entre eux avaient mangé des tacos pas assez cuits à la cantine de leur école ; le douzième, un bébé de deux ans, avait sans doute été infecté par l'un des autres enfants. La compagnie qui avait fourni la viande des tacos à l'USDA – Northern States Beef, une filiale de ConAgra – avait été sanctionnée pour 171 infractions « critiques » à la sécurité alimentaire au cours des dix-huit mois précédents. Une infraction critique est susceptible de provoquer une contamination grave et de mettre en danger les consommateurs. Northern States Beef était impliqué dans une épidémie due à l'*E. coli 0157 :H7* qui avait touché 18 personnes dans le Nebraska en 1994. L'USDA avait pourtant continué à traiter des affaires avec cette filiale de ConAgra, à laquelle il avait acheté 10 000 tonnes de viande pour les écoles américaines.

En été et à l'automne 1999, une usine de bœuf haché de Dallas, au Texas, appartenant à la compagnie Supreme Beef Processors, enregistra des résultats positifs aux tests de contrôle de *Salmonella* : 47 % du bœuf haché de la compagnie en contenaient – proportion 5 fois plus élevée que le maximum autorisé par les règles de l'USDA. Chaque année, des aliments contaminés par la *Salmonella* entraînent environ 1,4 million de cas d'intoxications et tuent 500 personnes aux États-Unis. En outre, un niveau élevé de *Salmonella* dans le bœuf haché indique une importante contamination fécale. Malgré ces résultats alarmants, le ministère continua à acheter de la viande Supreme Beef par milliers de tonnes pour les cantines des écoles. De fait, cette société qui fournissait 45 % du bœuf haché du programme de repas scolaires de l'USDA était l'un de ses plus gros fournisseurs. Le ministère se décida enfin à agir le 30 novembre 1999 : il suspendit ses achats et retira ses inspecteurs de l'usine Supreme Beef, l'obligeant à fermer.

La riposte ne se fit pas attendre : Supreme Beef attaqua le ministère en justice le lendemain, affirmant que les *Salmonella* sont des organismes naturels qui n'altèrent pas la qualité de la viande. Soutenu par l'Association nationale de la viande, Supreme Beef contesta la légalité du système de tests scientifiques de l'USDA et déclara que le gouvernement n'avait pas le droit de retirer ses inspecteurs de son usine. A. Joe Fish, juge fédéral du Texas, se rangea aux arguments de Supreme Beef et ordonna le retour immédiat des inspecteurs de l'USDA en attendant le jugement. La fermeture de l'usine – la première obtenue grâce au nouveau système de tests – avait duré moins d'une journée. Quelques semaines plus tard, les inspecteurs de l'USDA détectèrent la présence d'*E. coli 0157 :H7* dans un échantillon de viande de l'usine Supreme Beef et la compagnie rappela volontairement 90 tonnes de bœuf haché livré dans huit États différents. Pourtant, six petites semaines après ce rappel, le ministère reprit ses achats et autorisa à nouveau Supreme Beef à fournir du bœuf haché aux écoles américaines.

Le 25 mai 2000, le juge Fish fit connaître sa décision : la présence de niveaux élevés de *Salmonella* dans le bœuf haché de l'usine Supreme Beef ne prouvait pas que l'hygiène n'y était pas respectée. Fish se ralliait à l'un des arguments principaux de la compagnie : un fabricant de bœuf haché ne peut être tenu pour responsable du niveau bactériologique de la viande qu'il transforme, dont la contamination date peut-être de l'abattoir. Ce verdict déniait pratiquement au ministère la possibilité de retirer ses inspecteurs des usines dont le niveau excessif de contamination fécale était prouvé par des tests. Supreme Beef s'était présenté comme l'innocente victime de forces échappant à son contrôle alors que la plus grande partie du bœuf utilisé dans son usine provenait de son propre abattoir de Ladonia, au Texas. Or les tests pratiqués dans cet abattoir montraient fréquemment la présence de *Salmonella*.

Peu de temps après, d'autres tests révélèrent la présence de *Salmonella* dans la viande de Supreme Beef. L'USDA résilia son contrat avec la compagnie et annonça de nouvelles règles plus strictes pour les fabricants désireux de fournir du bœuf haché aux cantines scolaires. Il s'agissait d'imposer aux fournisseurs les mêmes obligations d'hygiène alimentaire que celles exigées par les fast-foods. À partir de l'année scolaire 2000-2001, le bœuf haché destiné aux écoles subirait des tests de recherche d'agents pathogènes ; la viande contaminée serait rejetée ; enfin, les « second choix » – des bêtes trop vieilles ou trop malades pour arriver à l'abattoir sur leurs pattes – ne seraient plus utilisés dans le bœuf haché destiné aux écoliers. L'industrie de la viande s'opposa immédiatement à ces nouvelles règles.

L'évier de votre cuisine

Au cours des années 1990, le gouvernement fédéral (qui est censé garantir l'hygiène alimentaire) a appliqué à la viande qu'il achetait pour les écoles des normes de sécurité bien moins exigeantes que celles de l'industrie du fast-food (pourtant responsable de la plupart des menaces actuelles sur la sécurité alimentaire). Les chaînes de fast-foods, qui ont joué un rôle essentiel dans la création d'un système de conditionnement de la viande capable de disséminer la contamination bactérienne à grande échelle, peuvent désormais échapper aux pires conséquences de leurs actes. À l'instar de Jack in the Box, les grandes chaînes obligent maintenant leurs fournisseurs à contrôler régulièrement la présence d'*E. coli 0157 :H7* et d'autres agents pathogènes dans la viande. De plus, l'énorme pouvoir d'achat des géants du fast-food leur donne aujourd'hui accès au bœuf haché de la meilleure qualité. L'industrie de la viande a accepté d'effectuer pour les chaînes de fast-foods les tests rigoureux qu'elle refuse au grand public.

Quiconque introduit dans sa cuisine du bœuf haché cru doit le considérer comme un danger biologique potentiel, peut-être porteur d'un microbe extrêmement dangereux et infectieux à très faible dose. Le niveau élevé de contamination du bœuf haché, celui plus élevé encore de contamination de la volaille, entraînent des découvertes fort curieuses. Une série de tests menés par Charles Gerba, microbiologiste à l'université d'Arizona, a montré qu'un évier de cuisine américain moyen contient plus de bactéries fécales qu'un siège de toilettes. Selon Gerba : « Mieux vaut manger une carotte tombée dans vos toilettes que tombée dans votre évier. »

Bien que les chaînes de fast-foods aient récemment fait de l'hygiène alimentaire une priorité, leur système de production et de distribution reste vulnérable aux nouveaux germes pathogènes. Un virus porteur du gène capable de produire des toxines Shiga contamine aujourd'hui des souches d'*E. coli* autrefois inoffensives. Le docteur David Acheson, professeur adjoint de médecine à la faculté de médecine de l'université Tufts, pense que la propagation de ce virus est favorisée par l'emploi sans discernement des antibiotiques dans les aliments du bétail. Outre l'*E. coli 0157 :H7*, de 60 à 100 autres organismes *E. coli* mutants peuvent désormais produire des toxines Shiga. Presque un tiers de ces bactéries sont nuisibles pour l'homme. Parmi les plus dangereuses figurent les *E. coli 0103, 011*, 026, *0121* et *0145*. Les tests standard applicables à l'*E. coli 0157 :H7* ne détectent pas la présence de ces bactéries. Le CDC estime que 37 000 Américains environ sont victimes chaque année d'intoxications alimentaires provoquées par des souches de bactéries *E. coli* autres que *0157 :H7* ; 1 000 personnes sont hospitalisées et 25 décèdent.

En dépit de l'exécution sans faute du plan HACCP, de l'automatisation des grils, de la quantité de rayons gamma projetés pour irradier la viande, l'hygiène de la nourriture servie dans un restaurant dépend en dernier ressort des employés de la cuisine. Le docteur Patricia Griffin, spécialiste de l'*E. coli 0157 :H7* au CDC, pense que les employés des fast-foods devraient suivre une formation obligatoire en hygiène alimentaire. « Nous mettons notre vie entre leurs mains, affirme-t-elle, de la même manière que nous confions notre vie aux pilotes des avions de ligne. » D'après elle, une main-d'œuvre mal payée et mal formée, composée d'adolescents et d'immigrants, n'a sans doute pas appris à manipuler correctement les aliments.

Le docteur Griffin a de bonnes raisons de s'inquiéter. Des cassettes vidéo enregistrées en secret par KCBS-TV à Los Angeles montrent des employés de restaurants locaux se moucher dans leurs doigts, lécher la vinaigrette, se curer le nez ou laisser tomber des mégots de cigarettes dans les assiettes tout en préparant à manger. En mai 2000, trois adolescents qui travaillaient dans un Burger King de Scottsville, dans l'État de New York, ont été arrêtés pour avoir craché, uriné et versé des produits d'entretien dans la nourriture. Ce petit jeu durait apparemment depuis huit mois, et les repas Burger King qu'ils préparaient furent servis à des milliers de clients avant qu'un autre employé n'avertisse la direction.

Les jeunes employés de fast-foods que j'ai rencontrés à Colorado Springs m'ont raconté d'autres histoires d'épouvante. L'hygiène de la nourriture semblait dépendre plus de la personnalité du responsable en service que de la politique officielle de la chaîne. Beaucoup d'employés n'acceptaient de manger que ce qu'ils avaient préparé eux-mêmes. Un employé de Taco Bell me dit que la nourriture tombée par terre était souvent ramassée et servie. Un employé d'Arby's me confia qu'un de ses collègues ne se lavait jamais les mains au travail quand il arrivait après avoir réparé le moteur de sa voiture. Plusieurs employés du même McDonald's de Colorado Springs me donnèrent séparément des détails sur une invasion de cafards dans la machine à milk-shakes et sur l'armée de souris qui faisaient leurs besoins sur les petits pains des hamburgers placés tous les soirs dans la cuisine pour décongeler.

Quand j'étais à Berlin et que j'annonçais mon intention de visiter Plauen, j'obtenais toujours la même réaction. Quelle que soit l'identité de mon interlocuteur – jeune ou vieux, décontracté ou rigide, homo- ou hétérosexuel, élevé en Allemagne de l'Est ou de l'Ouest –, il commençait par éclater de rire avant de me lancer un regard teinté de surprise. « Plauen ? Pourquoi diable aller à Plauen ? » La façon de prononcer ce nom, l'accentuation prolongée de la deuxième syllabe, soulignaient le ridicule de mon idée. À mi-chemin de Munich et de Berlin, dans une région de Saxe appelée le Vogtland, Plauen est une petite ville provinciale cernée de forêts et de vallons. Pour un Berlinois résidant dans la capitale actuelle de l'Allemagne et peut-être celle, future, de l'Europe, Plauen est un trou perdu qui est resté pendant plusieurs décennies du mauvais côté du Rideau de fer. Plauen est aux Berlinois ce que la ville de Muncie, dans l'Indiana, est aux New-Yorkais. Mais elle me fascine. La campagne qui l'entoure est riche et verdoyante. Certaines des vieilles constructions sont pleines de charme. Les habitants sont ouverts, chaleureux, sans prétention – et pourtant victimes d'une sorte de malédiction.

Plauen a passé des années en marge de l'histoire, loin des centres du pouvoir ; les événements qui s'y sont déroulés ont toutefois étrangement préfiguré la montée et la chute de grands mouvements sociaux. L'une après l'autre, les idéologies dominantes de l'Europe moderne – industrialisme, fascisme, communisme, consumérisme – ont traversé Plauen et laissé leur marque sur la ville. Aucune n'a connu le triomphe ou l'effacement total. Des débris de ces visions du monde coexistent encore malaisément, surgissant là où on ne les attend pas, depuis les graffitis griffonnés sur les murs d'un immeuble jusqu'au ton d'une remarque désinvolte. Rien n'est installé, il n'existe encore aucun présupposé. Tous les possibles, bons ou mauvais, sont en devenir. Ignorée du reste du monde, la petite ville au cœur du Vogtland a été alternativement châtiée, récompensée, dévastée et transformée par les grands systèmes unificateurs du XXe siècle, par chaque nouvelle tentative faite pour gouverner l'humanité tout entière d'après un ensemble unique de règles. Plauen a servi de champ de bataille à ces idéologies concurrentes, qui exhibaient fièrement leurs symboles : la cheminée d'usine, la croix gammée, le marteau et la faucille, les arches dorées d'un M majuscule.

Plauen fut pendant des siècles une petite ville de marché où les fermiers du Vogtland venaient acheter et vendre des marchandises. Puis, à la fin du XIXe siècle, le tissage traditionnel local donna naissance à une industrie textile dynamique. La population de la ville tripla entre 1890 et 1914, pour atteindre 118 000 âmes à la veille de la Première Guerre mondiale. Les nouvelles filatures, spécialisées dans la dentelle et les tissus brodés, exportaient la plus grande partie de leur production aux États-Unis. Les napperons qui ornaient les tables des salles à manger du Midwest venaient de Plauen, de même que les dentelles fines caractéristiques de nombreuses bonnes maisons victoriennes des classes aisées. Les cartes postales en noir et blanc de Plauen avant la Grande Guerre montrent de ravissants bâtiments Art nouveau et néoromantiques qui évoquent les rues de Paris, d'élégants cafés et des parcs, des tramways électriques, le tout survolé par des zeppelins.

La vie à Plauen devint moins idyllique après la défaite de l'Allemagne. Le marché de la dentelle s'effondra en même temps que le monde victorien et ses valeurs. Beaucoup de filatures fermèrent et des milliers d'ouvriers se retrouvèrent au chômage. Les troubles sociaux qui submergèrent le reste de l'Allemagne éclatèrent précocement à Plauen. Dans les années 1920, la ville comptait la proportion la plus élevée de millionnaires du pays – et le plus grand nombre de suicides. La ville avait aussi le taux de chômage le plus élevé. L'extrémisme s'épanouit sur cette misère. Plauen fut la première ville extérieure à la Bavière à organiser sa propre section du Parti nazi. Le mouvement des Jeunesses hitlériennes y fut lancé en mai 1923 et la petite ville devint l'année suivante le quartier général des nazis en Saxe. Bien avant que commence le règne de la terreur nazie dans le reste du pays, les dirigeants des syndicats et de la gauche furent assassinés à Plauen. Hitler fit de fréquentes visites à la ville, qui lui réservait un accueil enthousiaste. Hermann Göring et Joseph Goebbels s'y rendirent également, et Plauen devint une sorte de favorite sentimentale de la direction nazie. Dans la nuit du 9 au

10 novembre 1938, la Nuit de cristal, une foule déchaînée détruisit l'unique synagogue de Plauen, un bâtiment étonnamment moderne construit par Fritz Landauer, architecte du Bauhaus. Peu de temps après, Plauen était officiellement déclarée *judenfrei* (« libre de tous Juifs »).

Pendant la plus grande partie de la Seconde Guerre mondiale, Plauen fut une sorte d'oasis de vie ordinaire, étrangement calme et paisible. Des milliers d'Allemands qui fuyaient les villes bombardées y trouvèrent un refuge sûr. Toutes sortes de rumeurs essayèrent d'expliquer pourquoi Plauen était épargnée alors d'autres villes de Saxe étaient détruites. Les bombardiers américains apparurent pour la première fois dans le ciel de la ville le 19 septembre 1944. Au lieu de courir aux abris, les habitants médusés restèrent debout dans la rue à regarder les bombes tomber sur la gare et sur une usine qui fabriquait des chars pour l'armée allemande. Quelques mois plus tard, Plauen figurait à côté de Dresde sur une liste de bombardements alliés.

Plauen était presque déserte le 10 avril 1945, lorsque des bombardiers Lancaster britanniques survolèrent la ville par centaines. Ses habitants ne se sentaient plus protégés par une force mystérieuse : ils savaient que Dresde venait d'être anéantie par les bombes incendiaires. La Royal Air Force largua sur Plauen 2 000 tonnes d'explosifs puissants en un seul raid. Quatre jours plus tard, l'armée américaine occupait ce qui restait de la ville. Le lieu de naissance des Jeunesses hitlériennes, la ville la plus nazifiée de Saxe, remportait une nouvelle distinction quelques semaines à peine avant la fin de la guerre. Plauen reçut plus de bombes au kilomètre carré qu'aucune autre ville de l'est de l'Allemagne – environ trois fois plus que Dresde. Si la tuerie atteignit des sommets à Dresde, davantage de bâtiments furent détruits à Plauen. À la fin de la guerre, la ville était à 75 % en ruines.

Les malheurs de Plauen continuèrent lorsque les Alliés se répartirent leurs sphères d'influence. L'armée américaine laissait la place à l'armée soviétique. Plauen fut intégrée, de justesse, dans la République démocratique allemande (RDA) communiste. La nouvelle frontière avec l'Allemagne de l'Ouest n'était qu'à une dizaine de kilomètres. Plauen dépérit sous la tutelle communiste. Elle perdit un tiers de sa population d'avant-guerre. Située au fin fond de la RDA, elle n'attirait ni l'attention ni les investissements de la direction du parti communiste de Berlin-Est. Une grande partie de Plauen ne fut jamais reconstruite ; parkings et terrains vagues s'étendaient aux emplacements des magnifiques bâtiments d'autrefois. L'une des rares entreprises prospères, une usine de laine synthétique, enveloppait Plauen d'un nuage de pollution presque sans égal en Allemagne de l'Est. Selon l'historien John

Connelly, la pollution de l'air contribuait à donner à la ville « une qualité de vie inhabituellement basse, même pour la RDA ».

Le 7 octobre 1989, la première grande manifestation contre les chefs communistes de l'Allemagne de l'Est eut lieu à Plauen. D'autres petits cortèges de protestation se formèrent le même jour, à Magdebourg et Berlin-Est notamment. La manifestation de Plauen était remarquable par son ampleur. Plus d'un quart des habitants de la ville se retrouvèrent soudain dans les rues. Le niveau de mécontentement surprit les dirigeants locaux. La Stasi (la police secrète) s'attendait à voir 400 personnes défiler dans le centre-ville en ce jour du quarantième anniversaire de la RDA. Mais ce furent 20 000 personnes qui se rassemblèrent malgré le ciel menaçant et la bruine tenace. La manifestation n'avait ni organisateur, ni plan d'action. Elle enfla de manière spontanée, par le bouche à oreille.

Les manifestants des autres villes d'Allemagne de l'Est étaient essentiellement des étudiants et des membres de l'intelligentsia ; à Plauen, il s'agissait d'ouvriers d'usine et de citoyens ordinaires. Parmi les plus fervents protestataires figuraient des admirateurs du hard rock américain, des fils d'ouvriers aux cheveux longs que Plauen appelait « *die Heavies* » et qui sillonnaient la ville à moto en distribuant des pamphlets hostiles au gouvernement. La foule grossissait aux cris de « Gorby ! Gorby ! », le diminutif de Mikhaïl Gorbatchev, applaudissait la politique de *glasnost* et de *perestroïka* du dirigeant soviétique et exigeait des réformes similaires en Allemagne de l'Est, hurlant « Dehors la Stasi ! ». Une grande banderole portait une citation du poète allemand Friedrich von Schiller : « Nous voulons la liberté, la liberté de nos ancêtres. »

Officiers de police et agents de la Stasi tentèrent de disperser la manifestation, procédèrent à des arrestations, tirèrent sur la foule au canon à eau et envoyèrent des hélicoptères survoler les toits de Plauen en rase-mottes. Mais les manifestants ne l'entendaient pas de cette oreille. Ils marchèrent sur l'hôtel de ville, où ils demandèrent au maire de sortir et d'accéder à leurs revendications. Thomas Küttler, recteur de l'église luthérienne de Plauen, proposa sa médiation. À l'intérieur de l'hôtel de ville, il découvrit les représentants des autorités municipales, verts de peur. Ils refusaient de sortir affronter la foule. L'équation du pouvoir avait fondamentalement changé ce jour-là. Un puissant système totalitaire, érigé en quarante ans, étayé par les chars, les fusils et les milliers d'informateurs de la Stasi, s'effondrait sous les yeux de Küttler pendant que ses dirigeants fumaient cigarette sur cigarette dans le sanctuaire de leurs bureaux. Le maire finit par accepter de s'adresser à la foule, mais un délégué de la Stasi l'empêcha de quitter le bâtiment. Küttler se tint donc sur les marches de l'hôtel de ville, microphone en main, exhortant les soldats à ne pas tirer sur la foule et assurant les manifestants que leur voix avait été entendue et qu'il était temps de rentrer chez eux. Les cloches de l'église luthérienne se mirent à sonner tandis que la foule se dispersait lentement.

Le Mur de Berlin tomba un mois plus tard. Quelques mois après cet extraordinaire événement qui marquait la fin de la guerre froide, la société McDonald's annonça l'ouverture prochaine de son premier restaurant en Allemagne de l'Est. Cette nouvelle provoqua un ultime sursaut de collectivisme de la part d'Ernst Doerfler, membre éminent du Parlement est-allemand, qui vivait ses derniers jours ; il appela à une interdiction officielle de « McDonald's et consorts, ces anormaux fabricants d'ordures ». Mais McDonald's n'avait pas l'intention de renoncer ; Burger King avait déjà ouvert une baraque à hamburgers mobile à Dresde. La construction du premier McDonald's d'Allemagne de l'Est commença rapidement, en été 1990. Il occuperait un emplacement abandonné au centre de Plauen, tout près du parvis de l'hôtel de ville. Ce McDonald's serait le premier bâtiment neuf construit à Plauen depuis l'avènement de l'Allemagne nouvelle.

Oncle McDonald

Le durcissement de la concurrence aux États-Unis a poussé les grandes chaînes de fast-foods à rechercher des débouchés sur les marchés étrangers. McDonald's a récemment utilisé une expression nouvelle pour désigner ses espoirs de conquête : « implantation mondiale ». Il y a dix ans, McDonald's comptait environ 300 restaurants en dehors des États-Unis ; il y en a aujourd'hui 17 000, situés dans plus de 120 pays. La chaîne ouvre actuellement 5 nouveaux restaurants par jour, dont 4 au moins à l'étranger. Jack Greenberg, directeur général de la compagnie, espère doubler le nombre d'établissements au cours des dix prochaines années. La majorité des bénéfices de McDonald's, comme ceux de KFC, vient de l'étranger. McDonald's est désormais la marque la plus connue au monde, devant Coca-Cola. Valeurs, saveurs et pratiques de l'industrie américaine du fast-food sont exportées aux quatre coins de la planète, où elles contribuent à créer une culture internationale homogène que le sociologue Benjamin R. Barber appelle « McMonde ».

Les chaînes de fast-foods sont devenues emblématiques du développement économique occidental. Souvent premières multinationales sur place lorsqu'un pays ouvre son marché, elles servent d'avant-garde au système de franchisage américain. Il y a quinze ans, quand McDonald's a ouvert son premier restaurant en Turquie, aucun autre franchisé étranger n'était installé dans le pays. Plusieurs centaines de succursales franchisées, dont 7-Eleven, Nutra Slim, Re/Max Estate, Mail Boxes Etc. et Ziebart Tidy Car, opèrent aujourd'hui en Turquie. Le soutien au développement du franchisage fait même partie intégrante de la politique étrangère américaine. Le Département d'État publie des études détaillées sur les possibilités d'implantation à l'étranger et de nombreuses ambassades des États-Unis ont un programme « Clé d'or » qui aide les franchisés américains à trouver des partenaires.

L'anthropologue Yunxiang Yan note que, aux yeux des consommateurs de Beijing, McDonald's représente « le rêve américain et la promesse de la modernisation ». Des milliers de personnes ont attendu patiemment leur tour pour manger au premier restaurant McDonald's de la capitale chinoise en 1992. Deux ans plus tard, lors de l'ouverture d'un McDonald's au Koweït, la file de voitures qui attendaient au drive-in s'étirait sur 10 kilomètres. À la même époque, un restaurant Kentucky Fried Chicken de la ville sainte de La Mecque, en Arabie saoudite, établissait le nouveau record de ventes de la chaîne, avec 200 000 dollars de gains en une seule semaine du ramadan, le mois de jeûne des musulmans. McDonald's est devenu le plus gros employeur privé du Brésil. Les chaînes de fast-foods ressemblent aujourd'hui à des fiefs impériaux qui dépêchent leurs émissaires dans le monde entier. Les cours de l'université du hamburger de McDonald's, à Oak Brook, sont dispensés dans plus d'une vingtaine de langues différentes. Peu d'endroits de la planète semblent trop lointains ou trop isolés pour les arches dorées. En 1986, l'office du tourisme de Tahiti lança une campagne de publicité dont les affiches montraient des plages immaculées accompagnées du slogan : « Désolés, pas de McDonald's. » Dix ans plus tard, un McDonald's ouvrait à Papeete, la capitale tahitienne, apportant le hamburger et les frites de l'autre côté du Pacifique, à des milliers de kilomètres des élevages de bétail ou des champs de pommes de terre les plus proches.

Les chaînes de fast-foods se sont installées à l'étranger avec leurs principaux fournisseurs. Pour apaiser les craintes d'impérialisme américain, elles s'efforcent de s'approvisionner dans les pays où elles opèrent. Au lieu d'importer des aliments, elles importent des systèmes complets de production agricole. Sept ans avant l'ouverture de son premier restaurant en Inde, McDonald's entreprit d'y établir un réseau de fournisseurs en apprenant aux fermiers indiens comment faire pousser de la laitue avec des graines spécialement adaptées au climat du pays. « Un restaurant McDonald's n'est que la fenêtre d'un système beaucoup plus large qui comprend une chaîne d'aliments extensive remontant jusqu'à la ferme », déclara l'un des partenaires indiens de la compagnie à un journaliste étranger.

En 1987, ConAgra a racheté Australia Meat Holdings, le plus gros industriel du bœuf du pays et plus gros exportateur mondial de viande bovine. Cargill et IBP ont récemment pris le contrôle de l'industrie du bœuf canadienne. Cargill a créé des élevages de volaille industriels en Chine et en Thaïlande. Tyson Foods prévoit la construction d'usines de transformation de volaille en Chine, en Indonésie et aux Philippines. La filiale Lamb Weston de ConAgra produit des frites surgelées aux Pays-Bas, en Inde et en Turquie. McCain, le plus gros fabricant mondial de frites, gère 50 usines sur 4 continents. J. R. Simplot a commencé à cultiver les pommes de terre Russet Burbank en Chine pour fournir McDonald's et a ouvert la première usine de frites du pays en 1993. Simplot a acheté il y a quelques années 11 usines de transformation en Australie dans le but d'augmenter ses ventes sur le marché est-asiatique. Il a également acheté un ranch de 1,2 million d'hectares en Australie, où il compte élever du bétail et cultiver des légumes et des pommes de terre. « C'est un super petit pays, dit-il, et il n'y a absolument personne. »

Comme aux États-Unis, les chaînes de fast-foods concentrent leurs campagnes de publicité étrangères sur le groupe de consommateurs le moins attaché aux traditions : les enfants. « Les enfants réagissent de la même manière par rapport aux questions qui affectent les étapes essentielles de leur développement, déclarait un responsable du groupe Gepetto lors d'une récente conférence KidPower, et cela s'applique aux enfants de Berlin, de Beijing ou de Brooklyn. » La conférence KidPower, à laquelle assistaient notamment les directeurs du marketing de Burger King et de Nickelodeon, se tenait à Eurodisney, près de Paris. En Australie, où le nombre de fast-foods a triplé au cours des années 1990, un sondage a montré que la moitié des enfants de neuf et dix ans pensaient que Ronald McDonald savait ce qui était bon pour eux. Dans une école primaire de Beijing, Yunxiang Yan a découvert que tous les enfants reconnaissaient Ronald McDonald sur une image. Ils lui ont dit qu'ils aimaient « Oncle McDonald » parce qu'il était « drôle, gentil, et... qu'il comprenait le cœur des enfants ». Coca-Cola est aujourd'hui la boisson préférée des petits Chinois, et McDonald's sert leur nourriture favorite. Le simple fait de manger dans un McDonald's de Beijing semble traduire une élévation sociale. Le fameux « Dis-moi ce que tu manges et je te dirai qui tu es » est prôné depuis fort longtemps avec enthousiasme par Den Fujita, l'excentrique milliardaire qui a introduit McDonald's au

Japon il y a trente ans. « Si nous mangeons des hamburgers McDonald's et des pommes de terre pendant mille ans, promit alors Fujita à ses compatriotes, nous deviendrons plus grands, notre peau blanchira et nos cheveux seront blonds. »

L'impact du fast-food est flagrant en Allemagne, pays qui est devenu l'un des marchés étrangers les plus rentables de McDonald's. L'Allemagne est le plus grand pays d'Europe, et aussi le plus américanisé. Occupée par les quatre puissances alliées à la fin de la Seconde Guerre mondiale, elle a subi l'influence durable des Américains, peut-être à cause de leur nationalisme unanime et de l'éloignement de leur pays. Les écoliers ouest-allemands devaient apprendre l'anglais, ce qui a facilité la propagation de la culture pop américaine. Les jeunes qui cherchaient à prendre leurs distances par rapport à l'attitude de leurs parents pendant la guerre trouvaient l'évasion dans la musique, la littérature et les films américains. « Pour un gamin qui grandissait dans le tumulte de Berlin [après la guerre], les Américains étaient des anges, écrit Christa Maerker, réalisatrice berlinoise, dans un essai sur l'engouement de l'Allemagne d'après-guerre pour les États-Unis. Tout ce qui venait d'eux était plus grand et plus formidable que tout ce qui existait avant. »

États-Unis et Allemagne se sont combattus deux fois au cours du XXe siècle, mais leur hostilité a souvent paru moins viscérale que d'autres rivalités nationales. Le rachat récent d'importantes compagnies américaines – Chrysler, Random House et RCA Records – par des firmes allemandes n'a pas provoqué la levée de boucliers qui avait salué l'achat de valeurs américaines bien moins significatives par les Japonais dans les années 1980. Malgré la longue « relation spéciale » qui unit l'Amérique à la Grande-Bretagne, les liens culturels profonds entre États-Unis et Allemagne, bien que moins évidents, sont tout aussi solides. Les Américains d'ascendance allemande sont beaucoup plus nombreux que ceux d'ascendance anglaise. Au cours du siècle passé, cultures américaine et allemande ont montré la même passion dévorante pour la science, la technologie, l'ingénierie, l'empirisme, l'ordre social et l'efficacité. Le distributeur électronique de serviettes en papier que j'ai vu à Munich dans des toilettes pour hommes est le jumeau spirituel des distributeurs de ketchup à gaz du McDonald's de Colorado Springs.

Le restaurant allemand traditionnel – qui sert des escalopes viennoises, des saucisses frites, des knacks et de la choucroute garnie, le tout arrosé de grandes quantités de bière – est en voie de disparition. Ce genre d'établissement représente actuellement moins d'un tiers du marché de la restauration en Allemagne. Les frais de personnel élevés et la baisse de popularité des escalopes viennoises sont en partie responsables de leur extinction. McDonald's Deutschland est de loin la plus importante entreprise de restauration en Allemagne ; ses concurrents les plus proches sont deux fois moins puissants. Le premier restaurant McDonald's allemand a ouvert en 1971 ; ils étaient 400 à la fin des années 1990, et plus de 1 000 aujourd'hui. Il se trouve que le plat principal de la chaîne porte le nom de Hambourg, une ville allemande particulièrement friande de steaks hachés de bœuf au début du XIXᵉ siècle. Le hamburger est né lorsque les Américains ont ajouté le petit pain. McDonald's Deutschland utilise des pommes de terre allemandes pour ses frites et des vaches laitières bavaroises pour sa viande. La société envoie Ronald McDonald dans les hôpitaux et les écoles. Elle installe de nouveaux restaurants dans les stations-service, les gares et les aéroports. Elle se bat contre les syndicats et – d'après Siegfried Pater, auteur *de Zum Beispiel McDonald's* (« L'exemple McDonald's ») –, licencie fréquemment leurs sympathisants. Le succès en Allemagne de McDonald's, Pizza Hut et TGI Fridays a encouragé le décollage des franchises. Le nombre de franchisés a doublé depuis 1992 et 4 000 succursales se créent chaque année. En août 1999, McDonald's Deutschland a annoncé l'ouverture de restaurants dans les nouveaux magasins Wal-Mart allemands. « Ce partenariat sera certainement un succès, déclarait un analyste financier allemand au journal londonien *Evening Standard*. Le facteur enfant à lui seul – les enfants qui incitent leurs parents à faire leurs courses à Wal-Mart parce qu'il y a un McDonald's dans le magasin – pourrait générer une augmentation de la clientèle. »

Les arches dorées de McDonald's sont devenues tellement courantes en Allemagne qu'elles passent presque inaperçues. On les remarque uniquement si on les cherche ou si l'on a faim. Pourtant, un McDonald's allemand se démarque des autres. Il est installé dans une rue anonyme d'un nouveau centre commercial proche de Dachau, le premier camp de concentration ouvert par les nazis. Les magasins ont été construits à l'endroit même où les détenus de Dachau étaient contraints aux travaux forcés. En dépit des airs futuristes de l'architecture bien allemande du centre commercial, les bâtiments sont disposés au petit bonheur selon une méthode typiquement américaine. Ils ne seraient pas déplacés près d'une bretelle de sortie de l'autoroute I-25 dans le Colorado. En face de McDonald's se trouve un supermarché discount. Un magasin de pièces détachées automobiles est situé un peu à l'écart des autres constructions, isolé par des champs qui n'ont pas encore cédé la place au béton. En 1997, des manifestations furent organisées pour protester contre l'ouverture d'un McDonald's à proximité immédiate d'un camp de concentration où Tsiganes, Juifs, homosexuels et opposants politiques des nazis avaient été emprisonnés, où des chercheurs de la Luft-waffe avaient mené des expériences médicales sur les détenus et où 30 000 personnes environ étaient mortes. La société McDonald's se défendit de vouloir profiter de la Shoah et déclara que le restaurant se trouvait à plus de 1 kilomètre du camp. McDonald's cessa de distribuer des dépliants aux touristes sur le parking du camp après une plainte du conservateur du musée de Dachau. « Bienvenue à Dachau, lisait-on sur les dépliants, et bienvenue chez McDonald's. »

Le McDonald's de Dachau n'est en fait qu'à 500 mètres de l'entrée du camp de concentration. Le jour de ma visite, il y avait une promotion sur le « Big Mac Western ». Le restaurant était décoré dans le style de l'Ouest américain, avec des sets de table en papier portant un avis de recherche pour « Butch Essidie ». Il était plein de mères de famille accompagnées de leurs jeunes enfants. Des adolescents chaussés de Nike, vêtus de jeans Levis et de T-shirts Tommy Hilfiger, assis en groupes, fumaient des cigarettes. Des immi-grants turcs travaillaient dans la cuisine, on entendait de la musique disco des années 1970 et les gobelets de carton de tous les plateaux-repas annon-çaient « Toujours Coca-Cola ». Ce McDonald's se trouvait à Dachau, mais il aurait pu être n'importe où aux États-Unis ou dans le monde. À ce moment précis, des millions de gens se tenaient au même comptoir, commandaient le même menu et mangeaient de la nourriture qui avait partout le même goût.

Au cirque

L'expérience la plus surréaliste que j'ai vécue lors de mes trois années d'enquête sur le fast-food n'a pas eu lieu ni à la base aérienne ultrasecrète qui faisait livrer ses pizzas Domino's, ni à l'usine d'arômes de l'échangeur du New Jersey, ni au McDonald's de Dachau. Elle a eu lieu le 1er mars 1999 à l'hôtel Mirage de Las Vegas. À la manière d'une épiphanie, cet épisode est révélateur de l'étrange pouvoir du fast-food dans le nouvel ordre du monde. Le Mirage – avec son volcan de cinq étages, son bassin aux requins, ses dauphins et sa forêt tropicale intérieure, son Lagoon Saloon, sa boutique DKNY et son Secret Garden of Siegfried & Roy – est l'endroit rêvé pour une expérience surréaliste. Son nom même suggère le triomphe de l'illusion sur la réalité, la promesse que vous n'en croirez pas vos yeux. En ce premier jour de mars, Las Vegas proposait comme d'habitude une pléthore de spec-tacles et de numéros de music-hall. George Carlin était au Bally's et David Cassidy au MGM Grand, où il jouait dans EFX, un spectacle qui promettait un voyage sophistiqué dans l'espace et le temps. On donnait *The History of Sex* au Golden Nugget, *The Number One Fool Contest* au Comedy Stop, Joaquin Ayala (le plus célèbre prestidigitateur du Mexique) était au Harrah's, les Radio City Rockettes au Flamingo Hilton et le « King de Rêve » (Trent Carlini, le sosie d'Elvis) au Boardwalk. Enfin, Mikhaïl Gorbatchev (ancien président du Soviet suprême de l'URSS, décoré de l'ordre de Lénine, de la Bannière rouge du prolétariat et prix Nobel de la paix) donnait dans la grande salle de gala du Mirage la conférence d'ouverture d'une convention du fast-food.

La convention et son cadre étaient parfaitement assortis. Las Vegas représente à maints égards l'accomplissement de courants économiques et sociaux qui soufflent à présent de l'Ouest américain jusqu'aux coins les plus reculés de la planète. Las Vegas connaît le développement le plus rapide de toutes les grandes villes américaines – c'est une création entièrement humaine, une ville qui vit pour le présent, sans connexion avec son environnement, et ne se préoccupe pas de son passé. À Las Vegas, rien n'est construit pour durer, les hôtels sont couramment démolis dès qu'ils ne semblent plus à la mode et les limites de la ville ont l'air aussi arbitraires que son emplacement – sachets de plastique et détritus jonchent le sol là où s'arrêtent les pelouses, et le désert commence à proximité du Strip.

Las Vegas fut d'abord un camp de repos pour les voyageurs qui se rendaient en Californie par la vieille piste espagnole. Elle devint ensuite une ville d'éleveurs, connue surtout pour son rodéo au début des années 1940, ses attractions pour touristes et une boîte de nuit appelée l'Apache Bar. La population était de 8 000 habitants. Las Vegas se développa grâce au gouvernement fédéral, qui dépensa des milliards de dollars pour la construction du barrage Hoover et de bases militaires dans la région. Le barrage fournissait eau et électricité tandis que les bases procuraient des clients aux premiers casinos. Lorsque les autorités du sud de la Californie passèrent à l'offensive contre les paris clandestins après la Seconde Guerre mondiale, les joueurs partirent pour le Nevada. Comme à Colorado Springs, le véritable essor commença à la fin des années 1970. La population de Las Vegas a presque triplé au cours des vingt dernières années.

Il ne reste pas grand-chose du passé cow-boy de la ville. De fait, on assiste ici à un renversement de la tendance globale. Tandis que le reste du monde construit des Wal-Mart, Arby's, Taco Bell et autres avant-postes de la culture américaine, Las Vegas a passé les dix dernières années à récréer sur place le reste du monde. Les fast-foods du Strip ont l'air insignifiants comparés aux nouveaux monuments qui les surplombent : tour Eiffel, statue de la Liberté, Sphinx, et d'énormes bâtiments qui évoquent Venise, Paris, New York, la Toscane, l'Angleterre médiévale, l'Égypte et la Rome antiques, le Moyen-Orient et les mers du Sud. Las Vegas est devenue si artificielle qu'elle y a gagné un genre d'authenticité, l'identité d'un endroit qui ne ressemble à aucun autre. Les forces qui homogénéisent d'autres villes rendent Las Vegas plus unique encore.

La technologie occupe le cœur de la ville : ce sont les machines qui rafraîchissent l'air, font entrer en éruption le volcan et allument les néons étincelants. Par-dessus tout, ce sont les machines qui gagnent de l'argent pour les casinos. Alors que Las Vegas aime à donner l'image d'un paradis de la liberté et de l'entreprise où tout le monde peut devenir riche, la vie y est plus contrôlée, réglée et surveillée par des caméras cachées que partout ailleurs aux États-Unis. L'industrie principale de la ville est légalement protégée contre les mécanismes du marché libre et opère selon des règles très strictes imposées par l'État. La commission de contrôle des jeux du Nevada détermine non seulement qui peut être propriétaire d'un casino, mais aussi qui peut y entrer. Dans cette ville construite sur le jeu, où des fortunes ont été gagnées sur un coup de dés, il est remarquable de constater la place minime laissée au hasard. Jusqu'à la fin des années 1960, les trois quarts des bénéfices d'un casino moyen provenaient des tables de jeu, c'est-à-dire du poker, du baccara, du black-jack et de la roulette. Au cours des vingt-cinq dernières années, les tables de jeu supervisées par un croupier, qui offrent les meilleures chances aux joueurs, ont été remplacées par les machines à sous. Aujourd'hui, les deux tiers des bénéfices d'un casino moyen viennent des bandits manchots et des machines à poker vidéo – des engins calibrés précisément pour vous prendre votre argent. Ils garantissent au casino une marge d'au moins 20 % – soit quatre fois plus que la roulette.

Les machines à sous dernier cri sont connectées électroniquement à un ordinateur central qui permet au casino de suivre chaque mise et son résultat. La musique, les lumières clignotantes et les effets sonores contribuent à dissimuler le fait qu'un petit processeur placé à l'intérieur de la machine décide avec une certitude mathématique combien de temps vous jouerez avant de perdre. C'est le *nec plus ultra* de la technologie de la consommation, conçu non pour produire du tangible, mais quelque chose de beaucoup plus fugace : un bref sentiment d'espoir. Voilà ce que vend Las Vegas en réalité, l'illusion la plus brillante de toutes, une perte qui donne l'impression du gain.

Mikhaïl Gorbatchev était en ville pour prononcer un discours à la 26ᵉ Conférence annuelle des opérateurs de chaîne, une convention parrainée par l'Association internationale des fabricants de services alimentaires. Les responsables des principales entreprises de fast-food s'étaient rassemblés pour discuter, entre autres, des innovations permettant des économies de personnel et de la perspective d'employer un jour une main-d'œuvre nécessitant une « formation zéro ». Les représentants des plus importants fournisseurs de l'industrie – ConAgra, Montfort, Simplot et autres – étaient venus vendre leurs nouveautés. La grande salle de gala du Mirage était pleine de quadragénaires de race blanche arborant des costumes hors de prix. Ils étaient assis à de longues tables, sous des candélabres en cristal, buvant du café, saluant de vieux amis, attendant le début du programme de la matinée. Certains d'entre eux s'efforçaient visiblement de récupérer de la nuit passée à Las Vegas.

Mikhaïl Gorbatchev semblait *a priori* un choix étrange pour un groupe si résolument opposé aux syndicats, au salaire minimum et à la sécurité des lieux de travail. « Ceux qui espèrent que nous allons nous éloigner du chemin tracé par le socialisme seront grandement désappointés », avait-il écrit dans *Perestroïka* (1987), à l'apogée de son pouvoir. Il n'avait jamais ni cherché la dissolution de l'Union soviétique ni renoncé à son engagement en faveur du marxisme-léninisme. Il croyait toujours à la lutte des classes et au « socialisme scientifique ». Mais la chute du Mur de Berlin l'avait chassé du pouvoir et laissé dans une situation financière précaire. Gorbatchev était adoré à l'étranger et méprisé dans son propre pays. Il n'obtint que 1 % des votes aux élections présidentielles russes de 1996. L'année suivante, il exprima son admiration pour les chaînes de fast-foods américaines. « Les clowns joyeux, les panneaux Big Mac, le décor unique et bariolé et la propreté impeccable, écrivit-il dans la préface de *To Russia with Fries*, les mémoires d'un des directeurs de McDonald's, tout cela parachève les hamburgers dont la grande popularité est largement méritée. »

En décembre 1997, Gorbatchev apparut dans une publicité Pizza Hut, suivant l'exemple de Cindy Crawford et d'Ivana Trump. Un groupe de clients d'un Pizza Hut de Moscou le remerciait d'avoir introduit la chaîne en Russie avant de l'acclamer. Gorbatchev les saluait d'une main qui tenait une portion de pizza. On assure qu'il gagna 160 000 dollars pour cette apparition dans un spot publicitaire de 60 secondes, somme destinée à sa fondation. Un an plus tard, la chaîne Pizza Hut annonçait qu'elle quittait la Russie, dont l'économie s'effondrait, et Gorbatchev déclarait à un journaliste allemand : « Tout mon argent est parti. » Son discours d'une heure au Mirage lui rapporterait 150 000 dollars et il bénéficierait d'un avion privé.

La 26ᵉ Conférence annuelle des opérateurs de chaînes fut officielle-ment inaugurée par un arrangement vidéo sur l'hymne national. Tandis que la musique retentissait dans les haut-parleurs de la grande salle, deux écrans géants placés au-dessus de la tribune diffusaient une série d'images patrio-tiques : la statue de la Liberté, le mémorial de Lincoln, des vagues de blé blond. Un responsable qui prononçait l'un des premiers discours de la mati-née salua les bénéfices records de l'industrie l'année précédente, ajoutant, sans une ombre d'ironie : « Comme si tout n'allait pas déjà parfaitement bien, les consommateurs ont abandonné toute prétention à une alimenta-tion saine. » Un sondage en cours dans le secteur montrait que l'intérêt du public pour le sel, les graisses et les additifs alimentaires était à son niveau le plus bas depuis 1982 – encore une constatation propre à conforter l'« état actuel de béatitude » du secteur. Un second dirigeant qui se décrivait lui-même comme un « spécialiste de l'évaluation sensorielle » souligna l'impor-tance des odeurs agréables. Il fit remarquer que les établissements de Las Vegas testaient dans leurs casinos des « signatures odorantes » dans l'espoir que ces arômes subtils inciteraient inconsciemment les clients à parier plus.

Robert Nugent, président-directeur de Jack in the Box et président honoraire de la conférence, cassa l'ambiance avec un discours dérangeant et lourd de menaces. Il accusa les pourfendeurs de l'industrie du fast-food d'antiaméricanisme. « Un nombre croissant de groupes représentant des intérêts sociaux et politiques étroits, lança-t-il, ont jeté leur dévolu sur notre industrie dans leur volonté de légiférer sur les changements de comporte-ment. » Prendre un bon repas au restaurant était « l'essence même de la liberté », déclara-t-il ; or ce rituel était actuellement menacé par des groupes aux programmes « antiviande, antialcool, anticaféine, antigraisse, anti-additifs chimiques, anti-radis noir, anti-lait en poudre ». Les médias jouaient un rôle essentiel d'aide à ces « activistes de la peur », mais l'Association nationale de la restauration venait de lancer une contre-attaque en liaison avec des journalistes afin de dissiper les mythes et de bénéficier d'une publi-cité plus positive. Nugent appela les responsables du fast-food à répondre avec plus de virulence à ces critiques, ces gens qui représentaient « un dan-ger réel pour notre industrie – et de façon plus générale pour notre mode de vie ».

Mikhaïl Gorbatchev monta ensuite à la tribune pendant que l'audi-toire se levait pour l'applaudir. C'était l'homme qui avait mis fin à la guerre froide, apporté la liberté politique à des centaines de millions de gens, ouvert de vastes marchés. Aujourd'hui âgé de soixante-neuf ans, Gorbatchev parais-sait remarquablement inchangé depuis les années Reagan. Malgré ses cheveux blancs, il semblait fort et vigoureux, toujours capable de diriger un puissant empire. Il parlait rapidement en russe et attendait patiemment la traduction de l'interprète. Ses paroles étaient pleines de verve et de fougue. « J'aime l'Amérique, dit-il avec un large sourire. Et j'aime les Américains. » Il voulait donner à ses auditeurs une idée de ce qui se passait en Russie. En effet, très peu de gens s'intéressent aux événements qui se déroulent là-bas, et cette méconnaissance est dangereuse. Il demanda à la foule de s'informer sur son pays, de former des partenariats et d'investir en Russie. « Vous devez avoir beaucoup d'argent, dit-il. Envoyez-le en Russie. »

L'attention commença à diminuer après quelques minutes seulement. Gorbatchev avait mal jugé son auditoire. Son discours aurait été bien accueilli à la commission des relations internationales ou à l'assemblée générale des Nations unies, mais il tombait à plat dans la grande salle de gala du Mirage. Tandis que Gorbatchev expliquait pourquoi les États-Unis devaient soutenir fermement la politique de Ievguéni Primakov (le Premier ministre russe d'alors, qui fut limogé peu de temps après), les yeux de l'auditoire se voilaient dans les travées. Gorbatchev demanda sérieusement pourquoi « ce pays ressentait une sorte d'antipathie pour Primakov ». Il ne se rendait pas compte que la plupart des Américains ne savaient même pas qui était Primakov, et qu'ils ne s'en souciaient guère. Une bonne demi-douzaine de gens assis près de moi s'endormirent pendant le discours de Gorbatchev. L'homme assis juste à côté de moi se réveilla en sursaut au beau milieu d'une anecdote sur l'influence de l'invasion mongole sur le tempérament russe au Moyen Âge. D'abord surpris et confus, il regarda un moment la tribune, parut rassuré et se rendormit, le menton appuyé sur la poitrine.

Gorbatchev parlait comme un politicien d'une époque révolue, d'avant les petites phrases. Il était sérieux, intarissable, et parfois difficile à suivre. En réalité, sa présence au Mirage comptait plus que tout ce qu'il pouvait dire. Le sens de ce spectacle me sauta aux yeux quand je me mis à observer ces responsables de l'industrie du fast-food, cette mer de costumes rayés et de cravates en soie. Dans la Rome antique, les chefs des nations conquises étaient exhibés au cirque. Le symbolisme était flagrant ; la soumission à Rome, totale. L'apparition de Gorbatchev au Mirage ressemblait à une version américanisée de cette coutume, une occasion de se rengorger donnée aux vainqueurs – même s'il aurait été plus approprié de tenir ce congrès du fast-food quelques hôtels plus loin, au Caesars Palace.

Lorsqu'il dirigeait l'Union soviétique, Gorbatchev n'a pas compris à quel moment il fallait quitter la scène, ce qui lui valut une humiliante défaite aux élections de 1996. Il faisait la même erreur à Las Vegas ; certains quittèrent la salle pendant qu'il parlait encore. « Margaret Thatcher était bien mieux », entendis-je un spectateur dire à un autre tandis qu'ils se dirigeaient vers la sortie. Mme Thatcher avait prononcé un discours à la conférence de l'année précédente.

Le lendemain de l'apparition de Gorbatchev au Mirage, Bob Dylan chantait pour l'inauguration du nouveau casino Mandalay Bay. Le long de l'autoroute, les panneaux d'affichage annonçaient la venue de Peter Lowe et de son *Succès 1999*, avec comme invités Elizabeth Dole et le général Colin Powell.

L'empire de la graisse

Pendant la majeure partie du XXe siècle, l'Union soviétique a constitué l'obstacle principal à la propagation mondiale des valeurs et du mode de vie de l'Amérique. L'effondrement du communisme soviétique a permis une « américanisation » sans précédent de la planète, qui se traduit par la popularité croissante des films, CD, clips musicaux, émissions de télévision et vêtements en provenance des États-Unis. Contrairement à ces produits, le fast-food est une expression de la culture américaine que les consommateurs étrangers peuvent réellement consommer. En mangeant comme les Américains, les habitants du monde entier commencent à leur ressembler davantage, sous un certain angle du moins. Les États-Unis ont aujourd'hui le taux d'obésité le plus élevé des pays industrialisés. Plus de la moitié des adultes et presque un quart des enfants américains souffrent d'obésité ou de surcharge pondérale. Ces proportions ont augmenté en flèche au cours des dernières décennies, au même rythme que la consommation de fast-food. Le taux d'obésité des adultes américains a doublé par rapport au début des années 1960. Celui des enfants est deux fois plus élevé qu'à la fin des années 1970. Selon James O. Hill, éminent nutritionniste de l'université du Colorado, « nous avons une génération d'enfants plus grosse et moins saine que toutes celles qui l'ont précédée ».

La littérature médicale classe dans la catégorie des obèses toute personne dont l'indice de masse corporelle (IMC) est égal ou supérieur à 30 – cette mesure prend en compte le poids et la taille. Ainsi, une femme mesurant 1,65 mètre et pesant 60 kilos a un IMC de 22, considéré comme normal. Si elle grossit de 8 kilos, son IMC grimpe à 25 et elle est en surpoids. Si elle grossit de 22 kilos, son IMC atteint 30 et elle entre dans la catégorie des obèses. Aujourd'hui, 44 millions d'adultes américains sont obèses ;

6 millions sont « super-obèses » : ils pèsent environ 50 kilos de trop. Aucune autre population n'est encore aussi vite devenue aussi grosse.

Une étude récente menée par une demi-douzaine de chercheurs du Centre pour le contrôle et la prévention des maladies montre que le taux d'obésité des Américains augmente dans tous les États, indépendamment du sexe, de l'âge, de la race ou du niveau d'instruction. En 1991, seuls 4 États avaient des taux d'obésité de 15 % ou plus ; 37 États sont concernés aujourd'hui. « Il est rare de voir des états chroniques tels que l'obésité, font observer les savants du Centre, se propager avec la rapidité et l'ampleur de diffusion qui caractérisent une épidémie contagieuse. » Si l'augmentation actuelle de l'obésité résulte d'un certain nombre de facteurs complexes, la génétique n'est pas en cause. Le patrimoine génétique des Américains n'a pas radicalement changé au cours des dernières décennies. Ce qui a changé, en revanche, c'est le mode d'alimentation et de vie. Pour dire les choses plus simplement : quand on mange plus et qu'on bouge moins, on grossit. Aux États-Unis, les gens sont de plus en plus sédentaires – ils vont au travail en voiture au lieu de marcher, ne font plus de travaux manuels, prennent leur voiture pour la moindre course, regardent la télévision, jouent à des jeux vidéo et utilisent un ordinateur au lieu de faire de l'exercice. Les réductions budgétaires ont supprimé l'éducation physique du programme de nombreuses écoles. Enfin, le développement de l'industrie du fast-food assure une abondance de repas bon marché, mais riches en graisse.

Les gens consomment de plus en plus de repas en dehors de la maison, et donc plus de calories, moins de fibres et plus de graisses. Les prix des produits alimentaires ont tellement baissé que l'industrie du fast-food a augmenté la taille des portions qu'elle sert sans réduire ses bénéfices, afin d'attirer les clients. La taille d'un hamburger est devenue l'un des principaux arguments de vente. Wendy's propose le Triple Decker ; Burger King, le Great American ; Hardee's vend un hamburger appelé The Monster. Le slogan « Plus gros ! Plus gros ! » de Little Caesars ne s'applique plus seulement aux portions servies par l'industrie, mais également à ses clients. La consommation par personne de boissons gazeuses sucrées a plus que quadruplé aux États-Unis en quarante ans. À la fin des années 1950, une commande moyenne dans un fast-food comprenait 25 centilitres de soda ; un Coca « enfant » chez McDonald's contient 33 centilitres. Un « grand » Coca contient 90 cl – et 310 calories. En 1972, McDonald's a ajouté les Grandes Frites à son menu ; vingt ans plus tard, la chaîne surenchérit avec les Frites géantes, une portion trois fois plus importante que celle servie il y a une génération. Elle contient 29 grammes de graisse pour 610 calories. Dans les restaurants Carl's Jr., un Double Western Bacon Cheeseburger accompagné de frites CrissCut Fries affiche 73 grammes de graisse – soit plus de lipides que 10 milk-shakes de la même chaîne.

Un certain nombre de tentatives visant à lancer des plats plus diététiques (comme le McLean Deluxe, un hamburger composé en partie d'algues) ont échoué. Il est difficile de perdre à l'âge adulte un goût pour les aliments gras acquis pendant l'enfance. En ce moment, l'industrie du fast-food axe ses campagnes publicitaires sur les produits contenant du bacon. « Les consommateurs apprécient le goût tandis que les opérateurs profitent de marges plus élevées », note *Advertising Age*. Il y a dix ans, les restaurants vendaient environ 20 % du bacon consommé aux États-Unis ; à présent ils en vendent 70 %. « Prenez donc un Bacon », est l'un des nouveaux slogans de McDonald's. À l'exception de Subway (qui fait la promotion d'aliments plus diététiques), les grandes chaînes ont apparemment décidé qu'il est beaucoup plus simple et beaucoup plus rentable d'augmenter la taille et la teneur en graisse de leurs produits plutôt que de lutter contre des habitudes alimentaires que leur propre marketing a largement contribué à former.

Le coût de l'épidémie américaine d'obésité va bien au-delà des problèmes émotionnels ou de la perte d'estime de soi. L'obésité est la deuxième cause de mortalité aux États-Unis après le tabac. Le CDC estime que 28 000 Américains environ meurent chaque année de causes directement liées à leur surcharge pondérale. Le montant annuel des dépenses de santé relatives à l'obésité approche les 240 milliards de dollars ; les Américains dépensent en outre plus de 33 milliards de dollars en régimes et produits diététiques divers. L'obésité est un facteur de maladies cardiovasculaires, de cancer du côlon, de l'estomac et du sein, de diabète, d'arthrite, d'hypertension, de stérilité et d'infarctus. Une étude de la Société américaine contre le cancer a montré en 1999 que le risque de mourir jeune touche 4 fois plus les personnes trop grosses que celles ayant un poids normal, et 2 fois plus les personnes relativement grosses. « Le message est le suivant : nous sommes trop gros et ça nous tue », a déclaré l'un des auteurs de l'étude. La santé des jeunes obèses n'est pas menacée uniquement à long terme. Des enfants gravement obèses âgés de six à dix ans meurent actuellement de crises cardiaques dues à leur poids.

L'épidémie d'obésité qui a débuté aux États-Unis à la fin des années 1970 se propage maintenant au reste du monde, par le biais, entre autres vecteurs, du fast-food. Le nombre d'établissements de fast-food a doublé en Grande-Bretagne entre 1984 et 1993 – de même que le taux d'obésité des adultes. Les Britanniques consomment actuellement plus de fast-food que les autres populations européennes. Ils ont également le taux d'obésité le plus élevé. Le problème est beaucoup moins aigu en Espagne et en Italie, où les dépenses de fast-food sont relativement modestes. La relation entre la consommation de fast-food d'un pays et son taux d'obésité n'a pas encore été définitivement établie par une étude épidémiologique à long terme. La popularité croissante du fast-food n'est qu'un des nombreux changements culturels apportés par la mondialisation. Il semble néanmoins que les tours de taille s'arrondissent partout où les chaînes de fast-foods américaines s'installent.

En Chine, la proportion d'adolescents obèses a triplé au cours des dix dernières années. Au Japon, personne n'est devenu blond en mangeant des hamburgers et des frites, mais beaucoup ont grossi. Les gros étaient très rares autrefois au Japon. Le régime national traditionnel, riz, poissons, légumes et produits à base de soja, est considéré comme l'un des plus sains au monde. Pourtant, les Japonais l'abandonnent rapidement. La consommation de viande rouge augmente depuis l'occupation américaine, à l'issue de la Seconde Guerre mondiale. L'arrivée de McDonald's en 1971 a accéléré le changement des habitudes alimentaires japonaises. Les ventes de fast-food ont plus que doublé au cours des années 1980 ; la proportion d'enfants obèses également. Aujourd'hui, environ un tiers des hommes japonais de trente ans – qui appartiennent à la première génération nourrie au Happy Meal et au « bi-gu ma-ku » – souffrent d'un excédent de poids. Maladies cardiovasculaires, diabète, cancer du côlon et du sein, les principales « maladies de l'abondance » sont liées aux régimes pauvres en fibres et riches en graisses animales. Longtemps répandues aux États-Unis, elles se développent au Japon à mesure que vieillit la génération élevée au fast-food. Il y a plus de dix ans, une étude menée sur des Japonais d'âge moyen installés aux États-Unis a montré que le passage à un régime occidental doublait leur risque de maladies cardiovasculaires et triplait leur risque d'infarctus. Le choix du mode de vie américain augmentait l'éventualité de leur mort prématurée.

L'obésité est extrêmement difficile à guérir. Pendant des milliers d'années de carences alimentaires, les êtres humains ont mis au point d'efficaces mécanismes physiologiques de stockage des graisses. Les sociétés humaines jouissaient rarement d'une surabondance de nourriture bon marché. Nos corps sont donc beaucoup plus aptes à gagner du poids qu'à en perdre. Les autorités sanitaires ont conclu que les meilleures chances d'arrêter l'épidémie mondiale d'obésité se trouvent dans la prévention. Des mouvements de consommateurs européens appellent à l'interdiction de toutes les publicités télévisées destinées aux enfants. La Suède a interdit en 1991 la publicité télévisée destinée aux enfants de moins de douze ans. Grèce, Norvège, Danemark, Autriche et Pays-Bas imposent des restrictions sur la publicité pendant les programmes réservés aux enfants. Les habitudes alimentaires des enfants américains passent pour l'exemple type de ce qu'il ne faut pas faire. Les enfants américains absorbent un quart de leur ration totale de légumes sous forme de frites ou de chips. Une étude sur la publicité destinée aux enfants dans l'Union européenne a montré que 95 % des publicités pour les aliments les encourageaient à consommer des produits riches en sucre, en sel et en graisses. La compagnie responsable du plus grand nombre de publicités destinées aux enfants était McDonald's.

Mcdiffamation

« La résistance à l'Amérique commence par le Coca-Cola », proclamait une banderole flottant sur l'université de Beijing en mai 1999. « Attaquez McDonald's, détruisez KFC. » L'aviation américaine venait de bombarder l'ambassade de Chine à Belgrade, en Yougoslavie, et des manifestations antiaméricaines fleurissaient dans tout le pays. Au moins une douzaine de restaurants McDonald's et quatre Kentucky Fried Chicken furent saccagés par des manifestants chinois. Pour une raison ou une autre, Pizza Hut fut épargné. « Ils pensent peut-être que c'est italien », déclara un porte-parole de l'entreprise à Shanghai.

Ambassades et compagnies pétrolières américaines étaient autrefois les cibles privilégiées des manifestations contre l'« impérialisme américain » à l'étranger. Les fast-foods et surtout McDonald's, victime numéro un, ont hérité de leur rôle de symboles. En 1995, un groupe de 400 anarchistes danois a pillé un McDonald's du centre de Copenhague, allumé un feu de joie dans la rue avec son mobilier et incendié le restaurant. En 1996, des fermiers indiens, persuadés que la chaîne menaçait leurs pratiques agricoles traditionnelles, ont saccagé un restaurant Kentucky Fried Chicken de Bengalore. En 1997, un McDonald's de la ville colombienne de Cali a été détruit par une bombe. En 1998, d'autres bombes ont détruit un McDonald's de Saint-Pétersbourg, en Russie, deux McDonald's des faubourgs d'Athènes, un McDonald's du centre de Rio de Janeiro et un Planet Hollywood de Cape Town, en Afrique du Sud. En 1999, des végétariens belges ont mis le feu à un McDonald's d'Anvers et un an plus tard, lors du 1er Mai, des manifestants ont arraché l'enseigne d'un McDonald's de Trafalgar Square, à Londres, détruit le restaurant et distribué gratuitement des hamburgers à la foule. Par peur d'une explosion de violence, McDonald's a temporairement fermé ses 50 restaurants londoniens.

En France, un éleveur de moutons et militant politique nommé José Bové dirigeait le groupe qui a détruit un McDonald's en construction dans sa ville natale de Millau. L'attitude provocante de Bové, sa brève incarcération et ses discours enflammés contre la « malbouffe » ont fait de lui un héros en France ; socialistes et conservateurs l'ont couvert d'éloges, il a rencontré le président de la République et le Premier ministre. Il a écrit un livre à succès intitulé *Le monde n'est pas une marchandise. Des paysans contre la malbouffe.* Dans une société qui tire une immense fierté nationale de sa nourriture, McDonald's est devenu une cible facile, pour des raisons pas entièrement symboliques. McDonald's est le plus gros acheteur de produits agricoles en France. Le message de Bové – exhortant les Français à ne pas devenir « de serviles esclaves au service de l'agrobusiness » – a touché un point sensible. Trente mille manifestants se sont rassemblés à Millau le jour de l'ouverture du procès de Bové, en juillet 2000 ; certains portaient des pancartes « Non à McMerde ».

Les détracteurs étrangers du fast-food à l'américaine sont d'obédiences beaucoup plus variées que les anciens ennemis issus du bloc soviétique. Paysans, gauchistes, anarchistes, nationalistes, écologistes, mouvements de défense des consommateurs, éducateurs, responsables de la santé, syndicats et défenseurs des droits des animaux ont trouvé un terrain d'entente dans une campagne contre ce qu'il perçoivent comme l'américanisation du monde. Le fast-food est devenu leur cible parce qu'il est omniprésent et qu'il menace un aspect fondamental de l'identité nationale : ce que les gens choisissent de manger, comment et où.

L'assaut le plus durable et le plus systématique contre le fast-food à l'étranger a été lancé par deux activistes britanniques affiliés à London Greenpeace. Ce groupe informel a été créé en 1971 pour s'opposer aux essais nucléaires français dans le Pacifique. Il a organisé des manifestations de soutien en faveur des droits des animaux et des syndicats britanniques. Il a protesté contre le nucléaire et la guerre des Malouines. Les membres, peu nombreux, constituent un mélange éclectique de pacifistes, d'anarchistes, de végétariens et de libertaires réunis par leur engagement dans l'action politique non violente. Ils font fonctionner l'organisation sans direction officielle et se refusent à rejoindre le mouvement Greenpeace International.

Une réunion typique de London Greenpeace attire de 3 à 30 personnes. En 1986, le groupe choisit de s'en prendre à McDonald's, expliquant ensuite que cette société « incarne parfaitement tout ce que nous méprisons :

une sous-culture, la banalité affligeante du capitalisme ». Les membres de London Greenpeace entreprirent de distribuer un tract de six pages intitulé « Qu'est-ce qui ne va pas chez McDonald's ? Tout ce qu'ils ne veulent pas que vous sachiez. » Et d'accuser la chaîne de fast-foods de contribuer à la pauvreté du tiers monde, de vendre de la nourriture malsaine, d'exploiter les travailleurs et les enfants, de torturer les animaux et de détruire la forêt amazonienne, entre autres. Certaines parties du texte étaient directement fondées sur des faits ; d'autres étaient de la propagande pure et simple. En haut des feuillets, une bordure d'arches dorées était ponctuée par des slogans tels que « McDollars, McCupide, McCancer, McMeurtre, McProfit, McPoubelle ». London Greenpeace distribua ces tracts pendant quatre ans sans attirer l'attention. Puis, en septembre 1990, McDonald's poursuivit cinq membres du groupe pour diffamation, prétextant que toutes les affirmations contenues dans le tract étaient fausses.

Les lois sur la diffamation sont beaucoup moins favorables au défendeur en Grande-Bretagne qu'aux États-Unis. D'après le droit américain, le plaignant doit prouver que les allégations qui constituent le motif de la plainte sont non seulement fausses et diffamatoires, mais qu'elles ont été diffusées imprudemment, délibérément ou par négligence. D'après le droit britannique, la charge de la preuve relève du défendeur. Les allégations risquant de nuire à la réputation d'un individu sont présumées fausses. En outre, le défendeur doit utiliser des sources premières, tels que témoins oculaires et documents officiels, pour prouver la véracité d'une affirmation publiée. Les sources secondaires, notamment les articles révisés par des spécialistes dans des journaux scientifiques, ne sont pas des preuves admissibles. Quant aux intentions du défendeur, elles n'entrent pas en ligne de compte – un procès en diffamation peut être perdu à cause d'une erreur commise en toute innocence.

La société McDonald's usait et abusait depuis des années des lois britanniques sur la diffamation pour réduire ses détracteurs au silence. Au cours des seules années 1980, McDonald's menaça de poursuivre en justice au moins 50 publications et organisations britanniques, dont Channel 4, le *Sunday Times*, le *Guardian*, le *Sun*, des revues étudiantes, une association végétarienne et une troupe de théâtre amateur écossaise. La tactique porta ses fruits sous forme de rétractations et d'excuses publiques. Perdre un procès en diffamation peut coûter très cher en frais de justice et en dommages et intérêts.

Les militants de London Greenpeace poursuivis par McDonald's n'avaient pas écrit le tract en question ; ils s'étaient contentés de le distribuer. Leur comportement pouvait néanmoins être considéré comme diffamatoire. Trois d'entre eux, par peur des frais éventuels, se résignèrent à présenter leurs excuses devant une cour. Les deux autres décidèrent de se battre.

Helen Steel, vingt-cinq ans, travaillait comme jardinière, conductrice de minibus et barmaid ; elle appartenait à London Greenpeace par dévotion au végétarisme et aux droits des animaux. Dave Morris était un père célibataire de trente-six ans, un ancien employé des postes qui s'intéressait aux questions syndicales et au pouvoir des multinationales. Les deux amis ne pesaient pas lourd face à la plus puissante chaîne de fast-foods du monde. Helen Steel avait quitté l'école à dix-sept ans, David Morris à dix-huit ; aucun d'eux n'avait les moyens d'engager un avocat. McDonald's à l'inverse, dont les revenus annuels se montaient à l'époque à 18 milliards de dollars environ, pouvait se payer une armée d'avocats. Morris et Steel se virent refuser l'aide judiciaire ; ils devraient se défendre eux-mêmes devant un juge, et non un jury. Grâce à l'aide du secrétaire de la Société Haldane des juristes socialistes, ils firent de l'« affaire McDiffamation » le plus long procès de l'histoire britannique, qui s'avéra désastreux pour les relations publiques de McDonald's.

McDonald's ne s'attendait pas à ce que l'affaire soit plaidée. Les défendeurs affrontaient une tâche énorme : ils devaient trouver témoins et documents officiels pour étayer les affirmations contenues dans le tract. Aidés par la Campagne de soutien McDiffamation, un réseau militant international, ils se transformèrent en chercheurs infatigables. À la fin du procès, les minutes comprenaient 40 000 pages de documents et de témoignages ainsi que 18 000 pages de transcriptions.

McDonald's avait commis une grossière erreur tactique en affirmant que le tract tout entier n'était qu'un tissu d'allégations diffamatoires – depuis les plus extrêmes (« McDonald's et Burger King [...] utilisent des poisons mortels pour détruire de vastes régions de la forêt primitive d'Amérique centrale ») jusqu'aux plus inoffensives (« les régimes riches en graisses, en sucres, en aliments d'origine animale et en sel [...] sont liés à l'apparition de cancers du sein et des intestins, et aux maladies cardiovasculaires »). Cette bévue permis à Steel et à Morris de renverser la situation : McDonald's devint l'objet du procès et la politique de la chaîne en matière de syndicats, de marketing, d'environnement, de nutrition, de sécurité alimentaire et de traitement des animaux fut publiquement passée au crible. Certains des hauts responsables de la chaîne furent appelés à la barre, où ils endurèrent des journées entières de contre-interrogatoire par les deux juristes autodidactes.

Les médias britanniques s'emparèrent de cette histoire de David contre Goliath et publièrent les comptes rendus d'audience à la une.

Après plusieurs années de bataille juridique, le procès McDiffamation commença officiellement en mars 1994. Il fallut plus de trois ans au juge Rodger Bell pour rendre un jugement de 800 pages. Morris et Steel étaient reconnus coupables de diffamation envers McDonald's. Le juge concluait qu'ils n'avaient pas réussi à prouver toutes leurs allégations. Cependant, McDonald's « exploitait » effectivement les enfants par l'intermédiaire de sa publicité, mettait en danger la santé de ses clients réguliers, versait à ses employés des salaires déraisonnablement bas et partageait la responsabilité des traitements cruels infligés aux animaux par bon nombre de ses fournisseurs. Morris et Steel furent condamnés à 60 000 livres d'amende. Ils annoncèrent aussitôt qu'ils feraient appel. « McDonald's ne mérite pas un penny, déclara Helen Steel, et de toute façon nous n'avons pas de quoi payer. »

Les documents examinés au cours du procès révélaient pas mal de choses sur le fonctionnement interne de McDonald's. Ses pratiques en matière de syndicats, de sécurité alimentaire et de publicité faisaient déjà l'objet de nombreuses critiques aux États-Unis. Cependant, les témoignages entendus devant le tribunal londonien apportaient de nouvelles révélations sur l'attitude de la compagnie par rapport à la liberté de parole ou aux droits civiques. Morris et Steel découvrirent, stupéfaits, que McDonald's avait infiltré London Greenpeace, et que ses informateurs assistaient régulièrement aux réunions pour espionner les membres du groupe.

Le mouchardage avait débuté en 1989 ; il ne prit fin qu'en 1991, presque un an après le dépôt de plainte pour diffamation. McDonald's avait usé de moyens malhonnêtes non seulement pour découvrir l'identité des distributeurs du tract, mais aussi la façon dont Morris et Steel prévoyaient de se défendre. La compagnie avait employé au moins sept agents différents. Lors de certaines réunions de London Greenpeace, la moitié de l'assistance était à la solde de McDonald's. Un mouchard s'introduisit par effraction dans le bureau du groupe pour prendre des photos et voler des documents. Un autre, une femme, eut pendant six mois une liaison avec un des membres de London Greenpeace dont elle rapportait les activités. Les informateurs de McDonald's, ignorant que la société utilisait au moins deux agences de détectives différentes, s'espionnaient parfois les uns les autres. Ils participaient aux manifestations anti-McDonald's et distribuèrent aussi des tracts.

Sidney Nicholson – le vice-président de McDonald's chargé de l'opération secrète, ancien officier de police en Afrique du Sud et ancien commissaire de la police métropolitaine de Londres – reconnut devant le tribunal que McDonald's avait utilisé ses relations à Scotland Yard pour obtenir des informations sur Steel et Morris. De fait, certains officiers de la « branche spéciale », une unité britannique d'élite qui traque les « subversifs » et les personnalités du crime organisé, avaient aidé McDonald's à espionner Steel et Morris pendant des années. Un des agents de la chaîne, pris de remords, témoigna en faveur des défendeurs. « Je n'ai jamais cru qu'ils pouvaient être dangereux, affirma Fran Tiller après sa conversion au végétarisme. Je pense qu'ils croyaient sincèrement aux causes qu'ils soutenaient. »

Dave Morris vécut sans doute le moment le plus troublant du procès lorsqu'il apprit comment McDonald's avait obtenu l'adresse de son domicile. L'un des espions reconnut qu'on avait offert à Morris des vêtements de bébé afin de découvrir où il vivait. Celui-ci avait accepté le cadeau comme une preuve d'amitié – et il apprit avec dégoût que son fils avait porté pendant plusieurs mois des vêtements fournis par McDonald's dans le cadre de sa surveillance.

J'ai rencontré Dave Morris un soir de février 1999, alors qu'il préparait son passage devant la cour d'appel, le lendemain. Morris habite un petit appartement au-dessus d'un magasin de tapis, dans le nord de Londres. Le logement n'a pas de chauffage central, les plafonds s'affaissent et les pièces sont pleines à craquer de livres, de boîtes, de classeurs, de dossiers, de tracts et d'affiches annonçant diverses manifestations. L'atmosphère de l'endroit évoque tout ce que McDonald's n'est pas – pleine de vie, indisciplinée, profondément personnelle et organisée selon un schéma complexe qu'un seul être humain est capable de comprendre. Morris me consacra une heure pendant que son fils terminait ses devoirs à l'étage. Il parla de McDonald's avec fougue, mais souligna que l'arrogance de la compagnie n'était qu'une manifestation d'un problème beaucoup plus vaste qui se pose au monde actuel : l'émergence de puissantes multinationales qui déplacent leurs capitaux d'une frontière à l'autre sans états d'âme, ne ressentent d'allégeance envers aucune nation, de loyauté envers aucun groupe de fermiers, de travailleurs ou de consommateurs.

Dans son ouvrage sur le procès McDiffamation, le journaliste britannique John Vidal note certaines similitudes entre Dave Morris et Ray Kroc. En écoutant la critique passionnée de la mondialisation que faisait Morris, je comprenais le sens de cette comparaison – tous deux authentiques croyants, charismatiques, poussés par des idées iconoclastes bien que défendant des points de vue aux antipodes l'un de l'autre. Paul Preston, président de McDonald's ᴜᴋ, avait déclaré au cours du procès : « S'intégrer dans une machine qui fonctionne sans heurts, voilà la philosophie McDonald's. » Surgissait alors un Morris, depuis le salon de son appartement londonien chauffé par un radiateur à gaz, entouré de piles de papiers et de dossiers, se moquant pas mal de l'argent, déterminé à détruire cette machine.

Le 31 mars 1999, les trois juges de la cour d'appel cassèrent certaines parties du verdict d'origine ; ils acceptaient l'affirmation selon laquelle la consommation d'aliments produits par McDonald's pouvait causer des maladies cardiovasculaires, et celle qui évoquait le mauvais traitement des employés. La cour diminua le montant des dommages et intérêts, les portant à 40 000 livres. La société McDonald's avait déjà annoncé qu'elle renonçait à l'argent et ne tenterait plus d'empêcher la distribution du tract (alors traduit en 27 langues). McDonald's, las de toute la contre-publicité qui entourait l'affaire, voulait y mettre un terme. Mais Morris et Steel n'en avaient pas fini avec McDonald's. Ils firent appel de la décision auprès de la chambre des Lords et engagèrent des poursuites pour espionnage contre la police. Scotland Yard régla l'affaire à l'amiable, présenta des excuses et versa 10 000 livres de dommages et intérêts aux deux amis. La chambre des Lords refusa d'entendre leur cas ; Morris et Steel portèrent alors l'affaire devant la Cour européenne des droits de l'homme, réfutant la validité non seulement du verdict, mais des lois britanniques sur la diffamation. L'affaire McDiffamation entre aujourd'hui dans sa douzième année. Après avoir intimidé ses détracteurs britanniques pendant des années, McDonald's est tombé sur un os.

Retour au ranch

Lorsque le premier McDonald's ouvrit en Allemagne de l'Est au mois de décembre 1990, la maison mère ignorait comment la clientèle accueillerait la nourriture américaine. Le jour de son inauguration, le McDonald's de Plauen servit des boulettes de pommes de terre, un plat régional, en plus des hamburgers et des frites. Plusieurs centaines de restaurants McDonald's parsèment aujourd'hui le paysage est-allemand. Les statues de Lénine déboulonnées ville après ville ont cédé leur place à celles de Ronald McDonald. L'une des plus imposantes se trouve à Bitterfeld, où l'on peut apercevoir depuis l'autoroute la silhouette illuminée d'un Ronald haut de trois étages. En octobre 1998, lors de mon premier séjour à Plauen, McDonald's était le seul commerce ouvert sur la place du marché. On célébrait l'anniversaire de la Réunification, jour de fête nationale, et les petites boutiques qui vendaient des vêtements et des meubles d'occasion, le pub pseudo irlandais à un bout de la place et la pizzeria à l'autre, tout était fermé. Le McDonald's était comble ; enfants accompagnés de leurs parents, adolescents, personnes âgées, jeunes couples, on y rencontrait un échantillon assez représentatif de la population de la ville. Le restaurant était brillamment éclairé et d'une propreté impeccable. Des femmes d'âge moyen, souriantes, prenaient les commandes derrière le comptoir, travaillaient dans la cuisine, servaient à table ou nettoyaient les vitres. La plupart d'entre elles travaillaient dans ce McDonald's depuis des années. Certaines étaient là depuis l'ouverture. En face du restaurant se trouvait un bâtiment abandonné, autrefois occupé par un régiment de l'armée est-allemande ; un peu plus loin, les maisons délabrées et couvertes de graffitis donnaient l'impression que le Mur n'était jamais tombé. Ce jour-là, le McDonald's était l'endroit le plus agréable, le plus propre et le plus gai de Plauen. Les enfants jouaient avec les Hot Wheels et les Barbie reçus avec leur Happy Meal, et des employées resservaient gratuitement du café, tout sourires. Devant la vitrine flottaient trois drapeaux rouge vif ornés des arches dorées.

La vie après le communisme n'a pas été facile à Plauen. La ville a d'abord été envahie par un optimisme et une impatience démesurés. Comme dans d'autres villes est-allemandes, les gens ont vite profité de leur liberté toute neuve pour voyager enfin à l'étranger. Ils ont emprunté de l'argent pour acheter de nouvelles voitures. Selon Thomas Küttler, le héros du soulèvement de 1989, l'idéal de liberté des ancêtres cher à Friedrich von Schiller a rapidement disparu au profit d'un appétit pour les biens de consommation occidentaux. Küttler regrette la disparition si rapide de l'idéalisme de 1989, bien qu'il ne ressente aucune nostalgie pour la vieille Allemagne de l'Est. Sous le régime communiste, regarder les programmes de télévision occidentaux ou écouter du rock'n'roll américain pouvait vous valoir une arrestation. On reçoit aujourd'hui plusieurs dizaines de chaînes câblées à Plauen, et davantage encore par satellite. MTV y est populaire et la plupart des chansons diffusées à la radio sont en anglais. En revanche, il a fallu payer le prix fort pour s'intégrer dans ce monde plus vaste. L'économie de Plauen a souffert ; les vieilles usines peu rentables ont fermé l'une après l'autre, laissant les ouvriers sur le carreau. Depuis la chute du Mur de Berlin, Plauen a perdu 10 % de sa population, partie à la recherche d'une vie meilleure. La ville semble incapable de rompre avec son passé. On découvre encore tous les ans des obus de la Seconde Guerre mondiale qu'il faut désamorcer.

Le taux de chômage est actuellement de 20 % environ à Plauen – deux fois plus que la moyenne allemande. On voit des hommes d'une quarantaine d'années – une génération perdue, trop jeune pour la retraite mais trop vieille pour s'adapter au nouveau mode de fonctionnement – ivres morts dès le milieu de la journée. Les ouvriers d'usine qui ont eu le courage de défier et d'abattre l'ancien régime ont le plus souffert en tant que groupe ; leurs compétences ne servent à rien et ils n'ont rien à espérer. D'autres se sont plutôt bien débrouillés.

Manfred Voigt, le franchisé McDonald's de Plauen, est un homme d'affaires prospère qui prend chaque année ses vacances en Floride avec sa femme Brigitte. Dans un entretien avec le *Wall Street Journal*, Manfred Voigt attribue son récent succès à des forces qui échappent à son contrôle. « C'était un coup de chance, explique-t-il, le destin. » Sa femme et lui n'avaient pas d'argent et ne comprenaient pas pourquoi McDonald's les avait choisis pour devenir propriétaires de son premier restaurant en Allemagne de l'Est, pourquoi l'entreprise les avait financés et formés. L'une des raisons, à peine effleurée par le *Wall Street Journal*, se trouve sans doute dans le fait que les Voigt étaient l'un des couples les plus puissants de Plauen sous l'ancien régime. Ils dirigeaient la succursale locale du Konsum, la chaîne d'alimentation sous monopole de l'État. Aujourd'hui, les Voigt sont l'un des couples les plus riches de Plauen ; ils possèdent deux autres McDonald's dans des villes voisines. À travers tout l'ancien bloc de l'Est, ce sont les membres de la vieille élite communiste qui ont eu le moins de mal à s'adapter au consumérisme occidental. Ils avaient les relations qu'il fallait et une grande partie des compétences. Certaines des franchises les plus lucratives leur appartiennent à présent.

Le taux de chômage élevé de Plauen a favorisé l'instabilité sociale et politique. Un centre stable semble faire défaut. Environ un tiers des jeunes Est-Allemands expriment leur soutien à divers groupes nationalistes et néo-nazis. Les extrémistes de droite ont déclaré zones « libres d'étrangers » de grandes parties de l'est de l'Allemagne ; les immigrants n'y sont pas les bienvenus. Les routes qui conduisent à Plauen sont décorées de panonceaux de la Deutschland Volksunion, un parti d'extrême droite. « L'Allemagne aux Allemands », martèlent les affiches. « Du travail pour les Allemands, pas pour les étrangers. » Les skinheads néo-nazis n'ont pas encore causé de troubles à Plauen, même s'il ne fait pas bon s'aventurer seul le soir dans les rues de la ville quand on est noir. Les groupes d'extrême droite ne semblent pas partager l'opposition au fast-food américain de nombreux écologistes et mouvements gauchistes. J'ai demandé à une employée du McDonald's de Plauen si le restaurant avait déjà été la cible des néo-nazis ; elle a ri en affirmant qu'il n'existait aucune menace de ce genre. Les habitants du coin ne considéraient pas McDonald's comme « étranger ».

En 1990, à l'époque où McDonald's s'installait à Plauen, une nouvelle boîte de nuit ouvrait dans un bâtiment de brique rouge, aux abords de la ville. Un drapeau américain et un drapeau confédéré flottent devant « Le Ranch ». À l'intérieur, un long bar et, accrochés aux murs, de vieux outils agricoles, selles, brides et roues de chariots en bois. Frieder Stephan, le propriétaire, s'est inspiré de photographies de l'ancien Ouest américain, mais il a déniché les éléments de son décor dans les fermes des alentours. L'endroit ressemble à un bar de Cripple Creek vers 1895. Avant la chute du Mur de Berlin, Frieder Stephan était disc-jockey sur un ferry pour touristes est-allemands. Il écoutait en cachette Creedance Clearwater, les Stones et les Lovin'Spoonful. Aujourd'hui âgé de quarante-neuf ans, il est l'imprésario le plus influent de la dynamique scène country-western de Plauen et programme les groupes locaux (comme les Midnight Ramblers et C. C. Raider) dans son club. Les amoureux de musique country-western de la ville se sont baptisés les « cow-boys du Vogtland ». Quand vient le soir, ils enfilent leurs bottes et coiffent leurs grands chapeaux pour aller boire au Ranch ou danser le quadrille au White Magpie. Le club de quadrille est parrainé par le magasin Thommy's Western Store, sur l'avenue Friedrich-Engels. Plauen compte désormais un certain nombre de petites boutiques de vêtements de style western qui vendent des bottes de cow-boy d'importation, des photos de cow-boys, des boucles de ceinturon fantaisie, des chemises à pressions et des jeans Wrangler. Alors que les adolescents de Colorado Springs se moquent pas mal de ces traditions, ceux de Plauen arborent cravates-lacets et chapeaux de cow-boy.

Tous les mercredis soir, on se rassemble au Ranch pour danser. Les membres du Club automobile américain de Plauen arrivent avec leurs grosses camionnettes Ford et Chevy. D'autres viennent de loin, tirés à quatre épingles, prêts pour la danse. La plupart sont d'origine ouvrière, et beaucoup sont au chômage. Ils ont de sept à soixante-dix-sept ans. Une jeune femme nommée Petra donne des leçons à ceux qui ne savent pas danser. Les gens portent des T-shirts – souvenirs de l'Utah. Ils fument des Marlboro et boivent de la bière. Ils écoutent Willie Nelson, Garth Brooks, Johnny Cash – et ils dansent, tapent des talons, font virevolter leurs partenaires, agitent en l'air leurs chapeaux de cow-boy. L'esprit de l'Ouest américain imprègne pour quelques heures ce bar étonnant, au cœur de la Saxe, dans une ville qui a vu trop d'histoire, et le vieux rêve continue, un rêve de liberté sans limites, d'autonomie et de frontière grande ouverte.

Aux antipodes du Ranch, debout au milieu de son corral, Dale Lasater distribue des friandises à de gigantesques taureaux. Les Rocheuses, que l'on aperçoit derrière lui, sont encore blanches de neige par cette chaude journée de printemps. Lasater est un homme d'une cinquantaine d'années, avec une moustache en guidon de vélo et de fines lunettes cerclées de fer. Avec ses jeans et ses bottes usées, sa chemise boutonnée et bien repassée, il a l'air mi-cowboy mi-fils de bonne famille. Les taureaux agglutinés près de lui, presque doux, se conduisent plus en paisibles bestiaux qu'en féroces symboles du machisme. Ils ont été élevés ainsi, jamais décornés ni attachés. Le ranch Lasater occupe environ 12 000 hectares de prairie rase près de la ville de Matheson, dans le Colorado. C'est un ranch rentable qui depuis un demi-siècle n'utilise ni pesticides, ni herbicides, ni poisons, ni engrais industriels, ne tue pas les prédateurs locaux tels que les coyotes, et n'administre pas d'hormones de croissance, de stéroïdes anabolisants et autres antibiotiques au bétail. Les Lasater ne représentent pas la majorité, mais ils ont travaillé dur pour changer le mode de production du bœuf américain. Leur philosophie de l'élevage se fonde sur une idée très simple : « La nature est vraiment maligne. »

L'iconoclasme de Dale Lasater est en quelque sorte héréditaire. Un de ses grands-pères dirigeait au début du XXᵉ siècle une association d'éleveurs qui s'opposa au trust du bœuf ; il témoigna devant le Congrès et appela à une stricte application des lois antitrusts. Par mesure de représailles, le trust du bœuf refusa pendant des années d'acheter le bétail des Lasater. Tom, le père de Dale, abandonna ses études à Princeton après le krach de Wall Street, en 1929, pour devenir éleveur. Comme les temps étaient durs, il lui fallut trouver le moyen d'élever du bétail à moindre prix. Il décida de laisser la nature faire le travail. Il produisait des animaux doux, fertiles et puissants sans se préoccuper le moins du monde de leur apparence extérieure. Il fit des croisements entre Hereford, Shorthorns et Brahman et créa une race nouvelle, la deuxième enregistrée aux États-Unis. Il lui donna un nom bien américain : Beefmaster. En 1948, Tom et sa famille arrivèrent du Texas dans l'est du Colorado. Malgré la fureur de ses voisins incrédules, Tom refusait de tuer les prédateurs et interdisait la chasse sur ses terres, laissant se multiplier les animaux que les autres éleveurs exterminaient – serpents à sonnettes, coyotes, blaireaux, marmottes, spermophiles et chiens de prairie. Il pensait que le bétail gagnait plus à affronter les défis posés par un écosystème naturel qu'à profiter des efforts de l'homme pour contrôler l'environnement.

Tom Lasater a quatre-vingt-dix ans et sa mémoire lui joue des tours, mais il a gardé son aura de patriarche indomptable. Dale conduit une vieille Suburban Custom Deluxe crème sur une des pistes cahoteuses du ranch pendant que son père, assis à l'arrière, portant chapeau de cow-boy, cravate-lacet et épaisses lunettes noires, observe en silence les Beefmaster éparpillés dans la prairie. Il les examine avec soin et pose parfois des questions sur un animal en particulier. Le bétail divague dans un cadre apparemment vaste et préservé. Le ranch Lasater est un refuge pour la vie sauvage. Les herbes locales verdoient, de hauts peupliers poussent sur les rives d'un ruisseau et des troupeaux d'antilopes paissent à côté des bovins. Dale arrête la camionnette et je marche jusqu'à un promontoire rocheux. La Suburban ressemble à un point minuscule dans ce paysage. Pikes Peak et le mont Cheyenne se dressent à l'ouest et la Prairie s'étend partout ailleurs jusqu'à l'horizon, les herbes rases ondulant en vagues sous le souffle du vent.

Au-delà des limites de la propriété des Lasater, les autres domaines ne vont pas aussi bien. Cela fait des années que fermes et élevages moins importants disparaissent l'un après l'autre. La baisse de population amorcée dans les années 1950 vient de se tasser, mais trop tard. Beaucoup de petites agglomérations ressemblent à des villes fantômes. Dans le petit quartier commerçant de Matheson, le long d'une route poussiéreuse appelée Broadway, le magasin d'alimentation pour le bétail, la quincaillerie et un atelier de réparation ont tous été abandonnés. De curieuses enseignes aux couleurs passées signalent les bâtiments vides, aux murs blanchis à la chaux. La grande école primaire en brique que Dale a fréquentée – construite au début du siècle dernier dans un style exprimant l'optimisme américain – sert d'entrepôt à un éleveur local.

Avant de reprendre le ranch familial, Dale Lasater a étudié un an en Argentine, dirigé une unité d'engraissement au Kansas et plusieurs ranches au Texas, en Floride et au Nouveau-Mexique. Il en est venu à penser que notre système de production bovine industrialisée n'est pas viable. L'augmentation du prix des céréales risque un jour de toucher durement éleveurs et engraisseurs. Par-dessus tout, comment justifier que l'on consacre des millions de tonnes de précieuses céréales au bétail américain tandis que des millions de gens meurent de faim de par le monde ? Dale Lasater comprend fort bien que l'on puisse devenir végétarien, même s'il tolère mal l'air de supériorité morale qui accompagne souvent ce genre de décision. En grandissant dans la Prairie, il a acquis une vision de Mère Nature très différente de la version Disney. Les bêtes qui ne sont pas mangées par l'homme vieillissent, s'affaiblissent et finissent par être mangées – par les coyotes et les vautours, et ce n'est pas beau à voir.

Dale Lasater a récemment fondé une société qui vend des bœufs « bio », élevés en liberté et nourris à l'herbe. Les animaux traités par Lasater Grasslands Beef ne connaissent pas les unités d'engraissement. Leur viande est moins grasse que celle des bœufs nourris aux céréales et son goût, plus fort, est bien distinctif. Lasater affirme que la plupart des Américains ont oublié le goût du vrai bœuf. Le bœuf argentin est un mets de choix que l'on sert dans les restaurants gastronomiques, et presque tout le bétail argentin est nourri à l'herbe. Des découvertes récentes montrant que le bétail nourri à l'herbe présente moins de risque de contamination par l'*E. coli 0157 :H7* ont renforcé Lasater dans sa détermination à suivre une voie différente. Il essaie, avec d'autres éleveurs du Colorado convertis à l'innovation, d'élever le bétail selon des méthodes qui ne nuisent ni au consommateur ni à la terre. Hank était un de ses bons amis, une sorte d'âme sœur. Lasater ne croit pas que sa petite société révolutionnera l'industrie du bœuf américaine ; mais c'est un début.

À une centaine de kilomètres de là, à Colorado Springs, Rich Conway travaille dans une entreprise familiale qui avance elle aussi à contre-courant. Le restaurant Conway's Red Top de South Nevada Avenue occupe un modeste bâtiment en brique situé dans une artère bordée de vieux motels style western, de ceux qu'éclaire le chef indien animé d'une enseigne au néon dont le U de 4-U-Motel est remplacé par un fer à cheval doré. Rich Conway en a vu de toutes les couleurs. Il a eu un accident de moto et un grave accident de voiture, avant de se fracturer la colonne vertébrale en glissant sur une plaque de verglas. La cinquantaine, il marche lentement, avec une canne, mais il a un beau visage hâlé, arbore le plus grand calme et son esprit indépendant le soutient envers et contre tout. C'est un survivant. Quand je lui ai demandé pourquoi la famille Conway finance l'assurance maladie de tous les employés à plein temps du restaurant, il m'a dit avec un sourire poli, comme si la réponse allait de soi : « Nous voulons des employés en bonne santé. »

Les parents de Rich Conway ont commencé à travailler au Red Top en 1944, peu après son ouverture, et l'ont acheté en 1961. Il y a grandi avec ses neuf frères et sœurs. Le Conway's Red Top – dont l'enseigne est surmontée d'un toit tournant – est devenu l'un des restaurants favoris du coin grâce à ses grands hamburgers ovales, ses frites maison et son atmosphère chaleureuse. Il a continué à prospérer dans les années 1970 malgré l'invasion des chaînes de fast-foods nationales qui s'implantaient dans tout le sud du Nevada. Mais il a failli fermer au début des années 1980, après la mort du père de Rich. Les fournisseurs locaux du restaurant l'ont tenu à flot en attendant que Rich trouve de nouveaux financements. Il y a aujourd'hui quatre Conway's Red Top à Colorado Springs. Rich Conway dirigeait l'affaire jusqu'en 1999 ; son jeune frère Jim a pris le relais. Leur frère Dan est directeur financier ; leur sœur Mary Kaye est directrice du marketing ; Mike, un autre frère, assure la direction des opérations ; Patty Jo, une autre sœur, est directrice adjointe – et la majorité des trente-sept Conway de la deuxième génération travaillent dans divers restaurants Red Top. La famille s'implique profondément et personnellement dans son travail, et cela se voit. Selon les critiques gastronomiques Jane et Michael Stern, les hamburgers de Conway's Red Top sont parmi les meilleurs des États-Unis.

Au Conway's de South Nevada Avenue, les steaks à hamburgers sont encore faits tous les jours à la main avec du bœuf haché frais, et non congelé. La viande vient de GNC Packing, un petit fabricant indépendant de Colorado Springs, et les petits pains d'une boulangerie de Pueblo. Cent kilos de pommes de terre sont épluchées quotidiennement dans la cuisine, puis découpées par un vieil appareil à manivelle. Hamburgers et frites sont préparés à la demande par des cuisiniers qui gagnent 10 dollars de l'heure. Ils portent des casquettes de base-ball où l'on peut lire « Conway's Red Top : c'est aussi un menu. » Les employés n'obéissent pas à des logiciels compliqués, le restaurant sert des plats à emporter mais il n'y a pas de drive-in, et les prix sont à peine plus chers que dans le Wendy's à moitié vide d'en face. J'ai même rencontré un client qui déjeune régulièrement chez Conway's depuis cinquante ans.

La famille Conway cherche aujourd'hui à développer l'entreprise sans compromettre les valeurs qui ont fait son succès. L'ouverture de nouveaux restaurants, si elle s'avère financièrement opportune pour les nombreux rejetons de la famille, peut également impliquer une bonne part de risque. Pourtant, c'est sans doute le moment idéal pour ouvrir quelques Red Top supplémentaires. Tandis que le reste du Colorado devient sans cesse plus neutre et homogène, Colorado Springs semble gagner en indépendance et en ouverture d'esprit. La singularité du centre-ville l'emportera peut-être sur l'uniformité des banlieues.

Les élections municipales de Colorado Springs ont eu lieu en 1999 ; Mary Lou Makepeace – une mère célibataire portant un nom voué au consensus – fut réélue à une écrasante majorité devant un candidat de droite soutenu par Famille d'abord. Mme le maire a réussi à convaincre les électeurs de Colorado Springs, la ville sans doute la plus républicaine du pays, d'accepter une augmentation des impôts locaux. Les revenus supplémentaires ont servi à protéger la Prairie de l'emprise du développement immobilier. Elle a également relancé les investissements dans les parcs publics. Enfin, elle a contribué à la réhabilitation d'une zone de 25 hectares autrefois florissante, mais laissée à l'abandon depuis des années, à proximité du quartier financier du centre-ville. Le projet se réclame du « nouvel urbanisme », un mouvement opposé au développement non contrôlé, qui associe bâtiments résidentiels, espaces commerciaux et bureaux de manière à encourager la marche à pied aux dépens de l'automobile. Le quartier Lowell ne veut pas se débarrasser des voitures, affirme l'architecte Morey Bean, mais les mettre à la place qui leur revient : de préférence hors de vue, dans des parkings souterrains.

On serait tenté de considérer Conway's Red Top comme un vestige d'une autre époque, une entreprise dont les méthodes rudimentaires sont aussi pittoresques que dépassées. Cependant, certaines des chaînes de fastfoods les plus rentables d'Amérique fonctionnent en partie comme Conway's. En 1948, l'année où les frères McDonald's lançaient leur système de service ultrarapide, Harry et Esther Snyder ouvraient leur premier restaurant In-N-Out Burger le long de la route qui relie Los Angeles et Palm Springs. C'était la première baraque à hamburgers dotée d'un drive-in. Il y a aujourd'hui environ 150 In-N-Out en Californie et au Nevada, qui génèrent des revenus annuels de plus de 150 millions de dollars. Harry Snyder est mort en 1976 mais Esther, à quatre-vingts ans, tient toujours les rênes de l'entreprise familiale. Les Snyder ont refusé d'innombrables offres d'achat, refusent de vendre des franchises et ont réussi en rejetant à peu près tout ce que l'industrie du fast-food a adopté.

In-N-Out a suivi son propre chemin : il y a des versets de la Bible imprimés sur le fond des gobelets de soda. En outre, la chaîne verse les salaires les plus élevés du secteur. Un employé à temps partiel débute à 8 dollars de l'heure. Les employés à temps plein sont couverts par une assurance maladie qui inclut soin médicaux, dentisterie, lunetterie et assurance-vie. Le salaire moyen d'un directeur de restaurant est supérieur à 80 000 dollars par an. Les directeurs travaillent en général depuis plus de treize ans pour la chaîne. Les salaires élevés n'ont entraîné ni augmentation des prix ni diminution de la qualité. Le plat le plus cher au menu coûte 2,45 dollars. Il n'y a pas de micro-ondes, pas de lampes chauffantes ni de congélateurs dans les cuisines des In-N-Out. Le bœuf haché est frais, les pommes de terre pelées sur place tous les jours, et les milk-shakes confectionnés à partir de crème glacée, et non de sirop.

En mars 2000, le sondage annuel « Choix des chaînes » de *Restaurants and Institutions* montrait que In-N-Out arrivait première de toutes les chaînes de fast-foods du pays en termes de qualité de la nourriture, de rapport qualité-prix, de service, d'atmosphère et de propreté. La chaîne In-N-Out se classe d'ailleurs première pour la qualité de sa nourriture depuis qu'elle figure dans le sondage. D'après les consommateurs interrogés par *Restaurants and Institutions* en 2000, c'est McDonald's, de toutes les grandes chaînes spécialisées dans les hamburgers, qui servait la nourriture de la pire qualité.

Des socialistes scientifiques

Rien n'est inévitable dans le pays du fast-food qui nous entoure – que ce soit dans ses stratégies commerciales, sa politique salariale, ses techniques agricoles, la pression continuelle pour plus de conformité et de prix bas. Le triomphe de McDonald's et de ses imitateurs n'était absolument pas assuré. Au cours des vingt dernières années, la rhétorique du « marché libre » a dissimulé des changements économiques sans aucun rapport avec la véritable concurrence ou la liberté de choix. Depuis l'industrie aéronautique jusqu'à celle du livre, des chemins de fer aux télécommunications, les entreprises américaines ont travaillé dur afin de s'épargner les rigueurs du marché et d'absorber leurs rivales. Les plus puissants moteurs de la croissance économique américaine durant les années 1990 – les industries de l'informatique, des logiciels, de l'aérospatiale et des satellites – sont lourdement subventionnés par le Pentagone depuis plusieurs décennies. De fait, la politique de défense américaine a longtemps servi de politique industrielle, selon un système quasiment socialiste de planification qui donne souvent des résultats inattendus. Internet, qui se trouve aujourd'hui au cœur de la « nouvelle économie », n'est-il pas né de l'ARPANET, ce réseau de télécommunications militaire créé à la fin des années 1970 ? Pour le meilleur ou pour le pire, les lois adoptées par le Congrès ont joué un rôle beaucoup plus important dans l'histoire économique de l'après-guerre que n'importe quelle force du marché libre.

Le marché est un outil, fort utile par ailleurs. Mais adorer cet outil est une foi vide de sens. Ce que l'on fait avec l'outil est beaucoup plus important que l'outil lui-même. Certaines des plus belles réussites américaines – l'interdiction du travail des enfants, l'établissement d'un salaire minimum, la création de parcs nationaux, la construction de barrages, de ponts, de routes, d'églises, d'écoles et d'universités – s'opposent radicalement aux lois du marché libre. Si le droit inaliénable d'acheter et de vendre était la seule chose qui compte, on ne pourrait éliminer les aliments avariés des rayons des supermarchés, les déchets toxiques seraient déversés aux portes des écoles primaires et chaque famille américaine pourrait importer un esclave domestique (ou deux) qu'elle nourrirait en guise de salaire.

À l'instar des mécanismes du marché, la technologie n'est qu'un moyen d'atteindre un but, et non une fin en soi. Les missiles Titan II construits à l'usine Lockheed Martin, au nord-ouest de Colorado Springs, étaient conçus pour transporter des têtes nucléaires. Aujourd'hui, ils mettent des satellites météo en orbite. Ils accomplissent ces deux tâches avec la même efficacité. Il n'y a rien d'inexorable dans l'utilisation de ce genre de technologie. On ne peut juger de sa valeur sans en considérer l'objectif et les effets probables. Le lancement d'un Titan II peut être magnifique ou horrible selon le but du missile et sa cargaison. Aucune société de l'histoire humaine n'a adoré la science avec plus de dévotion ou d'aveuglement que l'Union soviétique, où le « socialisme scientifique » faisait office de vérité absolue. Mais aucune société n'a autant détruit son environnement naturel, ni à aussi grande échelle.

L'histoire du XXᵉ siècle est faite de luttes contre les systèmes de pouvoir étatique totalitaires. Le XXIᵉ sera sans doute marqué par le combat pour diminuer le pouvoir excessif des entreprises. Le plus grand défi actuellement posé à tous les pays du monde consiste à trouver un équilibre entre efficacité et amoralité du marché. Voilà vingt ans que les États-Unis vont trop loin dans une direction en affaiblissant les lois qui protègent les travailleurs, les consommateurs et l'environnement. Un système économique qui promet la liberté devient trop souvent un moyen de la nier lorsque les diktats étroits du marché l'emportent sur des valeurs démocratiques autrement importantes.

L'industrie du fast-food représente aujourd'hui l'apogée de ces courants sociaux et économiques. Le prix très bas d'un hamburger de fast-food ne reflète pas son coût de revient véritable – mais il le devrait. Les bénéfices des chaînes de fast-foods ne sont possibles que grâce aux pertes imposées au reste de la société. Le coût annuel de l'obésité est à lui seul deux fois supérieur aux revenus totaux de l'industrie du fast-food. Les mouvements écologistes ont forcé les entreprises à réduire leurs émissions polluantes ; des campagnes similaires doivent inciter les chaînes de fast-foods à assumer la responsabilité de leurs pratiques commerciales et à en minimiser les effets nocifs.

Que faire ?

La Société des pédiatres américains a déclaré en 1995 que « la publicité dirigée vers les enfants est trompeuse en soi et exploite les enfants de moins de huit ans ». Elle ne recommandait pas une interdiction, difficile à mettre en pratique et contraire à la liberté d'expression des publicitaires. Mais les risques qui menacent aujourd'hui la santé des enfants de ce pays l'emportent de loin sur les besoins du marketing de masse. Le Congrès devrait interdire immédiatement toutes les publicités qui vantent des aliments riches en graisses et en sucres auprès des enfants. Il y a trente ans, le Congrès a interdit la publicité pour les cigarettes à la télévision et à la radio, par mesure de santé publique – publicités qui étaient destinées aux adultes. Le tabagisme n'a cessé de diminuer depuis. Interdire ce genre de publicité permettrait de décourager des habitudes alimentaires non seulement difficiles à modifier, mais potentiellement dangereuses. Ce genre d'interdiction inciterait les chaînes de fast-foods à changer la recette de leurs menus pour enfants. Une réduction de la quantité de graisse contenue dans un Happy Meal, par exemple, aurait un effet immédiat sur le régime des enfants du pays. Plus de 90 % des enfants américains mangent au moins une fois par mois dans un McDonald's.

Le Congrès ne peut obliger les chaînes de fast-foods à former leurs employés. Mais il peut supprimer les déductions fiscales récompensant les chaînes qui se séparent des employés à une cadence accélérée et maintiennent les compétences au niveau minimal. Les programmes de formation subventionnés par le gouvernement fédéral devraient obliger les entreprises qui en bénéficient à garder leurs employés au moins un an – et à les former réellement. L'application stricte des lois sur le salaire minimum, les heures supplémentaires et le travail des enfants améliorerait la vie des employés des fast-foods, de même que l'adoption de règles concernant la violence sur les lieux de travail. Si de nouvelles lois facilitaient l'organisation de mouvements syndicaux, des piquets de grève ne se formeraient sans doute pas devant chaque McDonald's, mais l'industrie du fast-food accorderait un traitement plus favorable à ses employés et écouterait leurs doléances. Les adolescents qui décident de travailler après leurs heures de cours devraient être récompensés, et non pénalisés. Un pays véritablement concerné par leur avenir devrait d'ailleurs financer leur éducation de manière correcte au lieu d'inviter la publicité à investir les écoles.

Quant à la nourriture actuellement servie dans les cantines scolaires, elle devrait être plus saine que celle des restaurants fast-foods, et non le contraire. Le ministère de l'Agriculture devrait exiger les meilleures normes de sécurité alimentaire de chaque fournisseur de bœuf haché – ou cesser ses achats. Les contribuables américains n'ont pas à payer de la nourriture qui pourrait mettre en danger la santé de leurs enfants. Le ministère a récemment pris la décision d'analyser le bœuf haché qu'il achète pour les écoles afin d'y détecter la présence éventuelle d'*E. coli 0157 :H7*, initiative méritoire, mais qui arrive plus de sept ans après l'épidémie causée par Jack in the Box. Il a attendu inutilement qu'un très grand nombre d'enfants tombent malades. Le fait que l'industrie du conditionnement ait pu, pendant des années, vendre de la viande douteuse à l'organisme fédéral responsable de la sécurité alimentaire n'est qu'un symptôme supplémentaire d'un problème beaucoup plus vaste – celui d'un système de sécurité alimentaire gouvernemental mal structuré, aux moyens insuffisants, incapable de détecter la plupart des épidémies d'intoxications alimentaires.

Autorités fédérales et dirigeants de l'industrie de la viande déclarent souvent que les États-Unis produisent les aliments les plus sûrs au monde. Rares sont les preuves permettant d'étayer cette affirmation. D'autres pays ont adopté des lois sur la sécurité alimentaire beaucoup plus strictes et possèdent des systèmes d'inspection rigoureux. Voilà quarante ans que la Suède a lancé un programme d'élimination de la *Salmonella* de son bétail. Aujourd'hui, 0,1 % du bétail suédois est contaminé par cette bactérie, une proportion nettement inférieure à celle qu'affichent les États-Unis. Les Pays-Bas ont commencé les tests de recherche d'*E. coli 0157 :H7* dans le bœuf haché en 1989. Le programme de sécurité alimentaire néerlandais ne dépend pas du ministère de l'Agriculture, mais de celui de la Santé. Des règles strictes couvrent tous les aspects de la production de viande, interdisent l'ajout de déchets animaux dans l'alimentation du bétail, l'utilisation d'hormones de croissance, limitent le stress enduré par le bétail pendant son transport (et donc la quantité de bactéries contenues dans ses déjections) et autorisent la confiscation de toute viande avariée. La vitesse des lignes de production des abattoirs néerlandais est déterminée par des considérations de sécurité alimentaire.

Une bonne dizaine d'organismes fédéraux supervisés par 28 commissions du Congrès sont actuellement chargés de la sécurité alimentaire aux États-Unis. L'enchevêtrement de bureaucraties concurrentes mène à la confusion, au manque d'application des lois et à de nombreuses absurdités. L'USDA – le ministère de l'Agriculture – peut procéder à des tests microbiens sur du bétail abattu, mais pas sur des animaux vivants qu'il pourrait ainsi tenir éloignés des abattoirs en cas d'infection. La fabrication des pizzas surgelées au fromage est contrôlée par la FDA, la Food and Drug Administration, mais celle des pizzas aux poivrons par l'USDA, le ministère de l'Agriculture. Les œufs dépendent de la FDA et les poulets de l'USDA ; en conséquence, les efforts pour réduire les niveaux de *Salmonella* dans les œufs américains pâtissent du manque de coopération entre les deux organismes. La *Salmonella* a été presque entièrement éliminée des œufs suédois et néerlandais. En revanche, elle contamine chaque année plus d'un demi-million d'Américains, dont plus de 300 décèdent.

Le Congrès devrait mettre en place un organisme de sécurité alimentaire unique doté de l'autorité suffisante pour protéger la santé publique. Les deux missions principales de l'USDA – promouvoir l'agriculture américaine et la contrôler – sont incompatibles. La FDA, autre organisme chargé de la sécurité alimentaire aux États-Unis, dépense la plus grande partie de son budget en contrôles pharmaceutiques. Un industriel américain de l'alimentation peut s'attendre à une inspection de la FDA tous les dix ans en moyenne. Le nouvel organisme chargé de la sécurité alimentaire devrait avoir tout pouvoir pour suivre les denrées d'un bout à l'autre du cycle de production, depuis leur origine dans les ranches et les fermes jusque dans les restaurants et les supermarchés. Les 400 000 établissements de fast-food du pays ne sont actuellement soumis à aucune forme de contrôle des autorités sanitaires fédérales. La guerre contre les germes pathogènes contenus dans l'alimentation devrait bénéficier de la même attention et des mêmes moyens que la guerre contre la drogue. Beaucoup plus d'Américains sont gravement atteints par des intoxications alimentaires que par l'usage illégal de stupéfiants. Les maladies causées par ces intoxications sont généralement sournoises et inattendues. Les fumeurs de crack connaissent les dangers auxquels ils s'exposent ; la plupart des gens qui consomment des hamburgers les ignorent. Manger aux États-Unis ne devrait plus être une forme de comportement à haut risque.

Les mesures qui amélioreraient les conditions sanitaires dans les abattoirs du pays feraient par la même occasion diminuer le nombre d'accidents du travail. La vitesse des lignes de production des abattoirs néerlandais est de moins de 100 bêtes à l'heure ; aux États-Unis, elle est 3 fois supérieure. Les ouvriers d'IBP que j'ai rencontrés à Lexington m'ont dit qu'ils préféraient les jours où leur usine traitait des bœufs destinés à l'Union européenne, qui impose des normes draconiennes sur la viande d'importation. Ces jours-là, IBP réduisait la vitesse des lignes pour que le travail soit accompli plus soigneusement. Les ouvriers d'IBP appréciaient les journées consacrées à l'UE parce que la cadence était moins précipitée et les accidents moins nombreux.

Les conditions de travail et les normes de sécurité alimentaire des usines de conditionnement de la viande du pays ne devraient pas être meilleures lorsque la viande de bœuf est transformée pour l'exportation. Ouvriers et consommateurs américains méritent au moins la même considération que les clients étrangers. Renforcer les lois sur la sécurité alimentaire permettrait également de diminuer le nombre d'accidents dans les abattoirs. La sécurité des travailleurs fera un bond en avant lorsque les autorités des États et du gouvernement fédéral changeront de perspective en analysant le taux d'accidents du travail dans cette industrie. Les blessures qui surviennent sur les lieux de travail peuvent presque toutes, considérées de manière isolée, être décrites comme des « accidents ». On rend les ouvriers, qui commettent certes des erreurs, responsables de leurs propres blessures. Mais quand au moins un tiers des ouvriers de l'industrie de la viande sont victimes d'accidents chaque année, quand les causes de ces accidents sont bien connues, que les moyens de les prévenir existent, mais ne sont pas mis en œuvre, alors les lacérations, amputations, accumulations de traumatismes et morts n'ont rien d'accidentel. Ces accidents ne découlent pas d'erreurs individuelles. Ils sont systématiques, et c'est la cupidité qui les provoque.

Les amendes imposées par l'Inspection du travail n'ont guère modifié les pratiques de l'industrie en matière de sécurité. L'amende maximale pour un décès dû à une négligence caractérisée de l'employeur se monte actuellement à 70 000 dollars. Ce montant n'est pas dissuasif pour les responsables de l'agrobusiness, dont les entreprises gagnent annuellement des dizaines de milliards de dollars. Des sanctions beaucoup plus sévères devraient être imposées au nom des milliers d'ouvriers absurdement blessés chaque année. Il est parfaitement possible de prévenir et d'empêcher ces accidents. De nouvelles sanctions devraient inclure des amendes bien supérieures, la fermeture d'usines et des poursuites criminelles pour négligence. Si quelques responsables étaient mis en examen après la mort d'un de leurs ouvriers ou un accident, l'industrie se réveillerait certainement. La plupart des Américains approuveraient instinctivement le message direct impliqué par de tels procédés : il est criminel de permettre que des innocents soient mutilés ou tués.

Les conditions de travail dans les abattoirs américains démontrent ce qui se passe lorsque les employeurs exercent un pouvoir virtuellement sans partage sur leurs ouvriers. Des syndicats trop influents peuvent devenir corrompus et encourager le manque d'efficacité. Mais l'absence de syndicats permet aux grandes entreprises de se comporter de manière criminelle et de violer impunément le droit du travail. Si on laisse l'industrie de la viande continuer à recruter des immigrants pauvres, illettrés et souvent clandestins, d'autres industries suivront bientôt. La croissance d'une main-d'œuvre industrielle de migrants représente une menace sérieuse pour la démocratie. Les ouvriers qui sont des immigrants clandestins ne peuvent ni voter ni défendre leurs droits. Les entreprises, libérées du contre-pouvoir des syndicats, chercheront et exploiteront les membres les plus vulnérables de la société. Comme dans l'industrie du conditionnement de la viande, les avancées accomplies en un siècle par les ouvriers disparaîtront du jour au lendemain. Les ghettos ruraux de Lexington et de Greeley ne devraient pas être l'avenir du cœur de l'Amérique.

Toute réforme du système actuel d'agriculture industrialisée devra prendre en compte les besoins des éleveurs et cultivateurs indépendants. Ils incarnent plus qu'un lien sentimental avec le passé rural de l'Amérique. Ils sont une source unique d'innovation et de conservation à long terme de la terre. Pendant toute la guerre froide, le système décentralisé de l'agriculture américaine, avec ses millions de producteurs indépendants, était décrit comme le système le plus productif au monde et la preuve de la supériorité inhérente du capitalisme. Les éternelles mauvaises récoltes de l'Union soviétique étaient attribuées à la centralisation extrême d'un système géré par des bureaucrates lointains. La poignée de firmes qui dominent aujourd'hui la production alimentaire américaine défendent un nouveau système centralisé, dans lequel bétail et terres agricoles ne sont que des marchandises, les fermiers sont réduits au rôle d'employés et les décisions sont prises par des dirigeants qui n'ont jamais mis les pieds dans un champ. Si la concurrence entre les grands transformateurs a effectivement fait diminuer les prix à la consommation, fixation de tarifs et collusion ont décimé les rangs des éleveurs et cultivateurs indépendants. Les lois antitrusts qui prohibent ce genre de conduite doivent être appliquées avec vigueur. Il y a plus d'un siècle, lorsque le Congrès discutait la loi antitrust Sherman, Henry M. Teller, un sénateur républicain du Colorado, réfutait ainsi l'argument selon lequel la diminution des prix à la consommation justifiait l'exercice implacable du monopole. « Je ne crois pas, déclarait Teller, que le but le plus important dans la vie consiste à tout rendre bon marché. »

Après avoir centralisé l'agriculture américaine, les grandes firmes de l'agrobusiness essaient, comme des commissaires soviétiques, d'étouffer les critiques. Treize États ont adopté des « lois antivégétariens » appuyées par l'agrobusiness au cours des dix dernières années. Ces lois interdisent de critiquer les produits agricoles de manière contraire à des critères scientifiques « raisonnables ». Le concept même de « lois antivégétariens » est sans doute anticonstitutionnel ; elles sont pourtant appliquées. Oprah Winfrey, parmi d'autres, a été poursuivie pour remarques diffamatoires sur l'alimentation. Au Texas, un homme a été poursuivi par une entreprise de gazon pour avoir critiqué la qualité de ses pelouses. En Georgie et en Alabama, les lois antivégétariens calquées sur les lois britanniques sur la diffamation obligent le défendeur à faire la charge de la preuve. Au Colorado, les infractions à ces lois constituent des délits criminels et non pénaux. Critiquer le bœuf haché produit par l'abattoir de Greeley pourrait vous mener tout droit derrière les barreaux.

Comment le faire ?

Le Congrès devrait interdire la publicité visant les enfants, cesser de subventionner les boulots sans avenir, adopter des lois plus strictes sur la sécurité alimentaire, protéger les ouvriers américains et s'opposer aux concentrations dangereuses du pouvoir économique. Voilà ce qu'il devrait faire, mais cela ne risque pas d'arriver de sitôt. L'influence politique de l'agro-industrie et de ses fournisseurs rend purement académique toute discussion des initiatives à prendre par le Congrès. L'industrie du fast-food dépense chaque année des millions de dollars en lobbies et des milliards en marketing. La richesse et la puissance des grandes chaînes paraissent invincibles. Pourtant, ces entreprises doivent répondre aux exigences d'un groupe – les consommateurs – qu'elles poursuivent de leurs assiduités. La saturation du marché américain du fast-food entraîne une concurrence féroce entre les différentes chaînes. Selon William P. Foley II, président de la compagnie propriétaire de Carl's Jr., l'impératif primordial de l'industrie du fast-food se résume aujourd'hui à « grandir ou mourir ». La plus infime diminution de part de marché peut provoquer une baisse importante de la valeur en Bourse d'une chaîne. Même McDonald's est devenu vulnérable aux caprices de ses clients. La société ouvre moins de restaurants aux États-Unis et se développe principalement par l'intermédiaire de chaînes de pizzerias, de restaurants mexicains ou spécialisés dans le poulet qui ne portent pas son nom.

Les bonnes pressions appliquées comme il faut pourraient amener des changements plus rapides que n'importe quelle loi votée par le Congrès. Des groupes militants comme The United Students Against Sweatshops ont attiré l'attention sur l'exploitation des enfants, les bas salaires et les conditions de travail dangereuses des usines asiatiques qui fabriquent les chaussures Nike. La compagnie a commencé par nier toute responsabilité, affirmant que ces usines appartenaient à des fournisseurs indépendants. Nike a ensuite fait marche arrière, obligeant ses fournisseurs à améliorer les conditions de travail et à augmenter les salaires. La tactique employée par ces groupes militants pourrait servir à aider des travailleurs bien plus proches de nous – les ouvriers des abattoirs et des usines de transformation des Grandes Plaines.

En tant que plus gros acheteur de bœuf du pays, McDonald's doit être tenu pour responsable de la conduite de ses fournisseurs. Lorsque McDonald's a exigé de la viande exempte de germes pathogènes mortels, les cinq sociétés qui fabriquent les steaks hachés de ses hamburgers ont investi dans du nouveau matériel et des tests microbiens. Si McDonald's demandait des augmentations de salaire et l'amélioration des conditions de travail pour les ouvriers des abattoirs, ses fournisseurs s'inclineraient. En tant que plus gros acheteur de pommes de terre du pays, McDonald's pourrait également utiliser son pouvoir en faveur des fermiers de l'Idaho. En tant que deuxième acheteur de poulet, McDonald's pourrait exiger des changements dans le mode d'indemnisation des éleveurs par les transformateurs. Une légère augmentation du prix du bœuf, du poulet et des pommes de terre ajouterait au maximum quelques centimes au prix des aliments vendus par les fast-foods. Les chaînes de fast-foods imposent des règles très strictes en ce qui concerne la teneur en sucre et en graisse, la taille, la forme, le goût et la texture de leurs produits. Elles pourraient tout aussi facilement faire appliquer un code de conduite qui réglementerait le traitement des ouvriers, des éleveurs et des cultivateurs.

McDonald's a déjà montré des dispositions à agir rapidement face aux protestations de consommateurs. À la fin des années 1960, des groupes afro-américains ont attaqué la société McDonald's parce qu'elle ouvrait des restaurants dans des quartiers habités par des minorités sans donner aux hommes d'affaires issus de ces minorités la possibilité de devenir franchisés. En réponse, McDonald's se mit à recruter des franchisés afro-américains à tour de bras, ce qui lui permit de désamorcer les tensions et de percer sur les marchés urbains. Il y a dix ans environ, les écologistes ont critiqué la chaîne pour la quantité de déchets de polystyrène qu'elle produisait. McDonald's servait alors les hamburgers dans de petites boîtes en plastique qui étaient jetées après une brève utilisation ; la chaîne était l'un des plus gros acheteurs de polystyrène du pays. Pour faire taire les critiques, McDonald's forma en août 1990 une alliance assez surprenante avec le Fonds pour la défense de l'environnement et annonça que ses hamburgers ne seraient plus vendus dans des boîtes en polystyrène. Les médias parlèrent de « conversion au vert » de McDonald's et de grande victoire pour le mouvement écologiste. Pourtant, le passage des boîtes en plastique aux boîtes en carton ne représentait pas un changement subit et profond de philosophie d'entreprise. C'était une réaction face à de la contre-publicité. McDonald's n'utilise plus de boîtes en polystyrène aux États-Unis – mais continue à les employer à l'étranger, où les dégâts causés à l'environnement ne sont guère différents.

McDonald's a déjà demandé des changements à ses fournisseurs sans même attendre la colère des consommateurs. Au printemps 2000, la chaîne a informé Lamb Weston et la compagnie J. R. Simplot qu'elle n'achèterait plus de frites surgelées faites à partir de pommes de terre génétiquement modifiées. Les deux industriels ont alors recommandé à leurs producteurs de ne plus utiliser de plants modifiés – et les ventes de la pomme de terre New Leaf de Monsanto, la seule pomme de terre génétiquement modifiée du pays, ont instantanément dégringolé. McDonald's avait cessé de servir des pommes de terre transgéniques un an plus tôt en Europe occidentale, où le problème des aliments « monstrueux » avait généré une publicité énorme. Les consommateurs américains ne s'étaient pas mobilisés outre mesure contre les manipulations génétiques. Cela n'empêcha pas McDonald's d'agir. La simple crainte d'une polémique a rapidement changé la politique d'achat de la chaîne, avec des conséquences importantes pour l'agriculture américaine.

Vaincre les géants du fast-food peut paraître un défi insurmontable. Mais ce n'est rien comparé à ce que les citoyens ordinaires, les ouvriers d'usine et les fans de hard rock de Plauen ont affronté dans le passé. Ils se sont dressés contre un système soutenu par des fusils, des chars, des fils de fer barbelés, les médias, la police secrète et des légions d'informateurs, un système qui contrôlait le moindre aspect du pouvoir de l'État – hormis le consentement populaire. Sans dirigeants ni manifeste, les habitants d'un trou perdu d'Allemagne de l'Est ont décidé de retrouver la liberté de leurs ancêtres. Un mur qui semblait infranchissable est alors tombé, en l'espace de quelques mois.

Personne aux États-Unis n'est obligé d'acheter dans les fast-foods. La première étape vers un changement significatif est aussi la plus simple : ne plus acheter. Les responsables qui dirigent l'industrie du fast-food ne sont pas des hommes mauvais. Ce sont des hommes d'affaires. Ils vendront des hamburgers issus d'animaux élevés en liberté et nourris à l'herbe si vous l'exigez. Ils vendront tout ce qui rapporte. L'utilité et l'efficacité du marché sont des outils à double tranchant. Le véritable pouvoir du consommateur américain ne s'est pas encore manifesté. Les dirigeants de Burger King, de McDonald's et de KFC devraient se tenir à carreau : ils sont en infériorité numérique. Ils ne sont que 3, et vous presque 300 millions. Un bon vieux boycott, un refus d'acheter, parlent mieux que des mots. La force la plus irrésistible est parfois la plus ordinaire.

Ouvrez la porte vitrée, aspirez une bonne bouffée d'air climatisé, entrez, prenez la file et regardez autour de vous, regardez les gosses qui travaillent en cuisine, les clients assis à leur table, les publicités pour les nouveaux jouets, examinez les photos en couleur suspendues au-dessus du comptoir, pensez à la provenance de ces aliments, aux méthodes de fabrication, au mécanisme que vous mettez en branle par un simple achat de fast-food, à l'effet de vague qui se répercute très loin, pensez-y bien. Ensuite, commandez. Ou bien faites demi-tour et sortez. Il n'est pas trop tard. Même au pays du fast-food, c'est toujours comme vous voulez.

Les Empereurs du fast-food a été publié le 17 janvier 2001, au moment même où les gouvernements européens s'apprêtaient à faire abattre plusieurs centaines de milliers de bovins potentiellement infectés par la maladie de la vache folle (ESB). Un mois plus tard, une épidémie de fièvre aphteuse se propageait en Grande-Bretagne, où la télévision diffusait l'épouvantable spectacle de moutons et de bovins immolés sur des bûchers funéraires. Ces deux catastrophes ont sans doute alimenté l'intérêt pour ce livre et sa critique de l'agriculture industrialisée. *Les Empereurs du fast-food* continue à attirer les lecteurs alors que vache folle et fièvre aphteuse ne font plus depuis longtemps la une des journaux. Son succès n'est dû ni à mon style littéraire, ni à mon talent pour raconter les histoires, ni à la nouveauté de mes arguments. Publié dix ans plus tôt, avec les mêmes mots disposés dans le même ordre, il n'aurait guère attiré les foules. Or le grand public commence à remettre à question, non seulement aux États-Unis mais dans toute l'Europe occidentale, l'homogénéisation des systèmes de masse qui produisent, distribuent et vendent les aliments qu'il consomme. Je crois que la popularité inattendue de mon livre relève d'un motif aussi simple que profond. Les temps changent.

Les Empereurs du fast-food ne fait que mentionner le problème de la maladie de la vache folle ou ses implications. Quand j'ai commencé à travailler sur ce livre, il y a quelques années, la menace d'une épidémie d'ESB aux États-Unis paraissait bien hypothétique. L'*E. coli 0157 :H7*, au contraire, touchait chaque année plusieurs dizaines de milliers d'Américains. Ces maladies étaient souvent liées à la consommation de bœuf haché infecté, et le refus de l'industrie du conditionnement de la viande de traiter efficacement le problème de la contamination fécale semblait illustrer à merveille les faiblesses du système de sécurité alimentaire américain. Les maux provoqués par l'*E. coli 0157 :H7* n'ont pas diminué depuis la parution de mon livre. Mais la maladie de la vache folle représente désormais une menace potentiellement encore plus grave pour les amateurs de hamburgers – et les entreprises qui en vendent. Ce développement se propose, entre autres, d'exposer brièvement les implications de l'ESB, les efforts entrepris au niveau fédéral pour en réduire les risques, et le pouvoir considérable des grandes chaînes de fast-foods sur l'industrie de la viande. La maladie de la vache folle est importante en tant que maladie mortelle transmise par les aliments, mais aussi parce qu'elle symbolise exactement tout ce qui ne va pas dans l'industrialisation de l'élevage.

Le 29 mars 1996, la Food and Drug Administration (FDA) annonçait l'adoption « expéditive » de nouvelles règles interdisant l'utilisation de certaines protéines animales dans les aliments destinés au bétail afin de prévenir une épidémie d'ESB aux États-Unis. Les mouvements de consommateurs américains qui demandaient ces restrictions depuis des années prévoyaient de poursuivre la FDA en justice si elle refusait d'intervenir. Stephen Dorrell, le ministre de la Santé britannique, avait surpris le Parlement neuf jours plus tôt en reconnaissant pour la première fois que la maladie de la vache folle pouvait passer d'une espèce à l'autre et contaminer les êtres humains – éventualité que son gouvernement niait farouchement depuis des années. Une vague de panique déferla sur la Grande Bretagne. Dix personnes, encore jeunes, avaient contracté une maladie jusqu'alors inconnue, appelée nouvelle variante de la maladie de Creutzfeldt-Jakob, qui détruisait littéralement leur cerveau. La maladie fut provisoirement associée à la consommation de bœuf infecté. Le bétail qui avait mangé des aliments contenant les restes d'animaux malades paraissait responsable de la transmission du virus pathogène aux êtres humains. Certains des malades, notait le magazine *Science*, avaient été « des consommateurs assidus de steaks hachés de bœuf ». La société McDonald's annonça promptement qu'elle suspendait ses achats de bœuf britannique.

La promesse d'une action expéditive de la FDA se heurta bientôt à la résistance des industries américaines de l'élevage bovin, du conditionnement et de la transformation de la viande, de la fabrication d'aliments pour le bétail et de l'équarrissage. Les protéines animales sont un additif alimentaire bon marché qui favorise la croissance et les abattoirs produisent d'énormes volumes de déchets dont il faut bien se débarrasser. Le bétail américain consommait à l'époque environ 1 million de tonnes de protéines animales par an – essentiellement les restes d'autres bovins. Les trois quarts du bétail américain étaient nourris aux protéines animales, les vaches laitières étant les plus susceptibles d'en consommer de grandes quantités. Or ce sont les mêmes vaches que l'on finit par retrouver dans les hamburgers des fast-foods.

L'Association nationale des équarrisseurs, l'Association américaine des industries de l'alimentation animale, la Fondation de recherche sur les graisses et les protéines et l'Industrie des producteurs de protéines animales se sont opposées à l'interdiction de la FDA. Des porte-parole de l'industrie de l'équarrissage ont affirmé que le lien entre la maladie de la vache folle et la forme humaine de la maladie n'était « fondé sur aucune preuve scientifique ». Interdire de nourrir le bétail avec du bétail mort était à la fois « irréalisable et difficilement applicable ». Les changements d'alimentation devaient rester volontaires ; de nouvelles règles plus strictes n'apporteraient guère de progrès et causeraient de grands dommages économiques. L'Association nationale des éleveurs de bovins s'opposa à l'interdiction totale des protéines animales et suggéra que les restrictions se limitent à certains organes connus pour transmettre la maladie de la vache folle : cervelle, moelle épinière, globes oculaires. L'Institut américain de la viande demanda que les muscles soit exemptés de l'interdiction de la FDA, de même que la graisse, le sang, les produits dérivés du sang et les boyaux. Le Comité national des producteurs de porc affirma que rien n'empêchait de continuer à nourrir le bétail avec des cadavres de porcs.

Mouvements de consommateurs et responsables de la santé publique demandaient des contrôles stricts sur l'alimentation destinée au bétail. L'Union des consommateurs exigea une interdiction totale de l'alimentation « des animaux de boucherie avec des restes de mammifères ». Ce genre d'interdiction était déjà appliqué en Grande-Bretagne ; des chercheurs y avaient démontré en 1990 que les porcs pouvaient contracter, par injection, une variante de la maladie de la vache folle. En outre, l'interdiction de l'alimentation des ruminants par d'autres ruminants (chèvres, moutons, bovins, élans, cervidés) n'avait pas entièrement réussi à empêcher la propagation de l'ESB. Des produits interdits destinés à la volaille et aux porcs finissaient, d'une manière ou d'une autre, dans les mangeoires du bétail. Le Centre pour le contrôle et la prévention des maladies conseilla de prohiber au maximum l'alimentation des ruminants par les restes d'autres ruminants afin d'éviter le déclenchement d'une épidémie d'ESB.

Le 4 août 1997, presque un an et demi après que la FDA eut promis de répondre avec diligence à la menace de la vache folle, de nouvelles restrictions sur l'alimentation du bétail entraient en vigueur. « Il n'y a pas d'ESB aux États-Unis, déclara l'organisme, et le nouveau règlement prévoit les contrôles nécessaires [...] au cas où l'ESB se déclencherait dans notre pays. » La FDA qualifia sa nouvelle interdiction de « mammifère à ruminant, à quelques exceptions près ». Moutons, chèvres, bovins, cervidés, visons, élans, chiens et chats morts ne pouvaient plus être donnés à manger au bétail. Les usines d'équarrissage devraient veiller à ne pas mélanger ces composants interdits aux aliments que le bétail pouvait encore consommer : chevaux, porcs et volailles morts ; sang de bovins, gélatine et suif ; restes récupérés dans les restaurants, sans tenir compte de la nature de la viande contenue dans ces déchets. La destination des diverses protéines animales devait être consignée de manière détaillée dans des registres et les aliments interdits au bétail clairement identifiés par une étiquette. Aucune restriction nouvelle ne concernait les aliments destinés à la volaille, aux porcs, aux pensionnaires des zoos ou aux animaux domestiques. De fait, les Fabricants de produits d'épicerie américains, l'Association nationale de la transformation alimentaire et l'Institut de l'alimentation des animaux domestiques réussirent à faire pression contre l'étiquetage obligatoire des aliments destinés aux animaux domestiques. Ces groupes d'industriels craignaient, à raison, que l'avertissement recommandé par la FDA – « Ne pas donner à manger aux ruminants... » – n'incite les consommateurs à s'interroger sur le véritable contenu des boîtes qu'ils donnaient à leurs animaux.

Les prédictions alarmistes des industriels de la viande, des aliments pour animaux et de l'équarrissage – lesquels prétendaient que les nouvelles règles de la FDA provoqueraient le chaos et leur coûteraient des centaines de millions de dollars – se révélèrent sans fondement. Les restes de bovins autrefois donnés au bétail nourriront désormais les animaux domestiques, les porcs et la volaille. Hormis une légère augmentation des frais de transport, les nouvelles restrictions eurent un effet négligeable sur l'économie. Un des industriels du secteur déclara au magazine *Meat Marketing & Technology* que le processus d'adoption de ces règles constituait un « exemple remarquable de coopération entre l'industrie et la FDA ». Cette coopération, surenchérit un de ses collègues, avait « protégé l'industrie du bœuf et celle de l'équarrissage » sans créer « dans le pays l'impression que les composés de protéines recyclées pouvaient être dangereux ». Le magazine notait que certaines des formules contenues dans les nouvelles règles de la FDA avaient été retranscrites « mot pour mot » d'après les recommandations de l'industrie de l'équarrissage.

Aux États-Unis, la vache folle disparut graduellement des gros titres – jusqu'en janvier 2001. Depuis plus de dix ans, les gouvernements européens assuraient aux citoyens qu'aucun cas d'ESB n'avait été signalé dans leur bétail. C'était d'ailleurs vrai, parce qu'un nombre relativement faible de bovins avaient été contrôlés. L'ampleur réelle de l'épidémie apparut lorsque les analyses systématiques furent introduites en Europe. La Suisse fut la première à pratiquer des tests de routine ; le nombre de cas d'ESB recensés doubla rapidement. Le Danemark suivit et découvrit bientôt son premier animal contaminé ; vint ensuite le tour de l'Espagne et de l'Allemagne. Après le début des contrôles en France, le nombre de cas d'ESB connus fut multiplié par cinq. Le 1er janvier 2001, l'Union européenne lança un programme de contrôle obligatoire pour tous les bovins âgés de plus de trente mois. Ce programme conçu pour apaiser les esprits eut l'effet inverse et l'inquiétude monta en même temps que le nombre de cas de vache folle. Le 15 janvier, on découvrit le premier cas d'ESB en Italie. L'animal atteint se trouvait dans un abattoir proche de Modène qui fournissait du bœuf haché aux restaurants McDonald's d'un certain nombre de pays européens.

La peur de la maladie de la vache folle fit chuter de moitié les ventes de bœuf dans l'Union européenne, tandis que les nouvelles des États-Unis n'étaient pas faites pour rassurer les consommateurs américains. Une enquête fédérale menée dans les usines d'équarrissage et d'aliments pour animaux montra que beaucoup d'entreprises n'avaient pas pris au sérieux la menace de la maladie – ou les nouvelles règles de la FDA. Plus d'un quart des usines qui traitaient des aliments interdits au bétail oubliaient d'y apposer l'étiquette d'avertissement. Un cinquième des usines qui traitaient des aliments autorisés en même temps que des aliments interdits ne possédaient aucun système pour empêcher les mélanges ou la contamination. Enfin, une entreprise sur dix ignorait totalement que la FDA avait adopté des restrictions sur l'alimentation animale afin d'empêcher la propagation de la vache folle. Dans le Colorado, plus d'un quart des producteurs d'aliments pour le bétail n'avaient apparemment jamais entendu parler des nouvelles règles.

L'inaptitude du gouvernement fédéral à protéger le bétail des aliments prohibés poussa McDonald's à prendre l'initiative. Les ventes de la société en Europe avaient déjà baissé de 10 % et la publicité américaine autour de la maladie de la vache folle incitait à se demander s'il était bien raisonnable de manger des hamburgers, à plus forte raison des Big Mac. Les représentants de la FDA et de l'USDA et ceux des grandes entreprises de conditionnement de la viande et d'équarrissage furent discrètement conviés à évoquer le problème de l'alimentation animale au siège de McDonald's à Oak Brook, dans l'Illinois. Le 13 mars, McDonald's annonça que ses fournisseurs de bœuf haché seraient désormais tenus de fournir une documentation montrant que les règles de la FDA étaient suivies à la lettre – dans le cas contraire, McDonald's n'achèterait plus leur bœuf.

IBP, Excel et ConAgra acceptèrent immédiatement de se soumettre à la directive de McDonald's, assurant qu'elles n'achèteraient plus aucune tête de bétail dépourvue des certificats nécessaires. Éleveurs et unités d'engraissement devaient garantir par écrit que leur bétail n'avait jamais consommé d'aliments interdits. L'Institut américain de la viande, qui se bat régulièrement contre toute mesure obligatoire de sécurité alimentaire proposée par le gouvernement fédéral, ne se plaignit pas de ces nouvelles règles. « Si McDonald's exige quelque chose de ses fournisseurs, l'impact est profond », déclara un porte-parole de l'Institut. McDonald's accomplit en quelques semaines ce que la FDA n'avait jamais réussi à imposer – malgré presque cinq années de consultation avec les industriels et de tiède réglementation. « Parce que nous avons le plus grand Caddie du monde, expliqua un représentant de McDonald's, nous pouvons utiliser notre position de prééminence pour recentrer tout le système du bœuf et y restaurer l'ordre. »

Faux, archifaux

HarperCollins a inclus dans l'édition de poche américaine de ce livre des extraits de critiques élogieuses. J'aimerais les contrebalancer par quelques opinions contraires. « McPoubelle », a écrit un correspondant de la *National Review Online*. « Schlosser porte quantité de chapeaux, dont un certain nombre de bonnets d'âne. » Il me qualifie de « fasciste de la santé », d'« ignare en économie », de « joueur de banjo dans un concert de Farm Aid », et de « défenseur autoritaire de l'État-providence ». Le *Wall Street Journal* a publié une critique signée non par un de ses excellents journalistes d'investigation, mais par un membre de son personnel éditorial aux opinions bien ancrées à droite. Celui-ci m'accuse notamment d'avoir produit un « fatras d'impressions, de statistiques, d'anecdotes et de préjugés ». Une porte-parole de l'Institut américain de la viande affirme que mes découvertes sur les problèmes de sécurité des ouvriers dans les usines de conditionnement de la viande sont « anecdotiques » et que j'ai « diffamé le secteur de manière particulièrement injuste ». L'industrie de la restauration n'a guère apprécié *Les*

Empereurs du fast-food. « Non seulement [Schlosser] se conduit comme une "police de l'alimentation" et essaie de forcer le consommateur américain à ne plus jamais toucher au fast-food, déclare l'Association nationale de la restauration, mais il dénigre avec désinvolture une industrie qui a apporté une contribution considérable à notre pays. »

La société McDonald's s'est également montrée défavorable. « En réalité, McDonald's n'a rien à voir avec ce que [Schlosser] décrit dans son livre, peut-on lire dans une déclaration officielle. Ce qu'il dit de notre personnel, de nos emplois et de notre nourriture est faux, archifaux. » Contrairement à ce que pensent les responsables de McDonald's, ma passion sincère pour l'exactitude m'a poussé à vérifier tout ce que j'affirme dans le livre. Si *Les Empereurs du fast-food* a essuyé des critiques véhémentes, aucun de ses détracteurs n'a encore réussi à citer une seule erreur dans le texte. Les porte-parole de l'industrie de la viande et du fast-food se sont bien gardés d'évoquer des points précis, se contentant de dénonciations d'ordre général. Je suis reconnaissant aux lecteurs qui ont pris la peine de me faire part de coquilles, fautes d'orthographe et autres petites erreurs. Mike Callicrate – propriétaire anticonformiste d'une unité d'engraissement au Kansas, qui ferait un excellent rédacteur – m'a fait remarquer que j'avais mal calculé certaines statistiques concernant le fumier des bovins. L'erreur a été corrigée.

Je me dois de répondre à une critique en particulier. Un certain nombre de personnes ont déclaré que j'étais trop dur envers le Parti républicain et que le livre exprimait un préjugé antirépublicains. *Les Empereurs du fast-food* n'est pas une entreprise partisane ; les problèmes qu'il évoque transcendent la politique des partis. Rétrospectivement, j'aurais pu critiquer davantage les liens de l'administration Clinton avec l'agro-industrie. Si j'avais consacré plus de pages à l'industrie de la volaille, par exemple, j'aurais étudié les relations étroites entre Bill Clinton et la famille Tyson. C'est également pendant la présidence de Clinton que la FDA s'est abstenue d'enquêter sur les risques sanitaires des aliments transgéniques tout en s'efforçant avec une certaine nonchalance d'interdire l'utilisation de restes de bovins dans l'alimentation destinée au bétail.

Cependant, il est malheureusement indéniable que l'aile droite du Parti républicain travaille depuis une vingtaine d'années en coopération étroite avec l'industrie du fast-food et l'industrie de la viande dans le but d'empêcher l'adoption de lois sur la sécurité alimentaire, la sécurité des travailleurs et l'augmentation du salaire minimum. Une fois en poste, le président George W. Bush n'a rien eu de plus pressé que d'abroger une nouvelle norme d'ergonomie élaborée par l'OSHA, qui aurait protégé plusieurs millions de travailleurs de l'accumulation de traumatismes. L'Association nationale de la restauration et l'Institut américain de la viande ont applaudi des deux mains. Le nouveau président du sous-comité parlementaire sur la protection de la main-d'œuvre, qui supervise toute législation se rapportant à l'OSHA, est le député républicain Charles Norwood, de Georgie. Au cours des années 1990, le même Norwood a défendu un texte de loi qui aurait empêché l'OSHA d'inspecter les lieux de travail dangereux et de condamner les employeurs négligents à des amendes. Il a publiquement insinué que certains travailleurs récoltent des blessures à répétition en faisant du ski ou en jouant trop au tennis, et non à cause de leur travail.

Une des premières décisions de l'administration Bush en matière de sécurité alimentaire a été d'interrompre les tests de dépistage de la *Salmonella* dans le bœuf haché du Programme national de repas scolaires. Les groupes de pression de l'industrie de la viande étaient ravis ; ils avaient travaillé dur pour mettre fin à ces tests, que l'industrie considère comme coûteux, peu pratiques et inutiles. En dix mois d'analyses du bœuf haché destiné aux enfants des écoles, l'USDA avait rejeté 2 500 tonnes de viande contaminée par la *Salmonella*. La décision d'arrêter les tests provoqua pas mal de contre-publicité. Trois jours après l'annonce officielle, la ministre de l'Agriculture Ann M. Veneman déclara qu'elle n'avait jamais autorisé la nouvelle politique, fit marche arrière et promit la poursuite des tests de dépistage de la *Salmonella* dans les menus des cantines scolaires.

Dans l'idéal, la sécurité alimentaire ne devrait pas être une question de politique. Que vous soyez démocrate ou républicain, il faut bien manger. Ces derniers temps, les démocrates se sont montrés beaucoup plus décidés que les républicains à appuyer une législation stricte en la matière. Mais il n'en a pas toujours été ainsi. C'est un président républicain, Theodore Roosevelt, qui eut le courage de condamner les concentrations dangereuses du pouvoir économique, de s'élever contre l'industrie de la viande et de faire passer de haute lutte la première loi sur la sécurité alimentaire du pays. Si le même esprit revenait guider le parti républicain, nous aurions moins de raisons de critiquer sa politique.

De toutes les réactions qui ont suivi la parution de mon livre, la plus inattendue concerne les événements internationaux partiellement mis en branle par le chapitre intitulé « Pourquoi les frites ont si bon goût ». Quelques mois après la publication des *Empereurs du fast-food*, un concepteur de logiciels de Los Angeles nommé Hitesh Shah contacta McDonald's pour savoir si leurs frites contenaient réellement des produits d'origine animale. C'était un client régulier de McDonald's, végétarien et jaïna très pieux. Le jaïnisme, sa religion, interdit non seulement de manger, mais également de porter, des produits d'origine animale. Les moines jaïna se couvrent le nez et la bouche d'une étoffe pour éviter d'inhaler des insectes. Hitesh Shah fut contrarié par le courrier électronique que lui envoya le département consommateurs de McDonald's le 28 mars. « Pour en rehausser la saveur, les fournisseurs des frites McDonald's utilisent une quantité infime d'arôme de bœuf comme ingrédient dans le produit brut, lut-il. [...] Nous sommes désolés qu'il y ait eu une quelconque confusion à ce sujet. » Les frites McDonald's contiennent en effet du bœuf ; voilà pourquoi elles ont si bon goût. Shah transmit le courrier à Viji Sundaram, journaliste à *India-West*, un hebdomadaire californien dont les lecteurs sont majoritairement hindous. Les hindous considèrent les vaches comme des animaux sacrés et il est interdit de les abattre en Inde. Sundaram mena rapidement sa propre enquête qui confirma les détails de mon chapitre sur les frites et le courrier reçu par Hitesh Shah, puis écrivit un article intitulé « Où est le bœuf ? Dans vos frites », qui scandalisa les hindous et les végétariens du monde entier.

Après avoir lu l'article d'*India-West*, Harish Bharti, un avocat de Seattle, engagea un recours en justice collectif contre la société McDonald's ; il accusa la chaîne d'avoir délibérément menti aux végétariens sur le contenu véritable de ses frites, ce qui avait profondément bouleversé et mis en danger l'âme des consommateurs hindous. « Pour un hindou, manger une vache, expliqua-t-il par la suite, c'est comme manger sa propre mère. » Lorsque la nouvelle de l'action en justice parvint en Inde, un groupe de 500 nationalistes hindous marcha sur un restaurant McDonald's des faubourgs de Bombay et le mit à sac. Dans un autre McDonald's de Bombay, une foule en colère macula de bouse de vache une statue de Ronald McDonald. À New Delhi, les militants du parti nationaliste Shiv Sena manifestèrent devant le siège de McDonald's en Inde. « Nous sommes venus les avertir de fermer leurs restaurants », déclara un chef du Shiv Sena, mettant McDonald's en demeure de quitter l'Inde sans délai. Le moment était mal choisi pour la société. McDonald's prévoyait de multiplier par trois le nombre de ses restaurants en Inde au cours des prochaines années et venait d'ouvrir le premier drive-in du pays près du Tadj Mahal.

« Quel que soit le McDonald's où vous vous rendez dans le monde, le goût incomparable de nos frites et de nos Big Mac est le même, affirme un site Web de la société. Chez McDonald's, nous avons une devise : "Le même goût partout dans le monde". » À la lecture de telles professions de foi, la colère des hindous semblait justifiée. La polémique sur le bœuf dans les frites révéla bientôt, cependant, que McDonald's utilisait en fait des ingrédients différents selon le pays. En Inde, McDonald's certifia à ses clients et aux manifestants que ses frites n'étaient jamais cuites dans de l'huile contenant des produits d'origine animale, fait confirmé par une analyse chimique mandatée par les autorités sanitaires de Bombay. C'était également le cas en Grande-Bretagne, pays qui compte une forte minorité hindoue. La société ajustait discrètement sa recette selon les préférences et les tabous culturels. Au Canada, au Japon, au Mexique et en Australie, McDonald's continuait à cuire les frites selon sa bonne vieille méthode, dans la graisse de bœuf.

Aux États-Unis, la société McDonald's prit l'initiative extrêmement rare de publier des excuses. « Nous regrettons que les informations [sur les frites] fournies à nos clients n'aient pas été suffisamment complètes pour les satisfaire [...]. S'il y a eu confusion, nous vous prions de nous en excuser. » La déclaration n'eut pas l'heur de satisfaire Harish Bharti ni les autres avocats qui avaient engagé une procédure au nom du million d'hindous et des 15 millions de végétariens d'Amérique. Pour Bharti, « confusion » n'était pas le mot approprié ; McDonald's avait menti aux hindous et aux végétariens pendant des années en prétendant utiliser de l'huile « 100 % végétale » alors que ce n'était pas vrai. Bharti refusa d'abandonner les poursuites, dans l'espoir de châtier McDonald's pour son insensibilité envers les minorités religieuses et de lui infliger une leçon que les autres sociétés américaines ne pourraient ignorer. « Nous présentons toutes nos excuses pour cette confusion, répondit un porte-parole de McDonald's, mais encore une fois, nous n'avons jamais prétendu que nos frites étaient végétariennes – jamais. »

Peu de temps après, Bharti reçut un courrier d'une femme qui habitait la Floride. Elle y joignait une lettre, écrite le 5 mai 1993, qui venait d'un responsable du département consommateurs de McDonald's. Celle-ci était une réponse à une question posée par cette dame. Elle disait : « Merci de nous avoir contactés à propos de la sélection de plats pour les végétariens de McDonald's. Nos apprécions vos suggestions et nous espérons que les informations suivantes vous intéresseront... McDonald's sert actuellement plusieurs plats qui conviennent aux végétariens – salades du jardin, frites et pommes de terre sautées (cuites dans de l'huile 100 % végétale)... »

Déclin et chute

On parlera peut-être un jour de l'année 2000 comme d'un tournant pour l'industrie du fast-food, comme de l'année où s'amorça le déclin des grandes chaînes. Selon NPDFoodworld, une société de recherche sur l'état du marché, le secteur du fast-food n'a gagné aucun nouveau client aux États-Unis en 2000. La stagnation des ventes a précédé les gros titres sur la maladie de la vache folle et s'est étendue à toute l'industrie. L'affluence a été moindre non seulement dans les restaurants spécialisés dans les hamburgers, mais également dans les chaînes qui servent pizzas et plats mexicains. Les affaires n'ont pas repris dans la première moitié de l'année 2001. Les bénéfices de McDonald's ont chuté en Europe, en Asie, en Amérique latine et aux États-Unis. Le nombre de clients a diminué dans les restaurants Burger King du monde entier. Les nouvelles frites Burger King, véritable désastre économique, ont disparu du menu, au prix de plus de 70 millions de dollars de pertes. La maison mère, Diaego PLC, a dû dépenser plusieurs millions pour sauver certaines grosses franchises Burger King tout en cherchant le moyen d'alléger les charges de la compagnie.

Taco Bell – une marque qui a, d'une certaine manière, perfectionné l'art de vendre des aliments bon marché, produits en masse et hautement industrialisés – rencontre aujourd'hui des difficultés financières. Taco Bell a introduit un « programme C moins » en 1989. Le C signifie cuisine, étape que la chaîne essayait d'éliminer de ses restaurants. Le bœuf et les haricots précuits dans des cuisines centrales permettaient à Taco Bell de proposer des prix bas ; la plupart des plats du menu coûtaient moins de 1 dollar. La stratégie fonctionna bien pendant les années 1990, avant de se retourner contre la chaîne. Taco Bell y gagna la réputation de servir une nourriture économique et insipide. Les ventes de ses restaurants chutèrent de 9 % au cours des quatre derniers mois de l'année 2000, entraînant des problèmes financiers chez plus d'un millier de franchisés. Tricon Global Restaurants, propriétaire de la chaîne, dut consacrer plusieurs millions de dollars à l'aide aux franchisés en difficulté, et PepsiCo accorda des rabais de plusieurs millions supplémentaires pour que la chaîne continue à vendre du Pepsi. Un rappel important de tacos – vendus en supermarché sous le nom de Taco Bell et contenant du maïs génétiquement modifié impropre à la consommation humaine – aggrava la mauvaise réputation de la marque.

Mais les problèmes de Taco Bell vont beaucoup plus loin que les craintes passagères causées par des tacos avariés. « Nous nous débrouillons mal en termes de qualité, de vitesse, de propreté des établissements », avoue Emil Brolick, le nouveau président de la chaîne. La rapide détérioration de la santé financière de Taco Bell, les pertes relativement mineures menaçant de fermeture un très grand nombre de restaurants, montrent à quel point les plus grandes chaînes de fast-foods du monde sont devenues vulnérables.

Une baisse des ventes de 2 % suffit à faire dégringoler le cours de leurs actions.

Les jours de gloire des grandes chaînes semblent révolus. Les sociétés de restauration régionales, plus petites, enregistrent actuellement une croissance rapide aux États-Unis pendant que les grandes chaînes perdent des clients. Si McDonald's continue à chercher de nouveaux emplacements prometteurs dans le pays (un McDonald's a récemment ouvert à l'église baptiste de Brentwood, à Houston), les problèmes de la chaîne ressemblent de plus en plus à ceux de l'empire britannique il y a un siècle. La rapide expansion outre-mer de la Grande-Bretagne impériale n'était pas un signe de puissance économique, mais de profondes faiblesses domestiques. L'empire impressionnant et invincible sur la carte s'avéra d'une fragilité remarquable et rétrécit beaucoup plus vite qu'il ne s'était développé. Au cours des années 1990, l'ouverture effrénée de restaurants McDonald's à l'étranger détourna l'attention du fait que la chaîne ne gagnait plus de nouveaux clients aux États-Unis. L'épidémie de vache folle en Europe associée aux crises économiques de l'Asie et de l'Amérique latine ont semé le doute à Wall Street quant à la stratégie impériale de McDonald's. Ouvrir de nouveaux restaurants dans des continents lointains coûte très cher. La société McDonald's reste rentable et entend désormais doubler ses ventes aux États-Unis dans les dix prochaines années. Cet objectif risque fort d'être irréaliste. Un sondage récent a révélé que les consommateurs américains sont extrêmement mécontents de McDonald's. Sur les 200 entités nationales étudiées, McDonald's se situait en bas de l'échelle de satisfaction. L'échelon le plus bas était attribué au Trésor public.

Depuis la débâcle du procès McDiffamation, McDonald's s'est efforcé d'améliorer son image de marque et de se comporter parfois de manière plus responsable d'un point de vue social. Au printemps 2001, McDonald's a commencé à offrir des assurances maladie et d'autres prestations à tarif réduit aux employés de ses propres restaurants des États-Unis, soit un septième environ des établissements de la chaîne. En été 2001, elle a révélé les ingrédients de base de ses arômes naturels (et, peut-être par respect pour les hindous, supprimé l'extrait de bœuf de ses McNuggets). Après avoir obligé ses fournisseurs à appliquer la réglementation de la FDA sur l'alimentation animale, McDonald's a exigé qu'ils traitent et abattent les animaux de manière plus humaine. Bovins et porcins sont depuis des années démembrés à vif à cause de la vitesse excessive des lignes de production et d'un manque de soin lors de leur étourdissement. La nouvelle politique de McDonald's sur l'abattage plus humain ne doit rien au hasard. Les mouvements de défense des animaux comme People for the Ethical Treatment of Animals manifestaient régulièrement devant les McDonald's pour que la chaîne exige des changements auprès de ses fournisseurs. Quel que soit son véritable motif, McDonald's a agi de manière décisive en engageant Temple Grandin – l'un des plus éminents experts du pays dans le traitement du bétail et le bien-être des animaux – pour élaborer un système de contrôle destiné aux abattoirs qui fournissent le bœuf et le porc de la chaîne. Si l'on en croit Grandin, la simple menace de ne plus acheter de la viande aux compagnies qui maltraitent les animaux a modifié un grand nombre de pratiques de l'industrie en moins d'un an. Bien qu'employés par les entreprises qui fabriquent les steaks hachés de McDonald's, les contrôleurs sont, d'après Grandin, sincèrement convertis à la nouvelle politique ; ils arrivent à l'improviste dans les abattoirs pour vérifier si les animaux sont convenablement traités et assommés. Tant qu'il était prôné par les mouvements de défense des animaux, ce programme d'inspection était resté dans l'impasse ; exigé par McDonald's, il a reçu le soutien enthousiaste de l'industrie du conditionnement et de l'Institut américain de la viande.

Après s'être fermement engagé en faveur du traitement éthique des animaux, McDonald's ferait bien de montrer le même niveau d'intérêt pour le traitement éthique des êtres humains qui travaillent dans les abattoirs du pays. Après la publication de mon livre, j'ai visité les communautés ouvrières des abattoirs du Texas en compagnie du photographe Eugene Richards, pour le magazine *Mother Jones*. Nous avons été horrifiés par nos découvertes : les conditions de travail, pires qu'au Nebraska ou dans le Colorado, rappelaient les pires abus de l'époque du trust du bœuf, au XIXe siècle.

Au Texas, les grandes entreprises de conditionnement de la viande n'ont pas besoin de manipuler le système d'indemnisation des ouvriers – elles n'ont même pas besoin d'y participer. Le Texas est le seul État de l'Union qui autorise une société à se retirer du système d'indemnisation et à instituer ses propres procédures en cas d'accident du travail. IBP a profité de cette occasion unique pour y établir un système en tous points remarquable. Lorsqu'un ouvrier est victime d'un accident du travail dans une usine IBP du Texas, on lui met aussitôt sous le nez un formulaire de décharge. En signant cette décharge, il renonce à jamais au droit de poursuivre IBP en justice, pour quelque raison que ce soit. Les ouvriers qui signent la décharge reçoivent éventuellement des soins médicaux dans le cadre du programme de règlement des accidents du travail d'IBP. Parfois, on ne les soigne pas. Après la signature, IBP et des médecins choisis contrôlent le traitement médical lié à l'accident du travail – à vie. Le programme prévoit qu'un employé ne peut s'adresser à un médecin indépendant sous peine de perdre toute prestation médicale. Ceux qui refusent de signer s'exposent d'une part à ne pas recevoir de soins médicaux de la compagnie, et d'autre part au licenciement immédiat. La Cour suprême du Texas a statué que les entreprises qui opèrent en dehors du système d'indemnisation peuvent licencier leurs employés pour cause de blessure.

Un ouvrier victime d'un accident du travail dans une usine IBP du Texas se voit confronté à un cruel dilemme : soit il signe la décharge, reçoit peut-être des soins médicaux et reste redevable à vie à IBP ; soit il refuse de signer, risque de perdre son travail, ne perçoit aucune aide pour payer ses frais médicaux, et engage des poursuites en justice dans l'espoir de gagner après des années de procédure. Les ouvriers blessés signent presque toujours. Ils subissent des pressions énormes. Un responsable des affaires médicales d'IBP apporte littéralement la décharge dans la salle des urgences de l'hôpital pour obtenir la signature du blessé. Quand la main droite de Lolita Leal a été mutilée par un hachoir dans l'usine IBP d'Amarillo, un responsable l'a convaincue de signer avec la main gauche pendant qu'elle attendait de passer en salle d'opération. Quand Duane Mullin a eu les deux mains écrasées par un marteau pneumatique dans la même usine, le représentant d'IBP l'a persuadé de signer la décharge en tenant le stylo dans la bouche.

Le récent rachat d'IBP par Tyson Foods a créé la plus grande et la plus puissante entreprise de conditionnement de la viande au monde, détentrice de la plus grosse part de marché dans le secteur du bœuf et de la volaille, et de la deuxième pour le porc. La fusion IBP-Tyson Foods représente le pire cauchemar de tout éleveur indépendant craignant de se voir réduit au statut des éleveurs de volaille – et annonce peut-être une accélération supplémentaire des lignes de production des usines de conditionnement.

Tyson a dû prendre à son compte un déficit de 1,7 milliard de dollars pour conclure la vente. Le nouveau géant du secteur sera peut-être tenté de faire sortir la plus grande quantité de viande possible de ses abattoirs.

McDonald's a démontré l'an dernier, sans que le doute soit permis, qu'il peut obliger ses fournisseurs à accomplir rapidement des changements fondamentaux. Si McDonald's demandait aux grandes entreprises de conditionnement d'améliorer les conditions de travail et de réduire le niveau d'accidents du travail, elles le feraient. Le coût d'un ralentissement des lignes de production serait insignifiant par rapport à ce que coûterait la perte de leur plus gros client. Si McDonald's peut envoyer dans les abattoirs des contrôleurs qui surveillent le traitement du bétail, il peut certainement faire de même pour les pauvres ouvriers immigrés. Quant à la capacité de la société à modifier ce genre de comportement, je suis entièrement d'accord avec l'Institut américain de la viande : « Si McDonald's exige quelque chose de ses fournisseurs, l'impact est profond. » Contrairement à l'application des règles de la FDA sur l'alimentation animale, avec leur lot de paperasserie et de certificats, il ne faudrait pas des semaines plus rendre moins dangereux les abattoirs d'Amérique. Si McDonald's exigeait que l'on ralentisse les lignes de production, empêchant ainsi d'innombrables blessures et traumatismes, un instant suffirait.

Quand les chiens se dévorent entre eux

Alors que j'écris ces lignes, une centaine de personnes ont succombé à la maladie de Creutzfeldt-Jakob, la variante humaine de la maladie de la vache folle. Bien que chacune de ces morts soit tragique et inutile, il faut les replacer dans une perspective plus large. Les accidents de voiture font chaque jour à peu près le même nombre de victimes aux États-Unis – et pourtant nous n'avons pas peur des voitures. Il n'existe encore aucun remède à la maladie de Creutzfeldt-Jakob, et il est impossible de prévoir combien de personnes la contracteront en mangeant de la viande contaminée. De nombreuses incertitudes scientifiques concernent les divers attributs de l'agent pathogène, comme le degré de contagion chez les humains et la quantité nécessaire à la contamination. Environ 800 000 bovins atteints de la maladie de la vache folle ont été consommés involontairement en Grande-Bretagne. Le facteur déterminant pour le nombre de décès est la période d'incubation de la maladie. Cette statistique est actuellement inconnue. S'il faut environ dix ans pour que les personnes contaminées développent la maladie, nous sommes en plein milieu de l'épidémie et le bilan atteindra un millier de victimes environ. Si la durée d'incubation est de vingt, trente ou même quarante ans – comme le suggèrent les récentes découvertes – l'épidémie ne fait que commencer et plusieurs centaines de milliers de personnes en mourront. Seul le temps nous le dira.

Indépendamment de l'ampleur du phénomène, petite épidémie ou fléau moderne, le spectre de la maladie de la vache folle hantera l'industrie du bœuf pendant des années, de la même manière que Three Mile Island et Tchernobyl ont modifié les comportements face au nucléaire. La propagation de l'ESB en Europe a révélé quel danger les alliances secrètes entre gouvernements et agro-industrie peuvent faire courir à la santé publique. Elle a démontré comment l'appât du gain peut prendre le pas sur toute autre considération. Les responsables agricoles britanniques savaient depuis 1987 que la consommation de viande bovine provenant d'animaux contaminés présentait un risque pour les êtres humains. Cette information a été étouffée pendant des années et l'éventualité d'un risque pour la santé farouchement niée afin de protéger les exportations de bœuf britannique. Les scientifiques qui désapprouvaient la ligne officielle étaient attaqués en public et écartés des commissions d'enquête gouvernementales. Cette dénégation de la vérité a retardé les mesures sanitaires essentielles qui devaient être prises et conduit à des absurdités. La décision britannique d'interdire certains des morceaux les plus infectieux (cervelles, rates, moelle, thymus et intestins) à la vente pour la consommation humaine n'a pas été suscitée par les autorités agricoles ou sanitaires, mais par un gros fabricant d'aliments pour animaux domestiques. Inquiet devant l'accumulation d'indices tendant à prouver que la maladie de la vache folle pouvait se transmettre d'une espèce à l'autre, Pedigree Master Foods décida d'écarter les abats de bovins de ses produits et informa le ministère de l'Agriculture qu'il serait peut-être avisé d'en faire autant avec les aliments destinés à la consommation humaine. Pendant ce temps, les enfants britanniques mangeaient la viande la moins chère du marché – hamburgers, saucisses et tourtes à la viande bourrés d'abats potentiellement contaminés – parce que la loi sur l'éducation de 1980 avait supprimé les subventions gouvernementales pour les cantines scolaires.

Beaucoup d'animaux domestiques britanniques mangeaient de la nourriture plus saine que la population du pays jusqu'en novembre 1989, date à laquelle le gouvernement interdit la vente des abats de bovins et leur utilisation dans la fabrication du bœuf haché. Sept mois plus tard, les pires craintes de Pedigree Master Foods se confirmaient ; un chat siamois nommé Max mourut à Bristol d'une variante féline de l'ESB après avoir mangé des aliments pour chats contaminés. La mort de celui que les tabloïdes baptisèrent « Mad Max » prouvait que la maladie de la vache folle était effectivement capable de passer d'une espèce à l'autre. Le gouvernement britannique n'en continua pas moins de nier pendant encore six ans que la maladie représentait un risque pour les êtres humains.

Les gouvernements européens ont négligé les intérêts des consommateurs afin de protéger ceux de l'agro-industrie. En France, un récent rapport du Sénat montre que le ministère de l'Agriculture de ce pays a minimisé le danger de la vache folle de 1988 à 2000 et « constamment cherché à empêcher ou à retarder l'introduction de mesures de précaution ». On ne tint pas compte de l'avis des autorités sanitaires, afin de bloquer les décisions qui « auraient pu avoir un effet néfaste sur la compétitivité des produits agricoles ». La Grande-Bretagne a interdit l'alimentation des ruminants par des ruminants en 1988 tout en continuant à exporter des aliments pour animaux potentiellement contaminés par l'ESB pendant huit ans – expédiant environ 75 000 tonnes de ces produits dans plusieurs dizaines de pays et transformant une épidémie localisée en maladie aux ramifications mondiales. D'autres pays de l'Union européenne ont importé les aliments britanniques bon marché avant de les exporter vers l'Afrique du Nord et le Proche-Orient. Aujourd'hui, l'Europe doit non seulement affronter la perspective d'abattre plusieurs millions de bovins potentiellement contaminés, mais également trouver un moyen de se débarrasser de leurs restes. En Grande-Bretagne, environ 500 000 tonnes de bétail réduit en farine s'accumulent dans les décharges en montagnes de fine poudre brune, attendant d'être incinérées. Au Danemark, une société construit le premier générateur d'électricité qui fonctionne en brûlant du bétail.

Grâce à McDonald's, les restrictions de la FDA sur l'alimentation du bétail sont sans doute respectées aux États-Unis. Mais elles ne suffisent peut-être pas à empêcher la propagation de l'ESB dans le pays. L'Union européenne a interdit les protéines animales dans l'alimentation de tous les animaux de ferme. Cette interdiction se justifie par la nécessité d'empêcher les aliments réservés à la volaille et aux porcs d'aboutir dans les mangeoires du bétail. Elle permettra d'interrompre la transmission de la maladie de la vache folle par des vecteurs nouveaux et inattendus. John Collinge, professeur à l'École impériale de médecine de Londres et membre éminent du Comité consultatif sur l'encéphalopathie spongiforme du gouvernement britannique, pense que l'ESB peut facilement traverser la barrière des espèces et subsister, inaperçue, dans des animaux qui ne présentent aucun symptôme extérieur de la maladie. Si l'on découvrait que les porcs ou la volaille étaient porteurs de la vache folle, les restrictions de la FDA s'avéreraient futiles. L'utilisation du sang de bovins dans l'alimentation des bovins est particulièrement imprudente. « Tout recyclage cannibale est potentiellement dangereux, avertit Collinge, et je l'ai dit à maintes reprises. »

L'USDA, la FDA et l'Institut américain de la viande s'opposent à toutes restrictions supplémentaires sur les aliments destinés au bétail. Ils pensent qu'elles ne sont pas nécessaires parce que la maladie de la vache folle n'a jamais été détectée aux États-Unis. C'est ce que j'appelle prendre ses désirs pour des réalités. Au moment où la Grande-Bretagne a découvert ses deux premiers cas d'ESB, 60 000 autres bovins au moins étaient déjà contaminés. Il est juste d'affirmer qu'aucun cas de vache folle n'a encore été détecté aux États-Unis. Cependant, l'USDA n'a pas fait beaucoup d'efforts pour s'assurer de l'inexistence de la maladie. « On ne trouve que ce que l'on cherche », déclare le docteur Perluigi Gambetti, un spécialiste de l'ESB qui dirige le Centre national de surveillance des maladies à prions à l'université Case Western Reserve. « Si nous ne faisons pas plus de tests de dépistage, nous ne saurons jamais si la maladie existe ici. » Sur les 375 millions de têtes de bétail abattues aux États-Unis depuis 1990, 15 000 environ avaient subi des tests. La Belgique, dont le cheptel est environ 30 fois moins nombreux que le nôtre, prévoit de contrôler 400 000 bêtes chaque année.

Le principal objectif des règles actuelles de la FDA n'est pas la santé publique, mais l'efficacité et la rentabilité. Elles permettent donc de nourrir les bovins avec des porcs, les porcs avec des bovins, les bovins avec de la volaille et la volaille avec des bovins. Elles permettent de nourrir les chiens et les chats avec des chiens et des chats. Même si les principaux fabricants américains assurent que leurs aliments pour animaux ne contiennent pas de farines animales, cette pratique reste légale. Sanimal SA, une compagnie canadienne, mélangeait chaque semaine 20 tonnes de chiens et de chats morts à ses aliments pour animaux domestiques, avant d'y renoncer en juin 2001. « Cette nourriture est saine et bonne, affirmait le vice-président chargé de l'approvisionnement en réponse aux critiques, mais certaines personnes n'aiment pas l'idée que ces repas contiennent des animaux domestiques. »

Il s'avère que la mesure la plus efficace prise par le gouvernement fédéral pour empêcher l'introduction de l'ESB aux États-Unis – l'interdiction, en 1989, des importations de bétail et d'aliments pour animaux en provenance de Grande-Bretagne – n'a fait peser aucune menace économique sur l'industrie de la viande américaine. L'interdiction des importations, comme toute mesure protectionniste, a favorisé les producteurs américains. Mais interdire de manière stricte l'ajout de protéines animales dans l'alimentation des animaux réduirait certains des bénéfices que l'agrobusiness américain tire de son intégration verticale. Porcs ou bovins ne sont pas actuellement la source la plus courante de protéines animales dans l'alimentation de la volaille. C'est la volaille elle-même. Tyson Foods débarrasse ses abattoirs des restes de chair, de peau et d'intestins des poulets, les envoie dans ses usines d'aliments pour animaux, les ajoute aux aliments destinés à la volaille et livre le tout à ses éleveurs afin que les poussins puissent manger leurs propres ancêtres. L'usine Tyson de Buzzard Bluff, dans l'Arkansas, transforme ainsi 5 000 tonnes de restes de volaille chaque semaine.

L'épidémie de vache folle a fait baisser de manière considérable la consommation de viande de bœuf en Europe et ruiné les éleveurs de bétail. Des pratiques qui semblaient rentables se sont révélées désastreuses. La colère et le sentiment de trahison des consommateurs ont provoqué un réajustement de la politique agricole de l'Union européenne. Sécurité alimentaire, bien-être des animaux et protection de l'environnement ont pour l'instant pris le pas sur l'importance traditionnellement accordée aux niveaux de production. Les pays scandinaves, l'Allemagne, l'Italie et l'Autriche demandent des changements fondamentaux de la production agricole européenne. Le gouvernement allemand appelle à la désindustrialisation de l'agriculture ; il prévoit de consacrer 20 % des terres agricoles du pays à l'exploitation biologique vers 2010. « Les choses ne seront plus jamais comme avant, a déclaré Renate Künast, la ministre de l'Agriculture – et de la Protection des consommateurs – allemande. D'après elle, les Allemands doivent apprendre à considérer leur nourriture avec le respect qu'ils ont toujours montré pour la bière. Une loi allemande datant du début du XVIᵉ siècle interdit l'ajout d'additifs dans la bière, qui doit être fabriquée uniquement à base d'eau, de houblon et d'orge. Mᵐᵉ Künast, qui s'est engagée à interdire l'usage des antibiotiques et autres additifs dans les aliments pour animaux, propose une alternative révolutionnaire : « Nos vaches ne devraient consommer que de l'eau, des céréales et de l'herbe. »

J'espère que les historiens du futur parleront de l'industrie américaine du fast-food comme d'une relique du XXᵉ siècle – un ensemble d'attitudes, de systèmes et de croyances né après-guerre dans le sud de la Californie, incarnation d'une foi illimitée dans la technologie, qui se propagea rapidement à toute la planète et s'épanouit brièvement avant de s'estomper lorsque son prix véritable apparut clairement et que son mode de pensée devint obsolète. Nous ne pouvons ignorer le sens de la vache folle. C'est un avertissement de plus sur les conséquences inattendues, l'arrogance de l'homme et l'adoration aveugle de la science. C'est en vertu du même raisonnement que l'on ajoute du bœuf dans vos nuggets de poulet et que l'on fait manger des porcs à d'autres porcs. Quel que soit le système qui remplacera l'industrie du fast-food, il devrait être régional, divers, authentique, imprévisible, viable, rentable – et humble. Il devrait connaître ses propres limites. On peut nourrir les gens sans les engraisser ni les tromper. Le siècle nouveau apportera peut-être un certain refus de la conformité et de l'ignorance, moins de cupidité, plus de compassion, moins de précipitation, plus de bon sens, une façon plus humoristique de considérer les marques et la loyauté qu'on leur doit, l'idée que la nourriture est plus qu'un simple carburant. Les choses ne doivent pas obligatoirement être telles qu'elles sont. Voilà pourquoi je reste optimiste, malgré tout.

Par Martin Hirsch, directeur général de l'Agence française de sécurité sanitaire des aliments (AFSSA)

Les modes qui se répandent aux États-Unis finissent souvent par traverser l'Atlantique. Il faut, en général, entre cinq et quinze ans. C'est ainsi que l'on voyait, dix ans avant la France, l'Amérique parcourue par les rollers blade, les Américains collectionner compulsivement les *miles* des compagnies aériennes, les 4 × 4 devenir des voitures de ville branchées, les avocats devenir des acteurs de la santé publique, menant des procès retentissants. Si l'on postule que tout ce qui se développe aux États-Unis atteint tôt ou tard la France, on comprend l'inquiétude des nutritionnistes. Leur hantise, c'est en effet de voir, décalé, se reproduire dans notre pays le phénomène qui a atteint les États-Unis : l'obésité. Un triste phénomène qui se constate dans les rues lorsqu'on est visiteur et se confirme par les chiffres quand on est épidémiologiste. Avec plus d'un quart des Américains atteints par cette maladie, il s'agit d'une véritable épidémie. Une évolution implacable. Un caractère invalidant indéniable. Des effets inéluctables sur la santé publique, sur l'espérance de vie, comme sur l'agrément de la vie. Une impuissance médicale pour l'instant établie.

Et en France ? Il est évident que ne rien faire condamne à glisser sur la même pente. Les premiers signes ne sont-ils pas présents ? Déjà, dans notre pays, 10 % des enfants ont un poids qui les classe parmi les obèses, et 25 % – un enfant sur quatre ! – souffrent de surpoids. Les chiffres sont là, pour les différents pays européens. Ils confirment que sur le plan des mauvaises habitudes nutritionnelles, les Britanniques ont, comme en politique étrangère, la même tendance à l'alignement. Ce sont eux dont la courbe est la plus proche, pour sa pente comme pour sa chronologie, de celle des Américains. Pour la France, c'est une mauvaise pente que seule une mobilisation exceptionnelle peut permettre de redresser. Les chiffres français sont ceux des États-Unis il y a vingt ans. Si l'on ne fait rien, on peut s'attendre à atteindre les chiffres américains actuels avant 2020 ! La lutte contre l'obésité, la remise en place d'habitudes nutritionnelles adaptées est un enjeu majeur de santé publique. Au même titre que la lutte contre le tabac et l'alcool. Tabac, alcool, mauvaises habitudes alimentaires, on a là, effectivement, les trois principaux déterminants d'une mauvaise santé publique. Ce sont les causes de la plus grande part des morts prématurées, qu'elles soient dues à des cancers, à des maladies cardiovasculaires, ou à des accidents de la circulation. Dans les trois cas, le combat est difficile. La prise de conscience est récente. Si l'obésité et sa progression sont spectaculaires, les moyens de les combattre le sont moins.

Ce que l'on sait, au dire des nutritionnistes, c'est que la meilleure façon de lutter contre l'obésité, c'est la prévention. Il faut la terrasser avant qu'elle ne s'installe. Après, il est plus difficile d'y parvenir. Au plan d'un individu, comme au plan d'une nation. Ce n'est pas la gastroplastie ou les médicaments qui permettent de gommer l'obésité. C'est un bon équilibre nutritionnel, adapté à la dépense énergétique, qui permet d'éviter qu'elle ne s'installe. Et l'on ne sait pas mettre à la diète une nation entière pour inverser une tendance, que l'on hésite à qualifier de lourde. Aux État-Unis, l'obésité infantile a doublé au cours des dix dernières années pour atteindre 17 %, dont un tiers que l'on qualifie de « super-obèses ».

Il faut donc combattre. Mais qui, quoi, comment ? L'auteur a trouvé une cible et a fourbi ses armes. Avec les fast-foods, il tient un coupable, et avec son talent, il construit un réquisitoire.

Les Empereurs du fast-food est paru aux États-Unis avant que ne commencent à poindre les premiers procès, intentés pour des motifs de santé publique, contre les chaînes de restauration rapide. En France, nous connaissons les procès du sang contaminé et de l'amiante. Les Américains ont eu le procès du tabac et maintenant celui des fast-foods. Les contextes sont différents. Dans le cas de « nos » procès, les victimes ne pouvaient pas grand-chose, leur comportement n'était pas en cause : elles n'avaient pas choisi d'être transfusées ou d'inhaler des poussières d'amiante. Les Américains se placent sur un autre registre. Les victimes sont les fumeurs, comme les consommateurs, ou les gros consommateurs des fast-foods. Avec toujours les trois mêmes arguments. En premier lieu, les victimes n'étaient pas informées de risques parfaitement connus, en revanche, de ceux qui commercialisaient les substances dangereuses. Deuxième argument, ceux-ci ont continué, en toute connaissance de cause, une activité économique qu'ils savaient mortifère et se sont enrichis au détriment de la santé de leurs clients. Troisième argument, la victime n'était pas réellement libre, car son comportement était influencé par l'addiction.

Que donneront ces procès ? Aboutiront-ils à des condamnations lourdes aux États-Unis ? Connaîtra-t-on un phénomène analogue en France ? Difficile à imaginer, impossible à exclure. Les procès ont ceci d'intéressant qu'ils forcent effectivement à réfléchir sur ce qui fait qu'un phénomène non souhaité persiste malgré tout. Leur procédure contradictoire pousse chacun des protagonistes hors de ses retranchements et interdit l'esquive. Toute action judiciaire aboutit à une réponse, quelle que soit la complexité de la question : oui ou non, la responsabilité d'un tel ou d'une telle est-elle en cause ?

En France, la mise en cause des fast-foods n'a pas commencé par des procès mais par une destruction. C'est ainsi que le McDonald's le plus célèbre de France est celui de Millau, car José Bové s'y est attaqué. Non pas au nom de la lutte contre l'obésité, mais au nom de la lutte pour le roquefort. Il faut rappeler que cette destruction est effectivement un « effet collatéral » de l'Organisation mondiale du commerce (OMC) et du principe de précaution. Si cet établissement a été visé, c'est parce qu'il y avait un contentieux entre l'Europe et les États-Unis sur le bœuf aux hormones, l'Europe refusant d'importer ce bœuf, sans pouvoir cependant établir qu'il pouvait présenter des risques pour la santé. Les États-Unis, en guise de représailles, ont surtaxé un certain nombre de produits, parmi lesquels le roquefort, produit par le leader de la Confédération paysanne. Il s'est donc attaqué au magasin jaune et rouge, érigé en symbole de la « malbouffe » et en bouc émissaire des surtaxes sur certains produits, imposées par le pays qui avait inventé le hamburger-frites.

Cela a donné lieu à de nombreux débats. L'un d'entre eux étant de savoir si l'on pouvait toujours considérer McDonald's comme le symbole d'une entreprise américaine quand, comme le faisaient valoir ses dirigeants en France, la grande majorité de ses ingrédients provenait des agriculteurs français ; les pommes de terre dont on fait les frites sont françaises, les animaux dont on fait les hamburgers sont élevés et abattus en France et sans doute les petits pains sont-ils français eux aussi.

Signalons à cet égard que l'un des intérêts du livre réside dans cette analyse très fouillée des rapports entre les fast-foods et leurs fournisseurs, et de la manière dont le donneur d'ordre a bouleversé l'agriculture pour que celle-ci s'adapte à ses besoins. La description de l'influence de l'invention du Chicken McNugget sur la filière avicole est saisissante, de même que la manière dont l'Idaho – État qui fait figurer une pomme de terre sur la plaque d'immatriculation des véhicules de ses résidants – a dû s'adapter aux standards des frites, permettant de répondre aux attentes des consommateurs. Sans oublier qu'on lira que pour pouvoir satisfaire aux quantités de hamburgers nécessaires, ont été constitués des élevages de 100 000 têtes de bétail ! Savoir ce qu'il en est en France serait intéressant.

Mais revenons-en à la thèse du livre. Les fast-foods sont-ils à l'origine de l'obésité ? Même aux États-Unis, il n'est pas facile de le prouver. Bien entendu, il est évident que la grande majorité des repas servis dans les fast-foods est bien éloignée des modèles des nutritionnistes : excès de graisse, excès de sucre, manque de vitamines et de fibres. Ces repas-là sont peu équilibrés. Mais quel est l'effet pour le consommateur ? Cela dépend de la fréquence, répondent les nutritionnistes. Et aux États-Unis, les mauvaises habitudes nutritionnelles, les raisons de s'écarter de la ligne de raison sont si nombreuses qu'il est difficile, malgré les quelques études qui ont été réalisées, d'isoler le facteur « mange souvent dans un fast-food », comme un facteur de risque supplémentaire par rapport à d'autres, tels que « ne pratique pas de sport », « passe du temps devant la télévision », « mange entre les repas », « remplace l'eau par les sodas ». Il n'en reste pas moins que les intérêts commerciaux des chaînes de restauration rapide ne coïncident pas, c'est sans doute une litote, avec les préceptes des nutritionnistes : déstructuration des repas, tentation de prises alimentaires presque permanentes avec la multiplication des points de vente, nourriture particulièrement riche en calories, boissons sucrées présentes presque systématiquement dans les formules proposées au consommateur.

Tabac, alcool, nutrition. Les trois déterminants principaux de toute politique de santé publique. En ce qui concerne les deux premiers, on connaissait la puissance des lobbies. Elle est établie des deux côtés de l'Atlantique. Le monde agroalimentaire a aussi ses moyens de pression et d'influence. Probablement plus complexes, car la chaîne alimentaire fait intervenir différents acteurs dont les intérêts peuvent être parfois contradictoires. Mais bien réels. L'auteur décrypte les pratiques des fast-foods et des industries qui les approvisionnent pour défendre leurs intérêts : une enquête de trois ans lui a permis de savoir de quoi il parlait !

En France, nous avons souvent à faire face à ces groupes d'intérêts. La confrontation est parfois feutrée, parfois plus vive. On peut penser à la vivacité des réactions lorsque a été lancé un travail visant à faire diminuer la consommation de sel. En réponse à un colloque organisé par des institutions publiques, l'industrie saline lançait sa propre manifestation, mobilisant certains scientifiques acquis à sa cause, multipliant les initiatives vis-à-vis des médias.

L'un des chapitres les plus instructifs du livre est celui qui décrit la manière dont, aux États-Unis, les grands opérateurs fournissent du matériel pédagogique aux écoles. L'auteur décrit ainsi les « Mcprofs » et autres « gentilshommes du Coca ». Ils profitent de la faiblesse de moyens de l'enseignement public ou de la pauvreté des outils pédagogiques pour rendre un service qui n'est certainement pas désintéressé. La situation n'est pas fondamentalement différente en France. Beaucoup des manifestations organisées dans les écoles à l'occasion de la semaine du goût sont financées par telle ou telle industrie, qui en fournissent les documents. C'est le cas de celle du sucre par exemple, toujours très présente et très active, notamment auprès des publics jeunes. Ce livre est l'occasion de rappeler la nécessité impérative d'une reconquête de la pédagogie et de l'information par des acteurs qui ne dépendent pas de l'industrie.

Le programme national nutrition santé (PNNS), lancé par le ministère de la Santé, et auquel contribuent les différents organismes de santé publique, a cette ambition. Le guide *La santé vient en mangeant* a été élaboré par des experts indépendants et a fait l'objet d'un tirage et d'une diffusion à plus d'un million d'exemplaires sur un financement public. Les nutritionnistes ont d'ailleurs pris le parti, non pas « d'interdire » aux lecteurs les fast-foods, mais d'en proposer un usage raisonnable, c'est-à-dire pas trop fréquent et privilégiant la recherche des mets qui ne sont pas toujours ceux que l'on associe à ces lieux : salade, eau minérale à la place d'un soda. Signalons d'ailleurs au passage que la disparition des distributeurs de boissons sucrées dans les écoles, une fois effective, sera enfin le signe d'une évolution positive. Aux États-Unis, la consommation de boissons gazeuses sucrées a triplé en vingt ans chez les adolescents. Et cela commence au biberon ! Et, en France, si les repas pris dans les fast-foods ne représentent qu'un repas sur cent pour l'ensemble de la population, cette proportion est très inégalement répartie et ces habitudes se concentrent surtout dans les groupes à risque qui font l'objet d'inquiétude vis-à-vis du développement de l'obésité, à savoir les enfants. Notons d'ailleurs que si les Français suivaient au pied de la lettre la publicité de l'une des chaînes de restauration rapide (« N'y allez pas plus d'une fois par semaine »), ils augmenteraient considérablement leur fréquentation de ces lieux, et mettraient l'ensemble des chaînes à l'abri des difficultés économiques.

Le livre consacre également, bien entendu, de longs développements à la sécurité alimentaire, au sens classique du terme, c'est-à-dire non plus les déséquilibres nutritionnels, mais les différentes sources de contamination qui peuvent être présentes dans les aliments. La réalité, dite scientifique, est certainement moins simple que la thèse de l'ouvrage.

Pour l'auteur, il y a peu de place au doute : les aliments industriels des fast-foods sont plus dangereux que les aliments classiques. Il cite des exemples, comme la bactérie *Escherichia Coli 0157 :H7*, bien connue et tant redoutée des responsables de l'hygiène alimentaire. Il s'agit d'une bactérie qui peut secréter une toxine au pouvoir pathogène, souvent mortel. Elle a été à l'origine d'épidémies spectaculaires, qui ont pu faire plusieurs centaines ou milliers de victimes, avec une proportion non négligeable de décès. Plusieurs d'entre elles ont eu pour origine de la viande hachée, consommée dans des chaînes de restauration rapide. Pour l'auteur, le mode de préparation de la nourriture des fast-foods rendrait celle-ci particulièrement vulnérable. C'est probable. Mais cette vulnérabilité peut être compensée par des exigences particulières, que celles-ci soient imposées par les opérateurs ou par les pouvoirs publics. Justement, selon l'auteur, ces derniers auraient tendance à ne pas être suffisamment sévères, notamment en matière d'inspection, car soumis à une trop forte contrainte économique. On entend souvent de tels reproches et il est probable qu'il y ait une part de vérité dans ce soupçon qui pèse sur l'intransigeance variable des services d'inspection aux États-Unis. On sait qu'ils n'ont jamais été très structurés, alors que leur tâche est rendue particulièrement difficile dans une organisation fédérale. L'auteur étend d'ailleurs ses griefs à la puissante Food and Drug Administration, cet organisme qui depuis près d'un siècle a été chargé par la loi américaine d'incarner l'autorité sanitaire dans le domaine de l'alimentation comme dans celui du médicament. « Le gouvernement américain peut exiger le rappel de battes de base-ball, de chaussures de sport, d'animaux en peluche et de jouets en mousse défectueux, mais ne peut ordonner à un industriel de la viande d'ôter des cuisines des restaurants fast-foods et des rayons des supermarchés du bœuf haché contaminé et potentiellement mortel », souligne-t-il à juste titre. J'ai pu moi-même constater, en visite à la FDA, les reproches qui étaient faits à cet organisme et ses difficultés pour faire ce qu'on appelle la « police sanitaire », son arme principale étant la menace de communiqués de presse susceptibles de mettre en cause la réputation d'une firme, à défaut de pouvoirs juridiques qui lui auraient été clairement octroyés. C'est l'occasion d'ailleurs de remarquer que la France n'a pas le monopole des psychoses alimentaires et qu'outre-Atlantique aussi, consommateurs et médias demandent des comptes quand une alerte n'a pas été donnée suffisamment rapidement et quand ils ont l'impression que des morts ou des maladies auraient pu être évitées par une réaction plus rapide et plus énergique.

Peut-on pour autant dire qu'aux États-Unis ou en France, les risques d'une intoxication alimentaire sont plus élevés lorsque la nourriture vient d'une chaîne de restauration rapide ? Ce n'est certainement pas démontré et c'est loin d'être évident, en tout cas dans un pays comme la France, où la réglementation et son contrôle sont conçus sur la base de normes qui s'appliquent de manière universelle, sans distinction de « gamme ». Le rôle de l'État est justement d'éviter une sécurité sanitaire à deux vitesses et il doit pouvoir faire contrepoids à la tentation que pourraient avoir les opérateurs, vis-à-vis de la clientèle la moins fortunée, de réduire les prix par une réduction des coûts liés à l'hygiène alimentaire. C'est en cela que la sécurité alimentaire est une fonction régalienne par excellence et que l'égalité face à la sécurité sanitaire ne peut être obtenue que par des institutions publiques fortes. Il est intéressant de souligner, à cet égard, que la nécessité d'instances de régulation ne diminue pas dans un système de production qui se libéralise, quel que soit le secteur d'activité.

C'est pourquoi vouloir, sur le plan de la sécurité sanitaire, en l'absence d'éléments probants, postuler une supériorité de principe de la nourriture dite conventionnelle sur la nourriture qui se qualifie de rapide, rappelle une autre démarche. Celle de ceux qui veulent considérer que les produits traditionnels – tels les fromages au lait cru ou les charcuteries artisanales – présentent des dangers bien plus élevés qu'une nourriture plus industrielle et plus aseptisée. Gardons-nous de ne pas tomber dans cette facilité. Les Français ont trop souvent reproché aux Américains et aux Européens du Nord d'essayer de compromettre leurs fiertés gastronomiques par une suspicion de risque attachée à leurs produits les plus chers pour ne pas tomber dans le même travers. La vérité, c'est que les niveaux de sécurité peuvent se rejoindre si les exigences tiennent compte des spécificités des modes de production, de distribution et de consommation. La réalité, c'est aussi qu'en France comme aux États-Unis, peut-être plus qu'aux États-Unis d'ailleurs, manquent encore les outils de surveillance épidémiologique performants. On ne sait toujours pas quel est le nombre de maladies dues à des intoxications alimentaires et les approximations sont telles qu'il est difficile de pouvoir dire avec certitude qu'il y a une amélioration avec le temps ou de conclure sur des problématiques telles que celles soulevées par l'auteur d'une comparaison d'un mode de restauration avec un autre. Il y a urgence à mettre en place de tels outils, certes pour permettre des comparaisons entre pays, mais surtout pour améliorer la surveillance.

Et la vache folle ? Elle fait partie de ces maux que l'auteur impute aux hamburgers des chaînes de restauration rapide. Ce n'est pas le chapitre le plus argumenté du livre, loin de là. Ce n'est d'ailleurs pas un thème très familier des Américains qui se sont toujours considérés comme indemnes de cette maladie et qui pensent que leur cheptel bovin n'a pu être exposé aux mêmes facteurs de contamination que celui du Royaume-Uni et celui des pays du continent européen. Le seul cas humain de nouveau variant de maladie de Creutzfeldt-Jakob recensé au États-Unis a passé une longue partie de sa vie en Grande-Bretagne. L'accusation portée par l'auteur vis-à-vis de la responsabilité des fast-foods dans l'épidémie de cette maladie ressemble plus à une position de principe d'une personne choquée après avoir enquêté trois ans dans un milieu dont l'obsession est de diminuer les coûts de production, qu'aux conclusions d'un scientifique, étayées par des données solides. Faut-il pour autant refuser de poser la question ? Non, quand on sait que les autorités sanitaires britanniques elles-mêmes s'efforcent de voir dans quelle mesure les modes de production propres à ces secteurs ont pu « surexposer » la population. Il est malheureusement envisageable que les enquêtes épidémiologiques conduisent à l'avenir à mettre en évidence que les préparations des fast-foods contenaient, dans la période dangereuse, plus de matériaux à risque (comme la cervelle et la moelle épinière) que les viandes non reconstituées servies en restauration traditionnelle. Rappelons qu'aujourd'hui, en Europe, l'interdiction de ces organes dangereux est généralisée et que, bien entendu, les mêmes normes strictes s'appliquent à l'ensemble des modes de distribution de la viande bovine.

Bref, le débat sur l'influence d'une nouvelle économie de la restauration sur la nutrition et la sécurité alimentaire est loin d'être clos... Espérons que de tels livres permettent de le poser avec suffisamment de vigueur pour que ces questions ne soient pas occultées et ne soient pas traitées uniquement dans les prétoires. L'enjeu en vaut la chandelle.

TABLE DES MATIÈRES

Introduction 5

1. La méthode américaine 17
Les pères fondateurs 18
Vos amis dévoués 35
Derrière le comptoir 63
Le succès 95

2. De la viande et des pommes de terre 113
Pourquoi les frites ont si bon goût 114
Dans la prairie 136
Les rouages de la grande machine 151
Un métier des plus dangereux 170
Ce qu'on trouve dans la viande 193
Une implantation mondiale 223

Épilogue : C'est comme vous voulez 252

Trouver un sens à la vache folle ? 268

Postface
par Martin Hirsch, directeur général de l'Agence française de
sécurité sanitaire des aliments (AFSSA) 287

Également disponible aux Éditions Autrement

Atlas de l'alimentation dans le monde

Par Erik Millstone et Tim Lang
Traduit de l'anglais par Catherine Bednarek

L'*Atlas de l'alimentation dans le monde* dresse un tableau de la chaîne alimentaire de l'agriculture à la consommation et montre de quelle façon cette chaîne est affectée par les décisions de l'OMC, les politiques agricoles nationales, les désastres écologiques et les changements de modes de vie.
Il aborde les grandes questions alimentaires de demain : quelle agriculture mondiale pour le XXIe siècle, quel avenir pour les OGM, une production agricole quantitative ou qualitative ? Qu'en est-il de la sous-nutrition et de la malnutrition dans les pays les plus pauvres ?
À travers un état des lieux inédit de la chaîne agroalimentaire dans le monde, l'*Atlas de l'alimentation dans le monde*, illustré de photographies, de cartes et de schémas constitue un bilan chiffré, visuel, accessible à tous, sur le devenir de notre alimentation.

Collection Atlas/Monde
26 €